Programme d'éducation à la sécurité routière

Carnet d'accès à la route

CONDUITE D'UN VÉHICULE DE PROMENADE

Société de l'assurance automobile
Québec 🏵️🏵️ 🏵️🏵️

TABLE DES MATIÈRES

Introduction

Contexte de la formation

Le *Carnet d'accès à la route* est destiné à toute personne s'inscrivant au cours de conduite pour l'obtention du permis de conduire de classe 5.

Rappelons que, selon le Code de la sécurité routière (article 66.1), une personne qui désire obtenir un permis pour conduire un véhicule de promenade de classe 5 doit avoir suivi avec succès un cours théorique et pratique dans une école de conduite reconnue par un organisme agréé par la Société de l'assurance automobile du Québec.

COMPÉTENCES À ACQUÉRIR

Le Programme d'éducation à la sécurité routière cible quatre compétences :

- Établir le profil d'un conducteur au comportement sécuritaire, coopératif et responsable

- Manœuvrer un véhicule de promenade

- Partager la route

- Utiliser le réseau routier de façon autonome et responsable

Programme d'éducation à la sécurité routière

Compétences et éléments de compétence

1. Établir le profil d'un conducteur au comportement sécuritaire, coopératif et responsable

- Reconnaître les caractéristiques personnelles qui peuvent influer sur son comportement de conducteur en devenir

- Déterminer les facteurs qui augmentent le risque en situation de conduite

- Déterminer le cadre légal et les règles de courtoisie qui permettent une conduite sécuritaire, coopérative et responsable

- Déterminer les caractéristiques d'une conduite écologique, économique et respectueuse de la sécurité routière (écoconduite)

- Établir son profil de conducteur en devenir

2. Manœuvrer un véhicule de promenade

- Préparer le véhicule pour son déplacement

- Réaliser les manœuvres de conduite

- Adopter une conduite écologique, économique et sécuritaire (écoconduite)

- Évaluer ses habiletés et ses limites au regard des manœuvres exécutées

3. Partager la route

- Tenir compte des autres usagers de la route

- Adopter une conduite coopérative et courtoise

- Évaluer son comportement au regard du partage de la route

4. Utiliser le réseau routier de façon autonome et responsable

- Décider de conduire ou de ne pas conduire

- Se diriger de façon autonome sur le réseau

- Conduire de façon responsable

- Anticiper des situations potentiellement à risque

- Manœuvrer le véhicule dans des situations de conduite difficiles ou d'urgence

- Évaluer ses pratiques de conduite et son comportement au regard d'une conduite autonome et responsable

Principes directeurs du programme

Le programme comprend cinq principes directeurs, soit l'alternance entre la théorie et la pratique, la conduite autonome, l'écoconduite, la stratégie OEA et l'information sur les comportements à risque.

L'ALTERNANCE ENTRE LA THÉORIE ET LA PRATIQUE

Tout au long de la période d'apprentissage, l'acquisition des connaissances et celle des compétences se déroulent en alternance, avec des modules de formation en classe, des sorties sur la route et de l'autoapprentissage. Cette formule vous permettra de mettre graduellement en pratique, au cours des sorties sur la route, les connaissances et les compétences acquises en classe et par l'autoapprentissage.

LA CONDUITE AUTONOME

Comme apprenti conducteur, il est important que vous atteigniez un niveau suffisant d'autonomie sur le réseau routier avant l'obtention de votre permis probatoire. En effet, le passage du permis d'apprenti conducteur au permis probatoire est souvent une étape critique pour les nouveaux conducteurs quant à leur implication dans les accidents de la route. Les premiers accidents sont souvent liés à des déficiences relatives à certaines habiletés comme l'observation, l'anticipation ou la prise de décisions, et celles-ci sont souvent dues au fait que l'apprenti conducteur n'a pas eu la latitude ou l'occasion de les perfectionner. Au cours de la formation pratique à l'école de conduite, le moniteur vous amènera à progresser d'abord dans le cadre d'une conduite dirigée, puis d'une conduite semi-dirigée pour finalement vous amener à la conduite autonome.

L'ÉCOCONDUITE

Il est reconnu que l'écoconduite présente des avantages incontournables relativement à l'environnement, mais ses avantages ne se limitent pas à cet aspect. L'écoconduite a également des retombées positives sur la sécurité routière, car elle fait la promotion de valeurs et d'attitudes qui contribuent à une conduite sécuritaire et responsable. Avec ce nouveau programme, vous serez encouragé à appliquer l'écoconduite bien au-delà des manœuvres du véhicule. En effet, vous serez amené à vous questionner sur vos choix en matière de déplacements et à ne pas systématiquement privilégier l'automobile au détriment des autres modes de transport. Décider de ne pas prendre le volant est souvent la meilleure solution pour l'environnement et pour la sécurité routière.

LA STRATÉGIE OEA (OBSERVER – ÉVALUER – AGIR)

Comme apprenti conducteur, vous aurez à maîtriser la séquence d'exploration Observer – Évaluer – Agir, qui permet d'observer et d'évaluer rapidement ce qui se passe autour de vous. Vous pourrez donc mieux anticiper les situations risquées et réagir en conséquence afin de toujours avoir un comportement sécuritaire, coopératif et responsable en présence des divers usagers de la route, notamment les usagers vulnérables (piétons, cyclistes, etc.).

L'INFORMATION SUR LES COMPORTEMENTS À RISQUE

L'activité de conduite est une tâche complexe qui exige une attention soutenue. En associant des comportements à risque à l'activité de conduite, le risque d'accident est accru et la sécurité du conducteur et des autres usagers est menacée. Une attention particulière est donc portée, dans le nouveau programme, à la prise de conscience du rôle important que jouent la vitesse, l'alcool, les drogues, la fatigue et le non-port de la ceinture de sécurité dans le risque routier.

Dispositif de formation

Dispositif de formation – Programme d'éducation à la sécurité routière

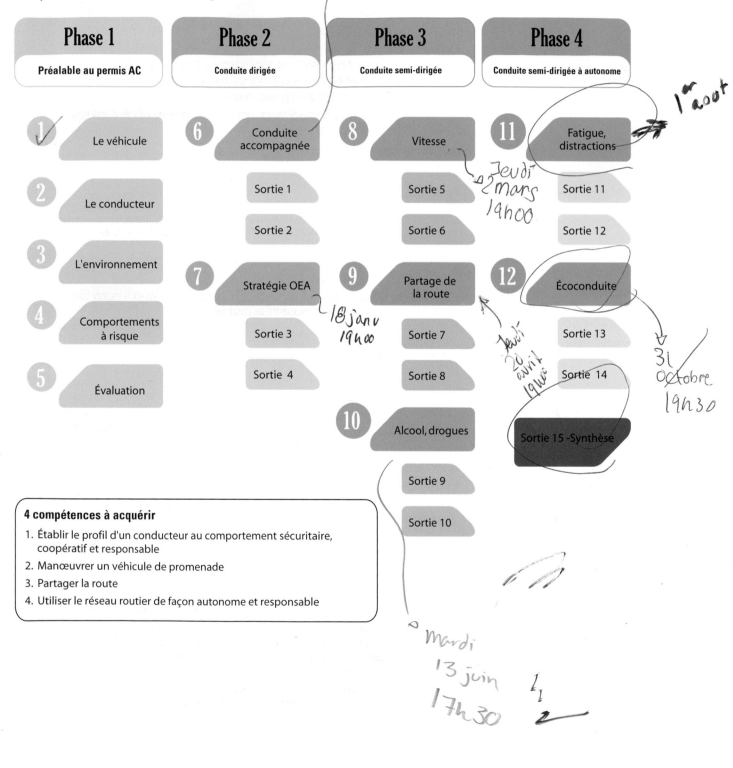

4 compétences à acquérir

1. Établir le profil d'un conducteur au comportement sécuritaire, coopératif et responsable
2. Manœuvrer un véhicule de promenade
3. Partager la route
4. Utiliser le réseau routier de façon autonome et responsable

La formation est répartie en quatre phases où alternent les cours théoriques (modules numérotés de 1 à 12) et pratiques (sorties 1 à 15). Cela totalise 24 heures de formation théorique et 15 heures de formation pratique.

Phase 1

Préalable à l'obtention du permis d'apprenti conducteur (théorie seulement)

- Enseignement des contenus relatifs au véhicule, au conducteur, à l'environnement et aux comportements à risque
- Prise de conscience des comportements sécuritaires, coopératifs et responsables à adopter comme conducteur
- Administration de l'épreuve théorique
- La réussite à cette épreuve permet la délivrance du permis d'apprenti conducteur par la SAAQ

Phase 2

Conduite dirigée

- Enseignement des contenus relatifs à la conduite accompagnée et à la stratégie OEA
- Apprentissage des manœuvres de base du véhicule dans des environnements de conduite simples
- Adoption de comportements sécuritaires, coopératifs et responsables dans des environnements de conduite simples

Phase 3

Conduite semi-dirigée

- Enseignement des contenus relatifs à certains comportements à risque (vitesse, alcool et drogues) et au partage de la route, notamment avec les usagers vulnérables et les véhicules lourds
- Apprentissage de manœuvres plus complexes dans des environnements de conduite diversifiés
- Adoption de comportements sécuritaires, coopératifs et responsables dans des environnements de conduite diversifiés

Phase 4

Conduite semi-dirigée à autonome

- Enseignement des contenus relatifs à d'autres facteurs de risque (fatigue et distractions au volant) et à l'écoconduite
- Approfondissement des manœuvres du véhicule et adoption de comportements sécuritaires, coopératifs et responsables dans des environnements diversifiés
- Synthèse des apprentissages réalisés au cours des sorties sur la route, préparatoire à l'examen pratique de la SAAQ

Approche pédagogique

Les intentions éducatives visées par le contenu du programme sont de favoriser la réflexion et l'autoévaluation de l'aspirant conducteur à propos de ses actions, en fonction d'un profil de conducteur au comportement sécuritaire, coopératif et responsable. Les échanges entre les apprenants, les instructeurs-moniteurs, les moniteurs et les accompagnateurs sont favorisés. L'apprenant est l'acteur de son apprentissage et il doit constamment se questionner sur son comportement et ses attitudes relativement à la conduite d'un véhicule de promenade.

Apprentissage en
Classe

Dans le contexte de la formation en classe, l'amorce du travail se fait, dans la plupart des cas, par une activité animée par l'instructeur-moniteur, qui fait appel à certaines compétences inscrites au programme. Cette activité se déroule en équipes, de façon que les échanges et l'interaction entre pairs favorisent la réflexion et la prise de conscience. Vous serez ainsi amené à une meilleure connaissance de vos forces et de vos faiblesses comme conducteur en devenir. L'instructeur-moniteur complète ensuite la démarche par la diffusion des contenus nécessaires au perfectionnement des compétences inscrites au programme.

Apprentissage sur la
Route

Avant de commencer une sortie sur la route, votre moniteur prend quelques minutes, dans le véhicule, pour échanger avec vous sur les manœuvres qui devront être effectuées et les comportements à adopter. À la fin de la sortie, vous devrez remplir une fiche d'autoévaluation et échanger avec votre moniteur sur vos forces, sur les points à améliorer et sur les éléments que vous devrez mettre en pratique au cours des sorties subséquentes avec votre moniteur ou avec votre accompagnateur.

Autoapprentissage

Une partie de l'apprentissage doit se faire par la lecture des guides d'apprentissage (*Conduire un véhicule de promenade* et le *Guide de la route*) et du supplément inclus dans le présent *Carnet d'accès à la route*.

Site Web *Éducation routière*

http://educationroutiere.saaq.gouv.qc.ca

Sur le site Web *Éducation routière*, vous trouverez, entre autres, de l'information
concernant le cours de conduite, des exercices de révision interactifs et des clips animés.
Consultez ce site régulièrement !

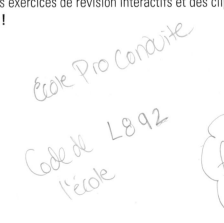

École Pro Conduite

Code de l'école L892

faire les modules
1 et 2 dans prochains jours

LES ÉVALUATIONS

L'évaluation est une partie essentielle de l'apprentissage ; elle se fait en plusieurs étapes tout au long du processus de formation et elle vous permet de voir votre progression et de mettre en lumière vos forces et vos faiblesses.

Évaluation de la formation théorique

À la fin de la phase 1, une première évaluation portant sur l'acquisition des connaissances théoriques est faite à l'école de conduite. Celle-ci administre un examen écrit de la SAAQ. La réussite à cet examen vous permet d'obtenir votre permis d'apprenti conducteur. Le second examen écrit est administré par la SAAQ dans ses locaux. En effet, dix mois après l'obtention de votre permis d'apprenti conducteur, vous pouvez vous présenter dans un centre de services de la SAAQ pour passer l'examen théorique.

Évaluation de la formation pratique

Une évaluation de la formation pratique est faite par l'école de conduite au cours des sorties 5 et 10 et à la sortie 15 qui est la synthèse avant l'examen pratique de la SAAQ. Douze mois après l'obtention de votre permis d'apprenti conducteur, vous pouvez vous présenter dans un centre de services de la SAAQ pour passer l'examen pratique, à la condition d'avoir réussi l'examen théorique de la SAAQ et obtenu votre attestation de réussite au cours de conduite.

Carnet d'accès à la route : mode d'emploi

Ce carnet est votre outil de travail. Il comprend l'ensemble de l'information et des références dont vous avez besoin pour suivre le Programme d'éducation à la sécurité routière. Il est divisé par phases et par modules selon la même structure que le dispositif de formation.

Chaque module comprend, de façon générale :

La feuille de route

La feuille de route vous permet de cheminer efficacement pendant votre programme de cours. Cet outil de référence indique les lectures recommandées par la Société pour chacun des modules du cours. Ces lectures vous aideront à bien vous préparer aux examens théorique et pratique.

Les lectures suggérées sont tirées de trois documents : le supplément, le guide *Conduire un véhicule de promenade* (CVP) et le *Guide de la route* (GDR). La feuille de route indique clairement dans quel document et à quelles pages vous trouverez l'information nécessaire à votre apprentissage d'une conduite sécuritaire, coopérative et responsable.

Le supplément aux guides d'apprentissage

Le supplément est le complément essentiel au guide *Conduire un véhicule de promenade* et au *Guide de la route*. Tous les contenus de ce supplément se trouvent dans le *Carnet d'accès à la route* et sur le site Web *Éducation routière*.

Les activités effectuées en classe

Pour chacune des activités qui se déroulent en classe, vous trouverez dans votre *Carnet d'accès à la route* une présentation de cette activité ainsi que les consignes et les outils nécessaires pour la réaliser.

Les exercices de révision

À la fin de chacun des modules, vous pouvez aller sur le site Web *Éducation routière* pour faire les exercices de révision qui vous prépareront à l'examen pour l'obtention du permis d'apprenti conducteur ainsi qu'à l'examen théorique de la SAAQ en fin de parcours.

Les fiches de sorties sur la route

À partir de la phase 2, à la fin de chaque module, vous trouverez dans votre *Carnet d'accès à la route* des fiches de sorties sur la route qui vous indiquent les manœuvres que vous aurez à exécuter et les comportements que vous devrez adopter en compagnie de votre moniteur. Le programme de cours comporte quinze sorties sur la route, pour un total de quinze heures de formation pratique.

Les fiches sur les situations particulières

Vous trouverez en annexe, dans votre *Carnet d'accès à la route*, trois fiches de sorties sur la route portant sur des situations particulières, soit la conduite dans l'obscurité, la conduite hivernale et la conduite sous la pluie. Une quatrième fiche particulière porte sur la manœuvre de dépassement. C'est à votre moniteur de déterminer quand il doit introduire ces exercices obligatoires.

La fiche d'autoévaluation de la sortie sur la route

Dès la phase 2 du programme, vous trouverez dans votre *Carnet d'accès à la route* ainsi que sur le site Web *Éducation routière* une fiche d'autoévaluation à apporter avec vous à chacune de vos sorties sur la route. Après chaque sortie, cette fiche vous permettra d'évaluer votre performance et de consigner les commentaires et suggestions de votre moniteur.

Phase 1

Préalable
au permis
d'apprenti conducteur

Module 1

Le véhicule

COMPÉTENCES VISÉES

- Reconnaître les caractéristiques personnelles qui peuvent influer sur son comportement de conducteur en devenir

- Déterminer les caractéristiques d'une conduite écologique, économique et respectueuse de la sécurité routière (écoconduite)

- Préparer le véhicule pour son déplacement

Module 1 **Le véhicule**

Supplément aux guides d'apprentissage

Le module 1, qui porte sur le véhicule, vous fait d'abord connaître les caractéristiques, les commandes et les dispositifs d'un véhicule de promenade. Une attention particulière est portée aux dispositifs de sécurité compte tenu que, ces dernières années, un taux anormalement élevé de jeunes conducteurs décédés ne portaient pas leur ceinture de sécurité. On y montre ensuite comment bien préparer le transport. Enfin, les principes de l'écoconduite sont introduits afin de jeter les bases d'une conduite sécuritaire, coopérative et responsable.

Consultez les pages 10 à 16 du guide* Conduire un véhicule de promenade *(y inclus « Le rétroviseur »).

Les limites du corps humain

Depuis les trente dernières années, plusieurs améliorations technologiques ont permis de bonifier la puissance, le contrôle mais surtout le confort et la sécurité des véhicules. Ces améliorations ont, entre autres, contribué à diminuer de façon importante la gravité des blessures. Cependant, la capacité du corps à encaisser les chocs, elle, ne s'est pas améliorée.

Le corps humain a ses limites bien à lui en ce qui a trait à la résistance aux chocs. Il est bon d'avoir cela à l'esprit avant de prendre des risques. Par exemple, la vitesse augmente la gravité des blessures en cas d'impact.

Consultez la page 17 du guide* Conduire un véhicule de promenade *(y inclus « La ceinture de sécurité »).

L'INSTALLATION SÉCURITAIRE DES OCCUPANTS

Le nombre de passagers qu'un véhicule peut accueillir correspond au nombre de ceintures de sécurité dont le constructeur l'a équipé. La règle est simple : une ceinture – un passager, et un passager par ceinture !

COMMENT BIEN BOUCLER SA CEINTURE

Les ceintures de sécurité sont moins efficaces si elles ne sont pas ajustées correctement.

Un occupant est attaché de façon sécuritaire lorsque :

- L'attache de la ceinture est fermement en place.

- La ceinture sous-abdominale est ajustée de façon qu'elle soit bien serrée sur les hanches plutôt que sur l'abdomen.

- La ceinture diagonale se rétracte dans l'enrouleur afin de reposer sur la poitrine et sur l'épaule. Il faut que la tension ne laisse aucun jeu, sans que la ceinture soit trop serrée.

Une ceinture portée adéquatement passe sur les os du bassin et sur la clavicule. Ces os sont parmi les plus forts du corps humain. Leur grande résistance permet de mieux absorber les chocs en cas d'impact. Ne portez jamais la ceinture au niveau du cou, du ventre, sous le bras ou derrière le dos, car, en cas de choc ou d'arrêt brusque, cela pourrait causer des blessures graves ou mortelles aux organes vitaux.

Les vêtements d'hiver bouffants ou la corpulence peuvent représenter un risque particulier. Il est recommandé de toujours placer la ceinture abdominale sous le bord ou le pli inférieur du manteau d'hiver ou encore sous la portion inférieure de l'abdomen de façon qu'elle repose plus près des cuisses que du nombril.

FEMME ENCEINTE ET CEINTURE DE SÉCURITÉ

Il est faux de penser qu'en cas d'accident ou d'un arrêt brusque le port de la ceinture de sécurité pourrait contribuer à l'écrasement du fœtus, à une rupture de l'utérus ou à un décollement du placenta. En réalité, les femmes enceintes qui ne portent pas la ceinture exposent leur enfant à des risques plus importants. Il est prouvé que, dans la presque totalité des accidents de la route impliquant des femmes enceintes, c'est la mort de celle-ci qui entraîne la mort du fœtus. Pour bien le protéger, il faut protéger la vie de la mère.

L'INSTALLATION SÉCURITAIRE DES ENFANTS

La banquette arrière de la voiture est l'endroit le plus sûr pour les enfants de moins de 12 ans. Assis à l'arrière, ils sont le plus loin possible du point d'impact en cas de collision frontale, ainsi que des sacs gonflables à l'avant, qui, au moment d'un déploiement, pourraient leur causer des blessures graves ou même mortelles.

L'enfant mesurant moins de 63 cm en position assise doit obligatoirement être installé dans un siège d'auto pour enfant, approprié à son poids et à sa taille.

L'enfant mesurant 63 cm ou plus en position assise devrait être installé dans un siège d'appoint tant que la ceinture de sécurité ne peut être utilisée seule et ajustée de façon sécuritaire. Il faut alors s'assurer que :

- Lorsque l'enfant est assis sur la banquette, il a le dos bien appuyé au dossier et les genoux pliés au bout du siège. Il doit pouvoir maintenir cette position durant tout le trajet.

- Lorsque la ceinture de sécurité est attachée, elle passe au milieu de l'épaule (sur la clavicule) et sur les hanches. Elle ne doit pas s'appuyer près du cou ni sur le ventre.

LES MODIFICATIONS AUX DISPOSITIFS DE SÉCURITÉ DES OCCUPANTS

Il est interdit de modifier, d'enlever ou de mettre hors d'usage les ceintures de sécurité d'origine d'un véhicule.

Il est également interdit de modifier un siège d'auto pour enfant puisqu'il doit être installé conformément aux instructions du fabricant.

Consultez la page 18 « Les coussins gonflables » du guide Conduire un véhicule de promenade.

22

L'«AUTOPSIE» D'UN ACCIDENT

Lorsqu'une automobile décélère brusquement, les personnes à son bord sont projetées vers l'avant à la même vitesse que le véhicule et elles ont tendance à conserver cette vitesse. En effet, la vitesse des passagers est égale à la vitesse de l'automobile dans laquelle ils prennent place. Il en va de même pour les objets libres ou les bagages déposés ou suspendus à l'intérieur du véhicule.

Il est possible d'illustrer une collision de la façon suivante :

- Tout d'abord, au moment d'une collision, le véhicule entre en contact avec l'obstacle. L'énergie libérée par la brusque décélération est transférée au véhicule qui en absorbe une partie.

- Par la suite, les occupants poursuivent leur lancée vers le point d'impact. Ils sont freinés par certains éléments du véhicule, soit la ceinture de sécurité lorsqu'elle est portée, le coussin gonflable lorsque le véhicule en est muni ou simplement les éléments internes de la voiture tels le volant, le tableau de bord et le pare-brise. S'ils ne sont pas freinés, les corps risquent fort d'être éjectés du véhicule.

- Enfin, les organes internes mobiles du corps humain (cerveau, foie, poumon, etc.) poursuivent leur déplacement et viennent percuter des os tels le crâne et la cage thoracique.

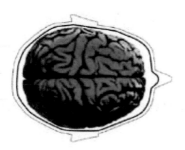 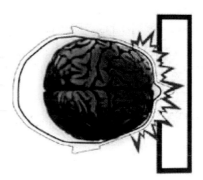

Si sa ceinture n'est pas convenablement bouclée et son siège correctement ajusté, l'occupant d'une automobile poursuit son mouvement vers le point d'impact et risque des blessures graves. En outre, sans le port de la ceinture de sécurité, les occupants du véhicule peuvent devenir, à tout moment, des projectiles très dangereux pour les autres. Il en est de même pour un objet, un bagage qui ne serait pas bien fixé ou pour un animal en liberté.

***Consultez les pages 19 à 22 du guide* Conduire un véhicule de promenade (*y inclus « Le véhicule à transmission automatique »*).**

 ## Saviez-vous que...

À 50 km/h, la pression qui s'exerce sur les corps en mouvement en multiplie le poids par 35 au moment d'un impact. Un objet banal comme une boîte de papiers-mouchoirs risque alors de se transformer en boulet.

Les pneus

La loi ayant changé en 2007 au sujet des pneus, ne pas tenir compte du contenu des pages 23 et 24 du guide *Conduire un véhicule de promenade* (édition 2005).

Les pneus assurent à eux seuls le contact du véhicule avec la chaussée. La bonne adhérence des pneus est essentielle à la maîtrise du véhicule et à la sécurité des passagers. L'efficacité de la traction ou de la propulsion, de la direction et du freinage du véhicule dépend en grande partie de l'état des pneus et de leur degré d'usure.

LE CHOIX DES PNEUS

Pour favoriser la stabilité et la sécurité du véhicule, il est recommandé d'utiliser quatre pneus identiques : même marque, même modèle, même type de construction et même dimension.

LES PNEUS D'HIVER

Au Québec, il est maintenant obligatoire de munir son véhicule de promenade de quatre pneus d'hiver en bon état, entre les mois de décembre et de mars. Ce type de pneus est une solution sécuritaire pour circuler en hiver. Ils sont conçus en vue d'obtenir une adhérence maximale sur une surface enneigée ou glacée.

Une fois la belle saison revenue, il est recommandé de remettre des pneus d'été ou quatre saisons. En effet, le fait de conserver ses pneus d'hiver en été peut entraîner une consommation d'essence supérieure. En plus, ils ne sont pas conçus pour les températures de la saison estivale et le type de caoutchouc dont est fait le pneu d'hiver s'use plus rapidement pendant l'été.

L'ENTRETIEN DES PNEUS

L'élément essentiel de l'entretien des pneus est le maintien de la pression d'air recommandée par le constructeur du véhicule. Le niveau de pression d'air est indiqué sur l'étiquette située sur le côté de la portière du conducteur ou dans le manuel d'entretien du véhicule. La pression d'air inscrite sur le pneu par le fabricant sert uniquement de référence pour indiquer le niveau de pression maximal qu'il ne faut pas dépasser.

Le véhicule roulera mieux, consommera moins d'essence et sera plus sécuritaire si les pneus sont bien gonflés. En effet :

- Un pneu dont la pression d'air est trop forte fournit une moins bonne adhérence et présente un risque de crevaison ;

- Un pneu dont la pression d'air est trop faible s'échauffe. Il peut éclater et entraîner une perte de contrôle du véhicule.

De plus, des pneus qui ne sont pas assez gonflés peuvent faire augmenter la consommation d'essence. La durée de vie des pneus peut même être réduite de 15 000 km. Selon le kilométrage parcouru avec le véhicule, s'il respecte le niveau de pression d'air recommandé, le conducteur pourrait utiliser ses pneus une ou deux saisons de plus.

Conseils d'écoconduite :

- Vérifiez la pression d'air des pneus au moins une fois par mois ;

- Mesurez toujours la pression des pneus quand ils sont froids, c'est-à-dire lorsque le véhicule n'a pas roulé depuis au moins 3 heures ou s'il n'a pas franchi une distance de plus de 2 km. Il faut savoir que plus les pneus se réchauffent, plus leur pression augmente ;

- Faites rééquilibrer la roue lorsqu'un pneu ou une jante ont été remplacés ;

- Faites la rotation des pneus tous les 10 000 km. Cela réduit l'usure, diminue votre consommation d'essence et assure une conduite sécuritaire avec une performance maximale.

Consultez les pages 25 à 37 inclusivement du guide Conduire un véhicule de promenade.

L'écoconduite

LES PRINCIPES FONDAMENTAUX

L'écoconduite est un comportement routier, voire citoyen, facile à apprendre et à adopter. Tout conducteur, au volant de n'importe quel véhicule, peut adhérer à l'écoconduite.

Ce comportement vise à réduire la consommation de carburant ainsi que les émissions de gaz à effet de serre et autres polluants. En plus, adhérer à l'écoconduite diminue le risque d'accident puisque le conducteur est appelé à planifier, à anticiper et à coopérer avec les autres usagers de la route. Cependant, un comportement routier sécuritaire doit avoir priorité sur l'écoconduite en cas de conflit entre les deux.

L'écoconduite se caractérise donc par une conduite sécuritaire, économique et respectueuse de l'environnement. Elle comporte plusieurs avantages.

LES AVANTAGES DE L'ÉCOCONDUITE

Sur la sécurité routière

Le premier geste fait par un « écoconducteur » est de se demander si le trajet envisagé peut se faire sans utiliser le véhicule. Parfois, des solutions de remplacement plus écoresponsables telles la marche, le vélo, le covoiturage ou le transport en commun s'offrent à nous.

S'il doit utiliser un véhicule, l'« écoconducteur » planifie son itinéraire en évitant de faire plusieurs déplacements courts et en privilégiant leur regroupement afin de réduire le kilométrage. L'étape de la planification inclut celle du temps. Le conducteur s'assure de se donner le temps nécessaire pour effectuer le trajet sans se presser.

Une fois derrière le volant, le conducteur adopte un style de conduite apaisé, fluide et constant assorti d'une anticipation précoce du trafic et des comportements routiers des autres usagers.

Enfin, un entretien régulier du véhicule et des vérifications faites avant un long parcours augmentent la sécurité du conducteur et celle des autres usagers de la route.

L'ensemble de ces comportements sont bénéfiques pour soi, pour les autres usagers de la route et pour la sécurité routière en général.

Sur l'économie

La conduite apaisée, qui est une composante de l'écoconduite, se caractérise notamment par l'évitement des accélérations ou des freinages brusques ainsi que par l'adoption d'une vitesse sécuritaire et constante, qui contribue à réduire la consommation de carburant. Il en va de même pour l'entretien régulier du véhicule, une pression adéquate des pneus et la suppression des charges superflues.

En plus de l'économie de carburant et d'argent, ces comportements réduisent les ennuis mécaniques soudains et les réparations coûteuses.

Sur l'environnement

La conduite d'un véhicule motorisé nécessite la consommation d'un carburant, généralement de l'essence. Des composés chimiques créés par la combustion de ce carburant sont rejetés dans l'atmosphère. Ces polluants sont parmi les agents à l'origine des gaz à effet de serre ou du smog urbain.

Adopter des comportements d'écoconduite, tels la réduction de la vitesse et celle des accélérations et des freinages brusques, contribue à réduire la consommation de carburant, donc des émissions de polluants.

CONCLUSION

Une conduite sécuritaire, coopérative et responsable débute par une bonne connaissance du véhicule dans lequel on s'apprête à monter. Elle se poursuit par un entretien régulier et adéquat ainsi que par une bonne préparation au transport. Enfin, elle est synonyme d'écoconduite puisqu'une conduite plus calme, moins dangereuse et moins polluante représente un bénéfice pour la sécurité routière et pour le budget des automobilistes, mais aussi pour la santé, pour la qualité de l'air, pour l'environnement et pour la protection de l'équilibre climatique.

Éducation routière
educationroutiere.saaq.gouv.qc.ca

Activité

Représentation du véhicule

Le choix du véhicule, pour certains conducteurs, est le reflet de ce qu'ils sont et de ce qu'ils croient. De plus, les motivations à conduire autres que de se rendre à destination (ex. : parader, rechercher des sensations, obtenir la reconnaissance des pairs [amis], etc.) peuvent influer sur le comportement de conduite.

TITRE DE L'ACTIVITÉ

Le véhicule de mes rêves

TÂCHES À RÉALISER

Individuellement (5 minutes)

Remplissez la fiche intitulée *Le véhicule de mes rêves*, en indiquant :

- Le véhicule que vous rêvez de posséder
- Ses principales caractéristiques
- Les raisons pour lesquelles vous rêvez de posséder ce véhicule

En équipes de travail (10 minutes)

- Nommez un porte-parole pour le retour en séance plénière.
- Échangez sur les véhicules rêvés, leurs caractéristiques et sur la raison de vos choix.

En séance plénière (15 minutes)

- Présentez les résultats de vos travaux : véhicules rêvés, leurs caractéristiques et la raison de vos choix.

Bilan de l'activité

Bien que le choix du véhicule puisse être un incitatif à adopter des comportements à risque – alcool, drogue, vitesse, non-port de la ceinture de sécurité, non-respect du Code de la sécurité routière –, c'est le conducteur qui est responsable, et le type de véhicule choisi est souvent le reflet de la personnalité de ce conducteur. Il importe de se rappeler l'importance de conduire de façon sécuritaire, coopérative et responsable afin d'assurer sa propre sécurité et celle des autres usagers de la route.

Individuellement

Ce que j'ai appris au cours de cette activité :

_____

_____

_____

_____

Questionnaire

30

Le véhicule de mes rêves

- *Indiquez le véhicule que vous rêvez de posséder – véhicule des parents, véhicule sport, décapotable, etc.*

- *Décrivez, dans les grandes lignes, les principales caractéristiques du véhicule – voiture sous-compacte ou compacte, puissance du moteur, toit ouvrant ou non, etc.*

- *Expliquez pourquoi vous rêvez de posséder ce véhicule.*

Quel est le véhicule de mes rêves ?

_____

_____

_____

_____

Quelles sont ses principales caractéristiques ?

_____

_____

_____

_____

_____

_____

_____

_____

Pourquoi est-ce le véhicule de mes rêves ?

_____

_____

_____

_____

_____

_____

_____

_____

_____

_____

LE **VÉHICULE**

CONNAÎTRE
SON VÉHICULE

Avant de vous déplacer avec un véhicule, il est essentiel d'en connaître les dispositifs et les accessoires.

Pour ce faire, la consultation du manuel du fabricant devient un outil indispensable.

Vous devez vous familiariser avec le tableau de bord, en connaître les composantes et savoir interpréter les messages et les renseignements qu'il donne. Sachez reconnaître et localiser les principaux symboles.

Les voitures récentes sont maintenant munies d'une foule de dispositifs sophistiqués, d'où l'importance de vous référer, encore une fois, au manuel du fabricant.

LA POSITION
DE CONDUITE

S'installer confortablement dans sa voiture est un point capital qui est trop souvent négligé. Une bonne position de conduite doit vous permettre de rouler de façon détendue, mais néanmoins efficace : pas question d'être avachi comme dans un canapé, mais pas question non plus de rester agrippé au volant et de rouler crispé.

LES **PÉDALES** :

La pédale de l'accélérateur se trouve à droite et la pédale de frein se trouve à gauche de l'accélérateur et si le véhicule est manuel, la pédale d'embrayage se trouve à gauche de la pédale de frein. Pour être à une bonne distance des pédales, le conducteur devrait avoir les genoux fléchis. Il est aussi important de porter des chaussures appropriées (semelles minces et qui tiennent bien aux pieds).

Avant d'aller sur la route, il est conseillé de se familiariser avec l'intensité des pédales. La pression nécessaire pour les enfoncer peut varier d'un véhicule à l'autre.

- 1 La pédale d'accélérateur sert à contrôler la vitesse du véhicule. Actionné avec le pied droit, le talon au sol

- 2 La pédale de frein, toujours l'actionner avec le pied droit. Sers à ralentir ou arrêter le véhicule

- 3 La pédale d'embrayage (voiture manuelle) permet de démarrer et de changer de vitesse.

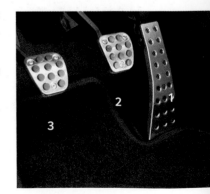

LE **SIÈGE** :

Le réglage du siège doit vous permettre de trouver la bonne distance entre le haut du dossier et le volant.

Pour cela, il existe un truc tout simple : assis normalement, vous devez pouvoir atteindre le haut du volant avec la paume de votre main sans décoller vos épaules du dossier. Vos bras ne doivent pas être en totale extension, vous devez pouvoir forcer sur le haut du volant, voire même glisser votre paume derrière le haut du volant : ceci vous garantit que vous aurez suffisamment de latitude pour tourner votre volant dans toutes les directions sans effort.

Le siège est bien ajusté lorsque : Les jambes ne sont pas complètement tendues.

On peut enfoncer les pédales sans s'étirer.

LE **DOSSIER** :

Le conducteur est assis correctement quand ses fesses sont complètement reculées dans le siège; son dos est appuyé contre le dossier. Le dossier ne devrait pas être trop incliné ni trop droit. Cela permet un meilleur fonctionnement de la ceinture de sécurité.

LE **VOLANT** :

Le volant doit être ajusté de manière à manier facilement la voiture et de voir l'ensemble du tableau de bord.

L'**APPUIE-TÊTE** :

L'appuie-tête protège le conducteur contre des blessures. On doit l'ajuster pour que le centre de l'appuie-tête arrive à la hauteur des oreilles. Il existe plusieurs modèles différents selon les constructeurs automobiles et l'ajustement dépend du modèle. Pour un ajustement correct, il ne devrait pas y avoir plus de 10 cm entre la tête du conducteur et l'appuie-tête.

À FAIRE

À NE PAS FAIRE

LES **RÉTROVISEURS** :

Le conducteur doit s'assurer d'être bien assis et de ne pas bouger les épaules pour faire l'ajustement de ses rétroviseurs.

Le rétroviseur intérieur permet de voir la vitre arrière au complet. Quand une bonne vision n'est pas possible, il faudra favoriser le côté droit de la vitre arrière.

Le rétroviseur extérieur gauche doit permettre de voir un peu de l'aile gauche du véhicule et de voir à l'horizon.

Le rétroviseur extérieur à droite doit permettre de voir un peu de l'aile droite du véhicule et de voir à l'horizon (parfois le miroir est convexe, c'est-à-dire les objets sont plus proches qu'ils apparaissent).

LES **ANGLES MORTS** :

Les angles morts sont des zones situées de chaque côté à l'arrière du véhicule. Le conducteur ne peut voir ces zones parce que les rétroviseurs ne donnent qu'une vision partielle de l'environnement. Lorsqu'il a une manoeuvre à faire nécessitant un déplacement latéral, même peu prononcé, le conducteur doit s'assurer qu'il n'y a rien ni personne dans ces zones. L'ajustement des rétroviseurs permet de réduire les angles morts, mais ne les élimine pas totalement.

Champ de vision

Mirroir Droit

Mirroir arrière

Angle mort gauche

Mirroir gauche

Angle mort droit

LES DISPOSITIFS
DE SÉCURITÉ

LA **CEINTURE DE SÉCURITÉ**,

Depuis 1976, le port de la ceinture de sécurité est obligatoire pour tous occupants d'un véhicule de promenade. Le conducteur a la responsabilité de s'assurer que tous passagers de moins de 16 ans portent la ceinture de sécurité correctement. Les passagers de 16 ans et plus seront tenus responsables de toutes les pénalités (amende et point de démérite).

L'utilisation correcte de la ceinture de sécurité augmente considérablement vos chances de survie lors d'une collision incluant les passagers sur la banquette arrière.

Depuis que l'utilisation de la ceinture de sécurité est devenue obligatoire, le nombre de personnes tuées ou blessées lors d'une collision au Québec a chuté de manière constante.

Une ceinture de sécurité est composée habituellement d'une ceinture ventrale et d'une ceinture diagonale. Il faut porter la ceinture diagonale près du corps, par-dessus l'épaule et sur le thorax, jamais sous le bras. La ceinture ventrale doit être serrée contre le corps et basse sur les hanches.

Un enfant dont la hauteur assise est moins de 63 cm doit être positionné dans un siège d'auto pour enfant adapté à lui.

À SAVOIR

LE CONDUCTEUR DEVRAIT ÊTRE ASSIS À UNE DISTANCE MINIMALE DE 25 CM DU CENTRE DU VOLANT EN CAS DE DÉPLOIEMENT DU COUSSIN GONFLABLE.

LES COUSSINS GONFLABLES NE SERVENT QU'UNE FOIS. LORSQU'ILS ONT ÉTÉ DÉCLENCHÉS, ILS DOIVENT IMPÉRATIVEMENT ÊTRE REMPLACÉS.

LES **COUSSINS GONFLABLES**
ÇA AMORTI BIEN LES CHOCS !

Les coussins gonflables sont constitués d'une « Unité de Contrôle Électronique » qui déclenche, en cas de décélération anormale (choc, accident), le déploiement d'un coussin gonflable par injection d'un gaz à très haute pression. L'opération ne prend que quelques millisecondes et ils se dégonflent ensuite pour assurer un bon amortissement des passagers.

LES DIFFÉRENTS SACS GONFLABLES

Il existe aujourd'hui différents types de sacs gonflables :

- Les frontaux, qui protègent le visage et le thorax des passagers avant d'un contact avec le volant ou le tableau de bord.

- Les latéraux qui protègent le buste des chocs latéraux.

- Les rideaux qui se déploient le long des vitres arrières et avant qui protègent la tête des passagers.

- Il existe maintenant un cousin gonflable relié à la ceinture de sécurité.

LES **COMMANDES**

Il commande la mise en fonction des circuits électriques après que l'on ait introduit la clé dans le contact. Celle-ci peut être introduite ou retirée à la position « lock ».

POSITION	FONCTION
Accessoires (Acc.)	Permet le fonctionnement des accessoires électriques, le moteur arrêté
Verrouillage (Lock)	Position de blocage de la direction et de l'allumage
Arrêt (Off)	Le moteur est arrêté et la direction n'est pas bloquée. (C'est la position pour le remorquage).
Marche (On)	La clé revient à cette position après le démarrage du moteur
Démarrage (Start)	Lancez le moteur et relâchez la clé. Juste avant le démarrage, vérifiez que les lampes fonctionnent bien.

Si vous arrêtez le moteur pendant que la voiture est en mouvement, la direction et les freins assistés cesseront de fonctionner et deviendront très difficiles à utiliser. Couper le moteur en fermant l'allumage bloque le volant; une manœuvre très dangereuse.

Le frein de stationnement agit sur les roues arrière pour garder le véhicule immobile. C'est un système indépendant du système principal de freinage du véhicule. Le conducteur doit garder son pied droit sur la pédale de frein quand il active le frein de stationnement. Le frein de stationnement se trouve entre les deux sièges avant ou à l'extrême gauche de la pédale de frein. Il est préférable, en tout temps, d'engager le frein de stationnement.

Le levier de vitesse permet de déterminer le meilleur rapport possible en fonction d'informations extérieures au système tel que le couple et la vitesse moteur, l'enfoncement de la pédale de l'accélérateur, la vitesse du véhicule, le mode de fonctionnement de la boite, le couple résistant du véhicule (montée, descente) et d'autres fonctions plus complexes qui dépendent du niveau technologique de la boite de vitesses. La boîte de vitesses automatique est un système électrohydraulique piloté par un calculateur électronique qui gère les passages de vitesses. Alors que le transfert de puissance est continu dans une boîte de vitesses automatique, ce n'est pas le cas pour les autres types de boîte.

LA TRANSMISSION AUTOMATIQUE

POSITION	UTILITÉ
P – Immobilisation (Park)	Position où il est possible de mettre le moteur en marche.
R – Marche arrière (reverse)	Position pour marche arrière (les feux arrière allument).
N – Position neutre (Neutral)	Position permettant de mettre le moteur en marche et de remorquer le véhicule sans danger.
D4 – D5 – Position de départ avec sur-multiplicateur (Overdrive)	Position pour conduire dans des conditions normales et pour utiliser un surmultiplicateur permettant de réduire la consommation d'essence.
D3 - Troisième	Position permettant de conduire dans des conditions moyennement difficiles, pour les parcours vallonnés.
D2 - Deuxième	Position permettant de conduire dans des conditions plus difficiles comme des pentes ou de la glace, pour profiter de la compression, pour empêcher la surchauffe des freins.
D1 – Premier rapport (Low)	Position permettant de monter ou descendre des côtes très prononcées à basse vitesse, empêcher la surchauffe des freins ou conduire dans les chaussées enneigées, boueuses ou sablonneuses.

LES ÉLÉMENTS LIÉS
À LA VISIBILITÉ

LES **GLACES** : LES VITRES

Les éléments du véhicule liés à la visibilité doivent être en excellent état. Cela commence par le pare-brise, qui ne doit présenter aucune fissure ou altération sous peine d'être envoyé en contre-visite. Les autres vitrages du véhicule ne doivent pas entraver la visibilité.

LES **PARE-SOLEIL** :

Ce sont des écrans protégeant des rayons directs du soleil dans les véhicules. Attention qu'ils ne nuisent pas à la vision lorsqu'on les abaisse.

LES **SYSTÈMES DE CHAUFFAGE, DE VENTILATION ET DE CLIMATISATION** :

Le système de climatisation d'une automobile permet d'obtenir à l'intérieur de l'habitacle une température agréable quelles que soient les conditions climatiques extérieures. Il est composé :

- D'un dispositif de chauffage qui réchauffe l'air soufflé qui traverse les éléments d'un radiateur alimenté par l'eau de refroidissement du moteur ;
- D'un dispositif de réfrigération qui refroidit l'air soufflé dans l'habitacle tout en lui retirant une partie de son humidité et de ses poussières.

Les dégivreurs servent à enlever le givre ou la buée des glaces d'un véhicule automobile

LES **ESSUIE-GLACES** :

Les essuie-glaces avant doivent être en état de fonctionnement et surtout être efficaces. Il ne faut donc pas oublier de compléter votre niveau de liquide lave-glace.

LES DISPOSITIFS LIÉS
À LA COMMUNICATION

L'AVERTISSEUR SONORE : KLAXON

Le Klaxon est couramment utilisé pour donner des avertissements aux autres usagers de la route. Cependant, le Klaxon est aussi considéré comme une source de nuisances sonores. Il faut l'utiliser qu'en cas de dangers imminents.

LES **PHARES ET LES FEUX :**

Ils servent à signaler sa présence ou ses intentions aux autres usagers de la route.

N.B. Tous les dispositifs liés à la communication doivent être maintenus en état de fonctionnement en tout temps.

Circuler avec un phare ou un feu hors d'usage peut être dangereux en plus de vous mériter un billet d'infraction.

Une vérification de ces éléments devient donc essentielle.

Un truc : lorsque vous stationnez face à un mur, une porte de garage ou face à une vitrine, actionnez la commande des phares (de route et de croisement), des clignotants. Voilà une méthode facile de vérifier si tout fonctionne bien. Faites aussi régulièrement la même manœuvre en marche arrière.

LES PHARES:

Les phares comprennent deux faisceaux lumineux à l'avant du véhicule. Ils produisent 2 types d'éclairage :

- Feux de jour s'allument automatiquement et sont de plus faibles intensités.

- Feux de croisement (basses : éclairent sur un rayon de 30 m) : il est préférable de les utiliser en tout temps (la nuit sur un chemin éclairé, quand la visibilité est réduite par la pluie, la neige, le brouillard et dans les tunnels).

- Feux de route (hautes : éclairent sur un rayon de 100 m) : on peut les utiliser sur des chemins non éclairés la nuit. Un conducteur devrait les abaisser à 150 m d'un autre véhicule ou d'un chemin bien éclairé.

LES **FEUX DE CHANGEMENT DE DIRECTION :**

Aussi appelés clignotants. Ils servent à indiquer aux autres usagers votre intention de virer, changer de voie, de prendre ou quitter un stationnement, de vous engager dans une bretelle ou en sortir.

LES **FEUX DE DÉTRESSE :**

Fonctionnent même sans que la clé soit dans le contact. À utiliser seulement pour fins de sécurité, en cas de panne, urgence, accident ou si vous devez circuler à une vitesse pouvant nuire à la circulation.

LES **FEUX DE FREINAGE :** (INCLUANT LE FEU SURÉLEVÉ)

Lorsque le conducteur appuie sur la pédale de frein, les feux de freinage installés en position inférieure s'allument en même temps que le feu surélevé. Ils sont visibles par les usagers qui suivent la voiture.

LES **FEUX DE MARCHE ARRIÈRE :**

Il s'agit de feux qui s'allument quand on enclenche la marche arrière. Ils éclairent les alentours immédiats à l'arrière du véhicule et permettent de reculer en toute sécurité. Ils sont blancs.

1. Feux de position de chaque côté
2. Feux de position jaunes ou blancs
3. Clignotants et feux de détresse.
4. Phares.

LES **AUTRES COMPOSANTES :**

Il se peut que votre véhicule possède des composantes non énumérées ici. Consultez le manuel du propriétaire pour les connaître.

1. Feux de position de chaque côté
2. Clignotants rouges ou jaunes et de détresse
3. Feux de position arrière
4. Feux des freins
5. Feux de marche arrière blancs
6. Feu de freinage surélevé
7. Feux de plaque d'immatriculation

PRÉPARER LE **VÉHICULE ET** LE TRANSPORT

Le conducteur a la responsabilité de vérifier tout ce qui se trouve à l'intérieur du véhicule ainsi que s'assurer que son véhicule est en bon état.

LES **VÉRIFICATIONS PÉRIODIQUES**

Pour rouler en toute sécurité, il est nécessaire de bien entretenir son véhicule. De plus, lorsque votre voiture est couverte par la garantie du constructeur, vous devez faire les entretiens périodiques recommandés pour que le concessionnaire assume les frais de réparation.

Un véhicule mal entretenu produit plus de matières polluantes et consomme plus d'essence. Un entretien régulier prévient le bris prématuré des pièces.

Les changements d'huile réguliers assurent le fonctionnement optimal du moteur et une meilleure consommation d'essence. Un filtre à air ou à essence bouché peut augmenter la consommation d'essence de 10 %.

Le tableau suivant donne un résumé des principales vérifications à effectuer.

COMPOSANTES	TRUCS ET MESURES À PRENDRE
Pneus	• Seul point de contact entre la voiture et la route, les pneus représentent un enjeu sécurité essentiel. Ces quelques centimètres de gomme méritent toute votre attention • La longévité des gommes est avant tout fonction du style de conduite. Démarrages fougueux, virages pris sur les chapeaux de roues, coups de frein brusques, etc... diminuent par dix la durée de vie des pneus. En ville, leur pire ennemi se nomme trottoir. Ne jamais stationner avec un ou plusieurs pneus en appui dessus. Et surtout ne jamais essayer de les « enjamber ». Cela abîme la structure.
Freins	Une inspection de vos freins pourrait être nécessaire si : • Vous entendez des bruits lorsque vous appuyez sur la pédale de frein. • Votre véhicule dérive vers un côté au freinage. • La sensation à la pédale de frein est différente de la normale ou vous avez observé un changement de comportement de votre véhicule au freinage. • Le frein de stationnement ne fonctionne pas. • Le témoin de frein ou ABS demeure allumé dans le tableau de bord.
Pédale d'embrayage	Consulter le manuel du fabricant de la voiture.
Système de direction	Aucun entretien particulier n'est nécessaire concernant le système de direction d'une automobile. Pour les directions assistées, il est quand même de bon ton d'en vérifier l'état et les niveaux à chaque vidange.
Batterie et alternateur	L'alternateur permet de recharger la batterie. S'il tombe en panne, la batterie ne se charge plus et vous ne pourrez plus démarrer. Faites effectuer un diagnostic de la batterie et du circuit de charge (courroie d'alternateur, charge de l'alternateur, fonctionnement du démarreur).
Balais d'essuie-glace	Si le balai laisse des traits/filets d'eau, c'est que la lame du balai est usée et elle doit être changée.
Lave-glace	Le lave-glace ne se consomme pas à la même vitesse selon les saisons, les voitures, les utilisateurs... Il n'existe donc pas de périodicité standard. Mieux vaut être prudent et vérifier de manière régulière le niveau du lave-glace.
Phares et feux	Au volant, la vue, c'est la vie. Ce vieux slogan employé lors des campagnes de sécurité routière est toujours d'actualité. La conduite de nuit réclame des phares et des feux en parfait état.
Liquide de refroidissement	N'hésitez pas à le vérifier souvent. Il suffit pour cela de se pencher sur le vase d'expansion (réservoir) renfermant le liquide.
Huile motrice	Votre moteur doit être lubrifié en permanence, c'est le rôle de l'huile moteur. Elle est une composante essentielle du bon état de santé de votre moteur. Vérifiez-la.
Ceintures de sécurité	S'assurer qu'elles se bouclent bien.

LA PRÉPARATION
DU TRANSPORT

Le conducteur a la responsabilité de s'assurer que l'intérieur de son véhicule est sécuritaire.

LA DISPOSITION DES **OBJETS** ET DES **BAGAGES** :

Évitez de placer des objets sur la plage arrière : en cas de freinage brutal, même le jouet du petit dernier devient un projectile dangereux.

Utilisez du matériel de fixation spécifique (sangles, sandows, filets, pieuvres) pour éviter les transferts de masses, particulièrement désagréables dans les virages. Sécurisez vos charges au maximum : posez un filet sur vos remorques ou sur les bagages attachés sur vos barres de toit.

Pensez à protéger les objets transportés pour éviter frottements et mouvements inattendus. Sur les longs trajets, arrêtez-vous régulièrement pour vérifier la fixation de l'ensemble.

LE **PORTE-BAGAGES** OU LES **BARRES DE TOIT** :

La capacité de charge des barres de toit dépend avant tout de votre véhicule, de la résistance du pavillon, et du système de fixation propre au véhicule. Pour plus de sécurité, retenez la charge maximum la moins importante indiquée : exemple, si votre voiture peut supporter 65 kg et vos barres de toit 75 kg, ne dépassez pas 65 kg de charge.

Les objets longs fixés sur le toit ne doivent pas dépasser l'avant de votre voiture. S'ils dépassent de plus d'1 mètre à l'arrière, signalez-le à l'aide d'un dispositif réfléchissant (un drapeau rouge par exemple). Il est recommandable d'avoir un porte-bagages qui peut s'enlever lorsqu'inutilisé.

LE **TRANSPORT D'UN ANIMAL** :

Le CSR (code de sécurité routière) stipule qu'il est interdit de tolérer qu'un animal puisse nuire à la visibilité ou aux mouvements du conducteur. Il est donc conseillé d'utiliser une cage pour le transport. Un dispositif de sécurité prévu pour retenir l'animal au siège est aussi recommandé.

À VOUS MAINTENANT

- Site internet : http://educationroutiere.saaq.gouv.qc.ca (module 1)
- Site internet : http://www.saaq.gouv.qc.ca
- Exercises théoriques

Module 2
Le conducteur

COMPÉTENCE VISÉE

- Reconnaître les caractéristiques personnelles pouvant influer sur son comportement comme conducteur en devenir

Module 2 **Le conducteur**

FEUILLE DE ROUTE

Supplément aux guides d'apprentissage

INTRODUCTION

Le module 2, qui porte sur le conducteur, propose d'amorcer une réflexion sur le portrait d'un conducteur dont le comportement est sécuritaire, coopératif et responsable en prenant conscience de l'influence que peuvent avoir divers facteurs (valeurs, normes, parents, amis, médias, etc.) sur sa représentation de la conduite d'un véhicule et éventuellement sur sa façon de se comporter au volant.

On estime que dans 80 % des accidents de la route, le comportement du conducteur est en cause. La plupart de ces accidents pourraient être évités si plus de personnes adoptaient des comportements responsables.

Avant d'établir son profil comme conducteur en devenir, il est donc important de se poser quelques questions : Qu'est-ce qui guide notre démarche d'apprentissage de la conduite ? Quelle est notre attitude vis-à-vis de la conduite ? Quelles sont nos valeurs et comment sont-elles susceptibles d'influer sur la conduite d'un véhicule de promenade ? Comment les normes, comme modèles ou comme règles, peuvent-elles agir sur notre comportement en situation de conduite ? Enfin, il est intéressant de s'interroger sur l'influence que notre entourage (parents, amis) ou les médias peuvent avoir sur notre comportement comme conducteur en devenir.

Les réponses à ces questions sont propres à chaque personne, mais ce questionnement peut permettre d'avoir une meilleure connaissance de soi et aider à définir son profil en tant que futur conducteur.

L'influence des valeurs

QU'EST-CE QU'UNE VALEUR ?

On peut définir une valeur comme un principe qui oriente les manières d'être et d'agir d'une personne ou d'une collectivité. La valeur constitue une balise morale qui donne aux individus les moyens de juger de leurs actes et de se construire une éthique personnelle. Les valeurs sont subjectives et elles varient selon les différentes cultures. Elles peuvent toucher diverses sphères : politique, religieuse, morale, éthique, esthétique, sociale, etc.

Quelques exemples de valeurs :

La famille, le travail, l'égalité, la liberté, le respect, l'argent, le pouvoir, la persévérance, l'entraide, l'engagement, la confiance, l'honnêteté, la responsabilité.

COMMENT LES VALEURS INFLUENT-ELLES SUR LA CONDUITE D'UN VÉHICULE ?

Une personne prônant la **responsabilité** pourrait adapter sa conduite pour aider à la protection de l'environnement. Pour elle, la conduite écologique et économique, l'utilisation d'un véhicule hybride ou d'un véhicule consommant très peu de carburant est importante. Elle peut aussi choisir de ne pas conduire pour se tourner vers un autre moyen de transport (transport en commun, covoiturage, vélo, etc.). Elle se sent responsable et prend donc ses responsabilités relativement à la protection de l'environnement.

Une personne peut aussi se sentir responsable concernant la conduite avec les facultés affaiblies. Elle évite donc de conduire après avoir consommé des boissons alcoolisées. De plus, elle veille à ce que ses amis ne prennent pas le volant après avoir consommé de l'alcool ou des drogues.

La **liberté** est une sensation que la conduite peut reproduire. Une personne pour qui la liberté est une valeur importante peut se sentir libre de se déplacer, mais aussi libre et invulnérable dans l'habitacle de sa voiture. Cette sensation de fausse liberté et de fausse sécurité peut entraîner une confiance exagérée et la témérité sur la route, ce qui rend sa conduite dangereuse, pour elle comme pour les autres.

La personne pour qui le **respect** est une valeur importante peut, dans sa conduite, reproduire des comportements à l'appui de cette valeur. Elle est patiente et tolérante à l'égard des autres usagers de la route. Elle évite les comportements qui peuvent susciter de l'agressivité chez les autres. De plus, pour cette personne, le respect des lois et des règlements est important. Par exemple, lorsqu'elle conduit, elle s'assure de respecter les limites de vitesse, la signalisation, etc.

L'influence des normes

QU'EST-CE QU'UNE NORME ?

Une norme est ce qui doit être pris comme modèle ou comme règle. En matière de conduite automobile, il est intéressant de faire la distinction entre les normes légales et les normes sociales.

Les normes légales, ce sont les lois et les règlements. Ne pas respecter les normes légales peut entraîner l'imposition de sanctions. Par exemple, le fait d'être intercepté pour excès de vitesse peut valoir une amende souvent très élevée et l'inscription de points d'inaptitude à son dossier de conduite.

Les normes sociales, elles, précisent ce qu'un individu peut faire ou ne pas faire. Elles traduisent des valeurs de société, et c'est pourquoi elles peuvent varier d'un groupe à un autre – jeunes, personnes âgées, motocyclistes, etc. Par ailleurs, chaque être humain, soumis à toutes sortes d'influences dont les normes légales et sociales, en vient à construire lui-même ses propres normes.

Le comportement des usagers sur la route ne correspond pas toujours à la norme légale prescrite. Par exemple, il existe une norme légale concernant la vitesse à adopter sur les autoroutes, qui ne reflète pas la norme sociale. En effet, même si tous savent que la limite de vitesse permise est de 100 km/h, de nombreux conducteurs considèrent comme normal de franchir cette limite légale, de sorte que cette situation est de plus en plus banalisée, ainsi que les risques qui y sont liés.

L'influence des émotions

Les émotions peuvent avoir un effet important sur la conduite automobile, car elles sont à l'origine de certaines limitations que nous ne soupçonnons pas toujours. Elles peuvent notamment compromettre notre capacité d'attention et de jugement ainsi que notre temps de réaction.

Les émotions, particulièrement celles qui sont vécues de façon désagréable, peuvent altérer la concentration nécessaire à la conduite. Par exemple, lorsque vous êtes triste, anxieux ou en colère, votre pensée peut devenir confuse. Vous risquez alors de ne pas être attentif à ce qui se passe dans votre environnement routier et de compromettre votre sécurité et celle des autres. En plus de diminuer votre concentration, ces états d'âme peuvent causer de la frustration et entraîner de l'impatience, voire de l'agressivité lorsque vous êtes sur la route. Cela peut mener à des situations conflictuelles dont les conséquences peuvent être très graves.

L'influence des parents

Selon des recherches récentes en sécurité routière, l'environnement familial resterait la première source d'influence sur le risque d'accident des jeunes âgés de 15 à 25 ans. Cette influence de la famille s'exercerait de trois façons :

Par la **socialisation**, c'est-à-dire la transmission des valeurs comme le respect des règles ou le respect d'autrui.

Par **l'imitation**, c'est-à-dire la reproduction des attitudes et des comportements des parents par l'enfant. En effet, bien avant qu'il puisse conduire un véhicule, l'enfant, comme passager, est à même d'observer et d'intérioriser ce que ses parents font au volant, soit leur style de conduite, leurs attitudes, leurs réactions dans différentes situations : le parent qui s'impatiente lorsqu'un autre conducteur ne va pas assez vite à son goût, le parent qui ne met jamais ses clignotants pour signaler ses intentions, le parent qui ne fait jamais d'arrêt complet lorsqu'il arrive à un stop, etc. Tout cela, l'enfant va l'enregistrer et il risque de le reproduire.

Par le **contrôle**, c'est-à-dire la gestion que les parents font de la période plus à risque d'accident pour leur enfant, soit les premières sorties comme passager dans la voiture des amis, l'accompagnement dans l'apprentissage de la conduite, les premières sorties seul au volant du véhicule familial.

Est-il possible de vérifier l'importance de l'influence des parents sur la conduite automobile de leurs enfants ? Oui, en comparant les dossiers de conduite des parents (les infractions qu'ils ont commises, les accidents qu'ils ont eus) aux dossiers de conduite de leurs enfants.

Ainsi, des études nord-américaines ont bel et bien fait ressortir que les accidents et les infractions des jeunes dans les premières années de la conduite sont liés au style de conduite de leurs parents et que, par conséquent, les parents qui commettent plus d'infractions et qui ont plus d'accidents ont des enfants qui commettent également plus d'infractions et ont plus d'accidents.

Toutefois, il est toujours temps d'adopter un comportement prudent au volant, qui nous évitera de perdre notre permis de conduire, d'être blessé dans un accident ou de mettre la vie des autres en péril.

L'influence des amis

Au volant, la pression des pairs (les amis) peut influer sur le comportement du conducteur. Plusieurs études ont démontré un lien entre la présence de passagers du même âge que le conducteur et l'augmentation du risque d'accident. De plus, il a été démontré que les jeunes conducteurs, hommes ou femmes, conduisaient plus vite et suivaient de plus près les autres véhicules lorsqu'ils transportaient des jeunes passagers, c'est-à-dire des personnes de leur groupe d'âge.

Il peut être difficile de résister à la pression des pairs lorsqu'on est jeune. La crainte du rejet, le besoin d'être accepté et apprécié peuvent faire en sorte que l'on opte pour des comportements qui ne vont pas dans le même sens que nos valeurs.

Mais la pression des pairs peut aussi être positive : un copain qui nous empêche de prendre le volant parce qu'on a bu, une copine qui nous demande de ralentir parce que l'on roule trop vite.

L'influence des médias

La télévision, le cinéma, Internet, les jeux vidéo et la musique constituent des formes populaires de médias présents dans notre quotidien. À une époque où les jeunes grandissent devant l'ordinateur et le téléviseur, il est plus important que jamais qu'ils acquièrent une compréhension et une réflexion critique, afin de prendre des décisions éclairées et responsables à l'égard de ces médias.

Diverses sources indiquent que la publicité automobile vantant les mérites de la vitesse, la liberté ou la puissance des moteurs est susceptible d'influer sur le comportement des conducteurs les plus jeunes, qui sont plus perméables à la publicité et moins critiques à son égard.

D'autres estiment cependant qu'on ne peut faire de lien direct entre l'exposition à ce type de publicité et un éventuel changement de comportement. Aucune législation fédérale ou provinciale n'interdit actuellement la publicité automobile misant sur la puissance des moteurs, la rapidité de l'accélération, la vitesse, etc.

Il s'agit donc de faire preuve de discernement et de ne pas tenter de reproduire au volant de son véhicule des scènes vues à la télé, qui montrent généralement un conducteur qui roule à haute vitesse, sur une route où il est seul. Sur le réseau routier, la réalité est autre : ce sont des centaines de véhicules et d'usagers qui se côtoient à chaque instant.

CONCLUSION

Être un conducteur au comportement sécuritaire, coopératif et responsable, c'est aussi avoir une bonne connaissance de soi et être conscient des diverses influences auxquelles on est soumis. Avant même d'obtenir notre permis de conduire, il est possible que notre attitude relativement à la conduite soit déjà teintée par les valeurs qui nous habitent, par l'héritage de nos parents, par les images véhiculées par les médias et par l'influence de nos amis. Pour certains, cela modifiera de façon positive leur comportement comme conducteur ; pour d'autres, cela l'orientera de façon négative.

Cependant, être conscient de ces influences, c'est peut-être déjà une façon de tendre vers un profil de conducteur au comportement sécuritaire, coopératif et responsable, c'est-à-dire planifier ses déplacements de façon sécuritaire, décider de ne pas conduire si sa capacité de conduire est affaiblie, respecter les règles du Code de la sécurité routière et de la signalisation, être courtois et partager la route avec les autres usagers, en particulier les usagers vulnérables.

Éducation routière
educationroutiere.saaq.gouv.qc.ca

Activité

Un conducteur au comportement sécuritaire, coopératif et responsable

« Dis-moi qui tu es et je te dirai comment tu conduis ». Notre comportement au volant est bien souvent le reflet de notre personnalité, de nos croyances, de nos valeurs et celui d'influences positives ou négatives provenant de différentes sources : parents, pairs, médias, etc.

TITRE DE L'ACTIVITÉ

Portrait d'un conducteur

TÂCHES À RÉALISER

Individuellement (5 minutes)

- En vous servant du questionnaire intitulé *Portrait d'un conducteur*, faites le portrait d'un conducteur de votre entourage (parent, ami, etc.) avec qui vous avez l'habitude de voyager.

En équipes de travail (15 minutes)

- Désignez un porte-parole dans votre équipe pour le retour en séance plénière.

- Échangez sur les caractéristiques mentionnées plus haut.

- À partir de cet échange, faites le portrait d'un conducteur type – qualités, défauts, bonnes et mauvaises habitudes, comportements, etc.

Questionnaire

54

Portrait d'un conducteur

- *Faites le portrait d'un conducteur de votre entourage (parent, ami, etc.) avec qui vous avez l'habitude de voyager.*

Quelles sont ses principales qualités?

_____

_____

_____

_____

Quels sont ses principaux défauts?

_____

_____

_____

_____

Est-ce que j'aime voyager avec ce conducteur?

Pourquoi?

_____

_____

_____

_____

Retour en séance plénière (20 minutes)

- Présentez les résultats de vos travaux.

Bilan de l'activité

Profil du conducteur au comportement sécuritaire, coopératif et responsable

Sécuritaire	Coopératif	Responsable
- Anticipe les situations de conduite potentiellement à risque – prévoir plutôt que seulement réagir - Respecte les règles du Code de la sécurité routière et de la signalisation	- Partage la route - Respecte les autres usagers, en particulier les usagers vulnérables - Applique les règles de courtoisie	- Conscient de ses forces, de ses limites et de ses motivations comme conducteur - Planifie ses déplacements ou décide de ne pas conduire - S'abstient de prendre le volant alors que sa capacité de conduire est affaiblie – alcool, drogue, fatigue, stress

Individuellement

Ce que j'ai appris au cours de cette activité :

_____

_____

_____

_____

_____

Les influences

La télévision, le cinéma, Internet, les jeux vidéo et la musique constituent des formes populaires de médias. Cette activité favorise une compréhension et une réflexion critique (afin de prendre une décision éclairée et responsable) à l'égard de ces médias.

TITRE DE L'ACTIVITÉ	Influence des médias

TÂCHES À RÉALISER

En équipes de travail (10 minutes)

- Équipe 1 : Comment les publicités vantant les mérites d'un véhicule automobile peuvent-elles avoir un **effet bénéfique** sur nos comportements routiers ?

    Équipe 2 : Comment les publicités vantant les mérites d'un véhicule automobile peuvent-elles avoir un **effet néfaste** sur nos comportements routiers ?

- Nommez un porte-parole d'équipe.

- Prenez 10 minutes afin de trouver ensemble des arguments pour défendre la position de votre équipe.

Retour en séance plénière (20 minutes)

- Sous la forme d'un débat, chaque porte-parole expose les arguments de son équipe.

- Discussion

    1. Comment les médias (Internet, cinéma, jeux vidéo, télévision, publicité) peuvent-ils influencer mes attitudes de conduite en tant que conducteur en devenir ? (exemples d'influences bonnes et mauvaises)

    2. Quelles devraient être les règles à respecter par les agences publicitaires afin qu'elles évitent d'encourager les comportements routiers à risque ?

Bilan de l'activité

La publicité ne doit pas :

- Encourager la vitesse sur les routes ;

- Vanter les possibilités de freinage d'un véhicule à des fins d'encouragement à la vitesse ;

- Laisser sous-entendre que les progrès technologiques qui contribuent à la sécurité et au confort des occupants d'un véhicule – freins ABS, coussins gonflables latéraux, etc. – permettent de transgresser les règles élémentaires de prudence ;

- Inciter le conducteur à enfreindre les règles du Code de la sécurité routière.

La publicité doit :

- Miser sur le sens des responsabilités du conducteur et sur l'importance du partage de la route avec les autres usagers ;

- Souligner que les capacités de freinage d'un véhicule varient selon l'état de la chaussée, les conditions atmosphériques et l'expérience du conducteur.

Individuellement

Ce que j'ai appris au cours de cette activité :

_____

_____

_____

_____

_____

_____

_____

LE **CONDUCTEUR**

LE PERMIS
DE CONDUIRE

Pour conduire un véhicule de promenade, il faut un permis de conduire de classe 5. Il faut d'abord détenir un permis d'apprenti conducteur pour une période minimum de 12 mois et ensuite, un permis probatoire pour 24 mois.

L'âge minimum pour obtenir le permis d'apprenti conducteur classe 5 est de 16 ans.

Un permis probatoire est délivré après la réussite de l'examen pratique. Ce permis est d'une durée de 24 mois. Une fois cette période écoulée, on passe à un permis de conduire de classe 5.

LES **EXIGENCES DE BASE** :

- Une personne doit être âgée d'au moins 16 ans (si moins de 18 ans : consentement parental).
- Soumettre deux pièces d'identité :
  > certificat de naissance...
  > carte d'assurance maladie

- Inscription à un cours de conduite dans une école reconnue par l'Association québécoise des transports (AQTr).

OBTENIR LE **PERMIS APPRENTI CONDUCTEUR** :

Après la réussite d'un examen théorique à la fin de la phase 1, l'étudiant doit obtenir une attestation de l'école de conduite et ensuite se présenter dans un centre de la SAAQ avec tous ses documents.

RÈGLES LIÉES AU **PERMIS APPRENTI CONDUCTEUR** :

- L'apprenti doit être accompagné d'une personne autorisée à ses côtés (la personne doit être détenteur d'un permis de conduire pour au moins 2 ans).

- Le maximum de points d'inaptitude : 4 points.
- L'interdiction absolue de conduire sous l'influence de l'alcool. Tolérance zéro.

OBLIGATION THÉORIQUE :

Pendant la période de cours de conduite obligatoire, l'étudiant devra passer un deuxième examen théorique quand il aura détenu le permis apprenti pour 10 mois. Cet examen se fera dans un centre de la SAAQ avec rendez-vous (en cas d'échec, un délai de 28 jours sera imposé).

OBLIGATION D'EXAMEN PRATIQUE :

Quand toutes les phases du cours de conduite sont complétées, l'étudiant prend un rendez-vous dans un centre de la SAAQ.

• Réussite de l'examen théorique de 10 mois.

• Être détenteur du permis d'apprenti conducteur pour 12 mois.

• L'attestation de l'école de conduite.

En cas d'échec un délai de 28 jours sera imposé.

OBTENIR LE **PERMIS PROBATOIRE** :

La réussite de l'examen pratique permet d'obtenir le permis probatoire.

• Durée de 24 mois.

• Maximum de points d'inaptitude : 4 points.

• L'interdiction de conduire sous l'influence de l'alcool. Tolérance zéro.

• L'interdiction d'accompagner un apprenti conducteur.

OBTENIR LE **PERMIS DE CONDUIRE** :

Après 24 mois d'expérience avec le permis probatoire, en se présentant à un centre de la SAAQ, on obtient un permis de conduire.

Point d'inaptitude :

• Permis de conduire âgé de moins de 23 ans : maximum 8 points.

• Permis de conduire âgé de 23 ou de 24 ans : maximum 12 points.

• Permis de conduire âgé de 25 ou plus : maximum 15 points.

CLASSES
DE PERMIS DE CONDUIRE

PERMIS DE **CLASSE 1**

Ensembles de véhicules routiers comprenant un tracteur, tirant une ou plusieurs remorques.

Classes incluses : 2, 3, 4A, 4B, 4C, 5, 6D et 8

PERMIS DE **CLASSE 2**

Pour plus de 24 passagers à la fois.

Classes incluses : 3, 4A, 4B, 4C, 5, 6D et 8

PERMIS DE **CLASSE 3**

3 essieux ou 2 essieux dont la masse est de 4500kg ou plus.

Classes incluses : 4A, 4B, 4C, 5, 6D et 8

PERMIS DE **CLASSE 4A**

Pour conduire un véhicule d'urgence : camion incendie, ambulance, voiture de police

Classes incluses : 4C, 5, 6D et 8

PERMIS DE **CLASSE 4B**

Pour conduire un minibus ou un autobus aménagé pour 24 passagers ou moins.

PERMIS DE **CLASSE 4C**

Pour conduire un taxi

Classes incluses : 4C, 5, 6D et 8

PERMIS DE **CLASSE 5**

Véhicules de promenade, Motorisés, Véhicules outils, Véhicules de service.

Classes incluses : 6D et 8

PERMIS DE **CLASSE 6A**

Toute motocyclette

PERMIS DE **CLASSE 6B**

Motocyclette de cylindrée de 400cc ou moins

PERMIS DE **CLASSE 6C**

Motocyclette de cylindrée
de 125cc ou moins

PERMIS DE **CLASSE 6D**

Cyclomoteur

PERMIS DE **CLASSE 6E**

Motocyclette à trois roues

PERMIS DE **CLASSE 8**

Tracteur de ferme

LES EXIGENCES RELATIVES
À LA SANTÉ DU CONDUCTEUR :

Certaines maladies, déficiences ou situations qui sont incompatibles avec la conduite sécuritaire d'un véhicule routier. Le règlement sur les conditions d'accès à la conduite d'un véhicule routier relatives à la santé des conducteurs en fait la description. Un conducteur doit aviser la SAAQ de tous problèmes de santé qui peuvent affecter la conduite d'un véhicule routier.

LA SOCIÉTÉ **PEUT ACCORDER UN PERMIS ASSORTI DE CONDITIONS**, NOTAMMENT POUR LES RAISONS SUIVANTES :

A	Dois porter des lunettes ou des lentilles cornéennes
B	Dois conduire le jour uniquement
C	Dois porter un appareil auditif pour conduire
G	Dois subir un examen ou une évaluation sur sa santé à chaque renouvellement
H	Dois conduire un véhicule dont la masse nette est inférieure à 2500 kg
I	Dois conduire un véhicule muni d'un antidémarreur éthylométrique (dispositif détecteur d'alcool)
J	Dois conduire un véhicule muni d'une transmission automatique
K	Dois conduire un véhicule muni d'une servodirection
L	Dois conduire un véhicule muni d'un servofrein
N	Dois porter un harnais de sécurité pour conduire
P	Dois conduire un véhicule muni de commandes manuelles
Q	Dois conduire un véhicule muni de feux codes manuels
R	Dois conduire un véhicule muni d'un accélérateur à gauche
S	Est sujet aux conditions médicales énumérées sur le permis
T	Est sujet à d'autres restrictions non médicales
X	Dois conduire un véhicule muni d'un antidémarreur éthylométrique
Y	Ne dois pas avoir consommé d'alcool pour conduire, avoir la garde ou le contrôle d'un véhicule.

À VOUS MAINTENANT

- Site internet : http://educationroutiere.saaq.gouv.qc.ca (module 2)
- Site internet : http://www.saaq.gouv.qc.ca
- Exercices théoriques

Module 3

L'environnement

COMPÉTENCES VISÉES

- Tenir compte des autres usagers de la route

- Adopter une conduite coopérative et courtoise

- Évaluer son comportement au regard du partage de la route

Module 3 · L'environnement

Supplément aux guides d'apprentissage

INTRODUCTION

Le module 3 porte sur l'environnement routier. Il s'attarde particulièrement aux autres usagers ainsi qu'à la signalisation et au marquage de la route. D'autres facteurs environnementaux tels que le type de route, les conditions climatiques et l'état de la chaussée seront traités au module 7 (stratégie OEA), puisque ces contenus sont liés aux stratégies de conduite.

Le module 3 vise à vous faire prendre conscience de l'importance de l'environnement dans la conduite d'un véhicule de promenade. En effet, c'est principalement dans son environnement que le conducteur puise l'information nécessaire à un déplacement efficace, mais surtout sécuritaire.

Par la suite, vous serez amené à vous familiariser avec les règles d'une conduite proactive et courtoise, qui contribue à prévenir les conflits avec les autres usagers de la route. Enfin, ce module permet d'amorcer une réflexion sur les principales sources d'irritation qui peuvent toucher la conduite d'un véhicule et qui sont souvent associées au non-respect des règles de la circulation.

L'environnement physique

Plusieurs éléments font partie de l'environnement : le milieu urbain, semi-urbain ou rural, la végétation, la largeur de la chaussée, le nombre de voies de circulation, la déclivité de la route, la présence d'accotements, la présence de trottoirs ou d'une piste cyclable, la présence d'autres usagers, la signalisation prescrite, le marquage de la chaussée, etc.

L'environnement dicte certaines règles que l'usager se doit d'observer, pour sa sécurité comme pour celle des autres. À titre d'exemple, un piéton se promenant sur une rue sans trottoir doit le faire sur le bord de la chaussée, dans le sens contraire de la circulation.

De même, de façon consciente ou non, l'usager adapte ses comportements à l'environnement dans lequel il évolue. Un conducteur roulant dans un endroit où les rues sont étroites et où circulent plusieurs piétons et cyclistes aura tendance à réduire sa vitesse.

Qu'il soit piéton, cycliste ou au volant d'un véhicule, l'usager de la route est constamment en relation avec son environnement physique. Celui-ci envoie des messages et indique le comportement adéquat à adopter. Or, s'il est vrai que l'environnement fournit une quantité importante d'information à l'usager, il peut également devenir une source de distraction non négligeable susceptible de dévier l'attention du conducteur de sa tâche première, soit celle de diriger le véhicule de manière sécuritaire, coopérative et responsable. C'est pourquoi il importe que l'apprenant en ait conscience et qu'il apprenne à gérer les nombreux facteurs de distraction présents dans son environnement.

Les règles de la circulation et de la signalisation

Il est difficile pour les conducteurs de concevoir qu'ils peuvent être impliqués dans un accident chaque fois qu'ils prennent le volant. Rappelez-vous : dans la plupart des accidents de la route, c'est le comportement qui est en cause. C'est donc ce qui se passe derrière le volant, dans la tête du conducteur, et ce que ce dernier choisit de faire ou non qui importe.

Dans le but d'assurer la sécurité de l'ensemble des usagers de la route, la conduite d'un véhicule routier est encadrée par des lois et des règlements qui imposent, sous peine de sanctions telles que des amendes et l'attribution de points d'inaptitude, le respect de la signalisation et des règles de la circulation. Ces règles sont énoncées en grande partie dans le Code de la sécurité routière.

S'il est important de suivre l'ensemble des règles de la circulation afin d'éviter les conflits, certaines règles élémentaires mettent directement en cause la sécurité des autres usagers et elles doivent être observées en tout temps :

- Respect des feux de circulation ;
- Respect de la signalisation (arrêts obligatoires, limites de vitesse, etc.) ;
- Respect de la priorité des autres usagers de la route (passages piétonniers, pistes cyclables, etc.) ;
- Respect de certaines obligations liées aux règles de la circulation (signaler ses intentions, ne pas suivre de trop près, etc.).

L'objectif premier des lois et des règlements est de garantir la sécurité de tous, en particulier des usagers dits vulnérables. Le respect de ces normes est essentiel à une conduite sécuritaire, coopérative et responsable.

Consultez les pages 83 à 187 (la signalisation routière) du **Guide de la route.**

Consultez les pages 189 à 247 (les règles de la circulation) du **Guide de la route.**

La courtoisie

L'automobile est un bien privé, mais lorsqu'un conducteur emprunte un chemin public, il se trouve dans un lieu collectif où il doit faire preuve de civisme et de responsabilité à l'égard des autres et de leur sécurité. Dans les faits, la route est un espace public que l'on se doit de partager. Sur la route, le « chacun pour soi » n'a pas sa place.

Consultez les pages 224 à 233 du guide **Conduire un véhicule de promenade**
(à partir de « Être courtois sur la route »).

Tenir compte des autres usagers de la route

Automobilistes, cyclistes, piétons, motocyclistes, cyclomotoristes, conducteurs de véhicules lourds, toutes ces personnes utilisent le réseau routier. Cependant, elles ne se déplacent pas pour les mêmes raisons, à la même vitesse, avec la même facilité, les mêmes capacités ou les mêmes réflexes. En outre, elles ne disposent pas de la même protection, et certaines sont plus vulnérables que d'autres. C'est pourquoi il est primordial pour un conducteur de prendre conscience des autres, voire d'anticiper leur présence. Il doit avoir, en tout temps, des comportements respectueux envers les autres usagers de la route.

Consultez les pages 126 à 128 du guide **Conduire un véhicule de promenade**
(y compris « Devant un panneau d'arrêt ou un feu rouge »).

AVEC LES PERSONNES UTILISANT UNE AMM (AIDE À LA MOBILITÉ MOTORISÉE)

Plusieurs personnes dont la mobilité est réduite utilisent des appareils de transport motorisés : triporteur, quadriporteur ou fauteuil roulant. Bien que certains circulent sur la chaussée, les utilisateurs des AMM doivent être considérés comme des piétons et se conformer aux mêmes règles que ceux-ci. Néanmoins, le conducteur doit leur porter une attention particulière puisque l'utilisateur d'une AMM :

- Est, au même titre que les piétons ou les cyclistes, un usager vulnérable ;

- Présente généralement des problèmes de santé ou des incapacités diverses ;

- Doit parfois prendre une médication ;

- Est en position assise et est, par conséquent, moins visible d'un véhicule ;

- Est peu visible la nuit – certains appareils ne sont pas dotés de réflecteurs, avant ou arrière, ou d'un fanion ;

- Est peu bruyant, si bien que l'on peut avoir du mal à l'entendre venir ;

- Circule souvent plus rapidement qu'un piéton mais plus lentement qu'un cycliste ou qu'un véhicule à moteur, son véhicule pouvant atteindre des vitesses se situant entre 15 km/h et 42 km/h.

Consultez les pages 128 à 139 du guide **Conduire un véhicule de promenade**
(y compris « Avec les véhicules qui viennent en sens inverse »).

CONCLUSION

L'usager de la route est constamment interpellé par l'environnement. Celui-ci est une source importante d'information, qui influe sur de nombreux aspects de la conduite : itinéraire, temps de déplacement, sécurité, prise de risques, etc. Parce que cet environnement peut être complexe, imprévisible et surtout parce que l'usager doit composer avec plusieurs autres personnes utilisant le réseau routier, des règles de la circulation, y inclus la signalisation routière, ont été instaurées. Le but premier de ces règles est de garantir la sécurité de tous, quel que soit le moyen de transport utilisé.

Pourtant, afin que les déplacements soient effectués en toute sécurité, le respect des règles de la circulation ne suffit pas. Une conduite proactive et courtoisie axée sur le respect des autres est également essentielle. Le savoir-vivre sur la route, c'est accepter de la partager en tenant compte en tout temps de l'ensemble des usagers et des caractéristiques qui leur sont propres. De cette façon, les usagers de la route adoptent des comportements responsables et sécuritaires qui leur permettent d'éviter des conflits ou des accidents.

Éducation routière
educationroutiere.saaq.gouv.qc.ca

Activité
La courtoisie

Il est important de connaître les principales sources d'irritation relatives à la conduite et d'évaluer sa propre attitude à l'égard des autres usagers de la route.

| TITRE DE L'ACTIVITÉ | La courtoisie, ça fait du bien ! |

TÂCHES À RÉALISER

Individuellement (5 minutes)

- Prenez cinq minutes pour remplir le questionnaire *La courtoisie sur la route.*

La courtoisie sur la route

- *Quel score obtenez-vous pour votre attitude à l'égard des autres usagers de la route ?*

Faites comme si vous conduisiez depuis un certain temps déjà. N'encerclez qu'un seul numéro par question.
Essayez de répondre le plus honnêtement possible.

1 Vous circulez dans une rue très passante du centre-ville et une cycliste gêne votre passage. Il n'y a pas vraiment de place pour la dépasser et vous souhaitez qu'elle se range plus près de la bordure de trottoir. Que faites-vous ?

1. Vous la suivez lentement jusqu'à ce que l'occasion de la dépasser se présente.
2. Vous klaxonnez légèrement pour l'avertir.
3. Vous tentez de vous faufiler devant elle.
4. Vous klaxonnez bruyamment et lui criez après.

2 Des adolescents sont près d'un passage pour piétons et ils discutent. Vous ne savez pas trop s'ils veulent traverser la rue ou rester là à jaser. Que faites-vous ?

1. Vous vous arrêtez immédiatement.
2. Vous ralentissez et placez le pied au-dessus du frein, prêt à vous arrêter ou à poursuivre votre route.
3. Vous poursuivez votre route, mais vous klaxonnez bruyamment pour les avertir.
4. Vous accélérez et passez devant eux avant qu'ils puissent s'engager dans la rue.

3 Le feu de circulation passe au vert, mais vous êtes incapable d'avancer parce qu'un véhicule se trouve devant vous. La conductrice s'est engagée dans l'intersection, mais les véhicules devant elle avançaient si lentement que l'intersection est maintenant bloquée. Que faites-vous ?

1. Vous vous dites que vous n'aimeriez pas être à sa place et vous attendez patiemment qu'elle avance.
2. Vous établissez un contact visuel pour lui faire savoir que vous la trouvez complètement idiote comme conductrice.
3. Vous klaxonnez légèrement pour lui signifier votre impatience.
4. Vous klaxonnez bruyamment.

4 Vous vous trouvez à une intersection dotée d'arrêts dans les quatre directions et il y a un cycliste à votre droite, qui est arrivé à peu près en même temps que vous (ou peut-être juste un peu avant). Que faites-vous ?

1. Vous le laissez traverser même s'il avance très lentement.
2. Vous établissez un contact visuel pour tenter de communiquer avec lui ; il vous fera peut-être signe d'avancer.
3   Vous avancez un peu pour indiquer votre intention de passer, tout en surveillant ce qu'il fait.
4. Vous foncez droit devant.

5 Vous passez devant un autre véhicule et le conducteur vous signale par un léger coup de klaxon que vous lui avez coupé la route. Que faites-vous ?

1. Vous vous dites qu'il vaudrait mieux faire plus attention la prochaine fois.
2. Vous vérifiez vos rétroviseurs et vos clignotants pour voir si vous avez fait une erreur.
3. Vous répliquez par un léger coup de klaxon.
4. Vous klaxonnez bruyamment.

6 Vous remarquez que des enfants jouent avec un ballon sur le bord de la rue. Que faites-vous ?

1. Vous ralentissez et placez le pied au-dessus du frein au cas où le ballon rebondirait dans la rue.
2. Vous gardez l'œil sur les enfants et ralentissez légèrement.
3. Vous roulez à vitesse modérée de manière à pouvoir vous arrêter au besoin.
4. Vous continuez de rouler à la limite maximale de vitesse et espérez que le ballon ne viendra pas vers vous.

7 Un homme essaie de stationner son véhicule en parallèle dans une rue passante en ville, en prenant son temps. Il occupe beaucoup de place dans la rue en faisant sa manœuvre et vous voyez qu'il n'a pas le bon angle et qu'il devra recommencer sa tentative. Que faites-vous ?

1. Vous attendez patiemment qu'il termine sa manœuvre.
2. Vous tentez de le contourner en vous faufilant dès que l'occasion se présente.
3. Vous klaxonnez légèrement pour lui faire comprendre qu'il gêne la circulation et qu'il devrait avancer.
4. Vous klaxonnez bruyamment.

Individuellement (2 minutes)

Quel score obtenez-vous pour votre attitude à l'égard des autres usagers de la route ?

Additionnez les chiffres encerclés et voyez votre score :

- **De 7 à 14 :** vous êtes probablement quelqu'un de prévenant et de courtois envers les autres usagers de la route ;

- **De 15 à 19 :** vous êtes quelqu'un de modérément courtois sur la route. Il serait peut-être bon d'essayer de vous mettre plus souvent dans la peau des autres usagers de la route ;

- **20 et plus :** vous avez probablement encore du travail à faire pour adopter une attitude courtoise sur la route.

Posez-vous la question : que m'indiquent ces réponses au sujet de mon attitude à l'égard des autres usagers de la route ?

En séance plénière (15 minutes)

- Reprenez chaque question du questionnaire et examinez vos réponses.

- Complétez l'information à l'aide des énoncés suivants.

Question 1

Utilisation du klaxon
Le klaxon devrait être utilisé de façon modérée pour signifier sa présence lorsque le conducteur doute d'être vu ou pour signaler un danger.

Question 2

Passage d'un piéton
Le conducteur d'un véhicule routier ou d'une bicyclette doit céder le passage aux piétons à un passage pour piétons. Les piétons sont vulnérables et leurs réactions peuvent parfois être difficiles à prévoir. Le conducteur doit donc redoubler d'attention.

Question 3

Évitement des conflits
Bien que la conductrice qui s'est engagée dans l'intersection soit dans son tort (article 366 du CSR), il vaut toujours mieux éviter les conflits, et ce, peu importe qui est responsable.

Cycliste

Les cyclistes ont les mêmes droits et les mêmes responsabilités que les conducteurs de véhicules routiers. Le conducteur d'un véhicule ou d'une bicyclette doit céder le passage au véhicule ou à la bicyclette qui a atteint l'intersection avant lui. En cas de doute, la règle de courtoisie serait de céder le passage à l'usager vulnérable, soit au cycliste dans le cas présent.

Fausse manœuvre

Il arrive à tout le monde d'être distrait, tendu, nerveux, de commettre une erreur ou d'effectuer une manœuvre maladroite. Dans une telle situation, il faut toujours faire preuve de tolérance.

Enfants piétons

Il faut porter une attention particulière aux enfants. Ils ont des comportements beaucoup plus imprévisibles que ceux des autres usagers de la route. Ils sont plus vulnérables à cause de leur spontanéité et de leur insouciance à l'égard du danger. De plus, ils sont souvent distraits et impulsifs.

Patience

Patience, tolérance et courtoisie sont des attitudes qui contribuent à maintenir des situations conviviales sur les routes et à réduire le plus possible les sources de tension et d'irritation, donc les conflits.

> **Échangez avec les autres participants sur l'importance d'une attitude coopérative, sécuritaire et responsable sur la route.**

Quelques pistes :

- Sur la route, le « chacun pour soi » n'a pas sa place.

- Ne pas prêter des intentions (ex. : une intention de nuire) aux autres usagers de la route.

- Le manque de courtoisie peut être une source de conflits et d'agressivité au volant.

Bilan de l'activité

Gestes de courtoisie sur la route

Les usagers de la route doivent :

- Toujours communiquer leurs intentions de la bonne façon et apprécier cette façon de faire chez les autres ;

- Être attentifs aux intentions des autres pour réagir adéquatement aux situations qui se présentent et ainsi éviter des accidents.

La courtoisie, c'est une bonne façon de créer un climat convivial et d'éviter l'agressivité sur la route.

Des gestes simples et essentiels

- Établir un contact visuel avec l'autre usager ;

- Laisser à l'autre usager le temps et l'espace nécessaires pour faire sa manœuvre ;

- Faire un geste de la main pour communiquer son intention ou son appréciation ;

- Signaler en tout temps ses intentions aux autres usagers, par exemple en utilisant les clignotants.

Le savoir-vivre sur la route, c'est faire attention aux autres, surtout aux plus vulnérables.

Individuellement

Ce que j'ai appris au cours de cette activité :

_____

_____

_____

_____

_____

_____

LA SIGNALISATION ET LES
RÈGLES DE LA CIRCULATION

FEUX
DE CIRCULATION

	 ROUGE	 JAUNE	 VERT
	ARRÊTER	**ARRÊTER**	**CIRCULER**
Fixe	Oblige à arrêter avant la ligne le trottoir ou le passage pour piétons. ATTENDEZ LE FEU VERT	**Oblige à arrêter** à moins d'être engagé ou sur le point de l'être. Point de non retour.	Permet de continuer après avoir vérifié l'absence de risque
	ARRÊTER	**RALENTIR**	**VIRAGE À GAUCHE PROTÉGÉ**
Clignotant	C'est un arrêt, respecter les règles de sécurité.	C'est une zone de danger. Ex : Intersection, début d'un terre-plein, école, etc.	Les véhicule à contresens sont sur un feu rouge PRIORITÉ DE VIRAGE AU CLIGNOTEMENT DU FEU VERT
Flèche	Interdit de circuler dans le sens indiqué par une flèche.	Même fonction que le feu jaune mais indique le sens.	Circuler dans le sens indiqué par la flèche, respecter les priorités.

LES MARQUES
SUR LA CHAUSSÉE

Les marques sur la chaussée complètent les panneaux de signalisation et les feux de circulation et vous indiquent le sens de la circulation et les voies que vous pouvez ou ne pouvez pas emprunter. Les marques sur la chaussée servent à diviser les voies de circulation, à indiquer les voies de virage, les passages pour piétons et les obstacles et vous disent quand il est interdit de dépasser.

LES MARQUES
DE **COULEUR JAUNE** :

- Séparent les voies d'une chaussée dans les deux sens ;
- Délimitent la bordure gauche d'une autoroute (ainsi que la bordure gauche d'une bretelle) ;
- Indiquent les endroits où le stationnement est interdit ;
- Indiquent les passages pour les piétons et les écoliers ;
- Délimitent les voies de circulation alternée ;
- Délimitent les voies de virage à gauche dans les deux sens.

LES MARQUES
DE **COULEUR BLANCHE** :

- Séparent les voies d'une chaussée dans une même direction ;
- Délimitent la bordure droite d'une autoroute (ainsi que la bordure droite d'une bretelle) ;
- Indiquent les espaces de stationnement ;
- Indiquent les passages pour les piétons et les écoliers à une intersection ;
- Servent de guide pour virage à une intersection ;
- Ligne d'arrêt ;
- Délimitent les voies réservées dans la même direction que la circulation.

LIGNE **SIMPLE DISCONTINUE** :

Quand la ligne sur la chaussée est discontinue, elle peut être franchie.

LIGNE **SIMPLE CONTINUE** :

Quand la ligne sur la chaussée est continue, elle ne peut pas être franchie.

LIGNE **DOUBLE CONTINUE** :

Quand deux lignes sur la chaussée sont continues, elles ne peuvent pas être franchies.

LIGNES **MIXTES** :

Quand la ligne continue est accolée à une ligne discontinue, le conducteur peut franchir les lignes quand la partie discontinue est de son côté.

VOIE DE **CIRCULATION ALTERNÉE** :

Quand une voie de circulation se fait tantôt dans un sens, tantôt dans l'autre, les lignes qui séparent cette voie se constituent de deux lignes jaunes parallèles discontinues.

VOIE **RÉSERVÉE AU VIRAGE À GAUCHE** DANS LES DEUX SENS :

Sur un chemin constitué de cinq voies, la voie de centre est démarquée de deux lignes jaunes parallèles. Une des lignes est continue et l'autre discontinue. La seule manoeuvre permise dans cette voie est le virage à gauche. Il devrait avoir des flèches peinturées sur la chaussée pour mieux l'indiquer.

VOIE **RÉSERVÉE** :

- Ligne double continue : voie réservée en tout temps ;

- Ligne double discontinue : voie réservée à certaines heures ;

- Le biseau indique l'endroit permis pour effectuer un virage.

VOIE POUR **VÉHICULES LENTS** :

Sur certaines routes, on ajoute une voie spécialement aménagée pour le dépassement qui permet aux véhicules lents de libérer le passage aux autres véhicules.

LIGNE D'**ARRÊT** :

Indique l'endroit où la voiture doit s'arrêter.

PASSAGE POUR **PIÉTONS AUX INTERSECTIONS** :

- Deux lignes blanches parallèles indiquant l'espace réservé aux piétons.

- Bandes blanches indiquant l'espace réservé aux piétons.

SYMBOLES SUR LA CHAUSSÉE :

- Place de stationnement : lignes sur la chaussée indiquant l'espace de stationnement ;

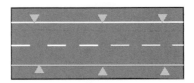

- Zone de surveillance aérienne : des repères en forme de triangles sur l'accotement ou la chaussée ;

- Fauteuil roulant : indique les rampes d'accès et les espaces de stationnement réservés aux personnes avec déficience physique ;

- Flèches blanches : indiquent la direction des voies ;

- Zone d'arrêt d'autobus : un rectangle avec des lignes en zigzag de couleur jaune ;

- Losange blanc : indique la voie réservée ;

- Détecteur de véhicules : symbole sur la chaussée pour avertir un conducteur où il doit immobiliser son véhicule pour réduire le temps d'attente à un feu de circulation ;

- Bicyclette : indique une piste cyclable.

LES PANNEAUX
DE SIGNALISATION

Les panneaux de signalisation vous donnent d'importants renseignements qui vous aident à respecter la loi, vous informent de conditions dangereuses et vous aident à choisir votre itinéraire. Ces panneaux comportent différents symboles, couleurs et formes qui permettent aux automobilistes de les reconnaître facilement.

LA **SIGNALISATION DE PRESCRIPTION** :
ELLE INDIQUE LES OBLIGATIONS ET LES INTERDICTIONS.

LA **SIGNALISATION DE DANGER** :
ELLE INDIQUE EN AVANCE LES ENDROITS AVEC UN DANGER.

LA **SIGNALISATION DE TRAVAUX** :
ELLE INDIQUE LA PRÉSENCE DE CONSTRUCTION.

LA **SIGNALISATION D'INDICATION** :
ELLE INDIQUE L'INFORMATION, LA DESTINATION, ET LES DIRECTIONS.

LA SIGNALISATION DE PRESCRIPTION

 Indique l'obligation d'effectuer un arrêt complet.

 Indique que tous les usagers font face à un arrêt à l'intersection.

 Indique au conducteur qui désire intégrer une autre route qu'il doit céder le passage aux véhicules qui y circulent déjà.

 Indique au conducteur qui désire entrer dans un carrefour giratoire qu'il doit céder le passage aux véhicules qui circulent déjà à l'intérieur du carrefour.

 Indique que la priorité de passage doit être accordée aux véhicules circulant en sens inverse.

 Indique l'emplacement d'une ligne d'arrêt au feu de circulation.

LIGNE D'ARRÊT

 Indique que l'accès est interdit.

ENTRÉE INTERDITE

  Indique les limites de vitesse.

 Ce panonceau accompagne un panneau de limite de vitesse, pour une vitesse maximum prescrite pour un ensemble de rues homogènes comprises à l'intérieur d'un secteur généralement urbain. Ces panneaux jumelé, doivent être installés à tous les accès du sectuer concerné, où aucune rue ou sous-secteur ne peut permettre une limite de vitesse supérieure.

 Indique la vitesse maximale permise dans une zone scolaire ainsi que les périodes durant lesquelles cette limite s'appliquent, soit les heures de la journée, les jours de la semaine et les mois.

 Indique l'obligation du sens de la circulation.

 Indique le début d'un sens unique. La fin de la circulation à double sens

 Indique le début de la circulation à double sens. La fin de la circulation à sens unique.

CONTOURNEMENT D'OBSTACLE :

 Indique la présence d'un obstacle qui doit être contourné par la gauche.

 Indique la présence d'un obstacle qui doit être contourné par la gauche ou la droite.

 Indique la présence d'un obstacle qui doit être contourné par la droite.

 Direction d'une voie : indique l'obligation de la voie à tourner à gauche.

Direction d'une voie : indique l'obligation de la voie à tourner à droite.

Indique que la voie est réservé au virage à gauche dans les deux sens.

 Indique l'obligation de la voie à continuer tout droit.

 Indique l'obligation de la voie à continuer tout droit ou de tourner à droite.

 Indique l'obligation de la voie à continuer tout droit ou de tourner à gauche.

 Indique l'obligation à la voie de gauche de continuer tout droit.

Indique l'obligation à la voie de droite de continuer tout droit ou de tourner à droite.

 Indique l'obligation à la voie de gauche de continuer tout droit ou de tourner à gauche.

Indique l'obligation à la voie de droite de continuer tout droit.

 Indique l'obligation à la voie de gauche de continuer tout droit.

Indique l'obligation à la voie de droite de tourner à droite.

 Indique l'obligation à la voie de droite de continuer tout droit.

Indique l'obligation à la voie de gauche de tourner à gauche.

 Indique l'obligation de la voie de tourner à gauche ou de tourner à droite.

 Indique l'obligation à la voie de gauche de continuer tout droit ou de tourner à gauche et l'obligation à la voie de droite de tourner à droite.

 Indique l'obligation à la voie de gauche de tourner à gauche.

Indique l'obligation à la voie de droite de continuer tout droit ou de tourner à droite.

 Indique l'obligation à la voie de gauche de continuer tout droit ou de tourner à droite.

Indique l'obligation à la voie de droite de tourner à droite.

 Indique l'obligation à la voie de gauche de tourner à gauche

Indique l'obligation à la voie de droite de continuer tout droit ou de tourner à gauche.

88

Indique l'obligation à la voie de gauche et à la voie de droite de tourner à gauche.

Indique l'obligation à la voie de droite et à la voie de gauche de tourner à droite.

Indique l'obligation à la voie de gauche de tourner à gauche.

Indique l'obligation à la voie de centre à continuer tout droit.

Indique l'obligation à la voie de droite à continuer tout droit.

Indique l'obligation à la voie de gauche à continuer tout droit.

Indique l'obligation à la voie de centre à continuer tout droit.

Indique l'obligation à la voie de droite de tourner à droite.

Indique l'obligation à la voie de gauche de tourner à gauche.

Indique l'obligation à la voie de droite de tourner à gauche ou de continuer tout droit ou de tourner à droite.

Indique l'obligation à la voie de gauche de tourner à droite ou de continuer tout droit ou de tourner à gauche.

Indique l'obligation à la voie de droite de tourner à droite.

Indique l'obligation à tous les véhicules d'aller tout droit.

Indique l'obligation à tous les véhicules de tourner à gauche

Indique l'obligation à tous les véhicules de tourner à droite.

Indique l'obligation à tous les véhicules d'aller tout droit ou de tourner à droite.

Indique l'obligation à tous les véhicules d'aller tout droit ou de tourner à gauche.

Indique l'obligation à tous les véhicules de tourner à gauche ou de tourner à droite.

 Indique l'interdiction à tous les véhicules d'aller tout droit.

 Indique l'interdiction à tous les véhicules de tourner à gauche.

 Indique l'interdiction à tous les véhicules de tourner à droite.

 Indique l'interdiction à tous les véhicules de faire demi-tour.

 Indique l'interdiction de tourner à droite quand le feu est rouge.

  Indique que l'obligation ou l'interdiction de manoeuvres est d'une durée temporaire ou ne s'appliquent pas à certaines catégories de véhicules. Lorsque le panonceau Excepté véhicules autorisés est fixé sous le panneau Interdiction de faire demi-tour, les véhicules autorisés sont ceux utilisés pour dispenser des services d'urgence, pour assurer la sécurité routière ou publique ou pour procéder à l'entretien, à la réfection ou à la contruction du réseau routier.

 Indique le début d'une zone où le dépassement est interdit.

 Ce panonceau peut compléter le panneau précédent pour indiquer la fin d'une zone de dépassement interdit.

  Ce type de panneaux indique les endroits où le stationnement est interdit ou autorisé. Différent symboles ou inscriptions, lorsqu'ils sont inscrits, précisent la réglementation qui s'applique en fonction des catégories de véhicules, des minutes, des heures, des jours, des mois, ou de l'étendue de la zone (au moyen de la flèche appropriée).

 Indique les endroits où le stationnement est autorisé uniquement pour les personnes atteintes de déficience physique.

90

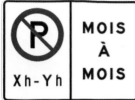 Ce panneau est installé dans certaines municipalités pour interdire le stationnement en période hivernale ou pour indiquer des restrictions qui s'adressent à certaines catégories de véhicule.

 Indique qu'un véhicule dans une zone de stationnement interdit peut être remorqué.

 Ce panneau est utilisé avec les feux de réglementation de stationnement pour informer le conducteur que le stationnement est interdit, pour les opérations d'entretien, lorsque les feux orange sont allumés.

 Ce panonceau indique l'endroit où se situe l'horodateur de façon à ce que le conducteur puisse payer lorsque la zone de stationnement est tarifée.

 Indique l'interdiction de s'arrêter à l'endroit signalé.

 Indique l'interdiction de s'arrêter à l'endroit signalé entre les heures indiquées.

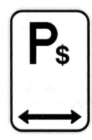 Ce panneau indique la zone de stationnement autorisée et tarifée.

 Indique qu'il y a un passage pour piétons.

 Indique qu'il y a un passage pour écoliers.

Indique qu'il y a un passage pour personnes atteintes de déficience physique.

 Indique qu'il y a un passage pour personnes atteintes de déficience visuelle.

 Indique qu'il y a un passage près d'un terrain de jeu.

 Indique qu'il y a un passage pour piétons et cyclistes.

 Indique qu'il est interdit de jeter des ordures.

 Indique qu'il est interdit de circuler avec un véhicule muni d'un détecteur de radar.

 Indique l'obligation de porter la ceinture de sécurité.

 Indique l'obligation de fermer et de sceller les bonbonnes de gaz pour être admis sur un traversier.

Ces panneaux indiquent la ou les routes que les conducteurs de certains types de véhicules doivent emprunter.

 Camions

 Motocyclettes

 Automobiles

 Pour indiquer la direction du trajet à suivre, les panneaux de trajet obligatoire doivent être complétés par un panonceau de direction.

Ces panneaux indiquent aux camionneurs circulant en transit qu'ils doivent poursuivre leur route dans la direction indiquée par le ou les flèches.

 Indique au camionneur qu'il peut circuler sur cette route seulement s'il effectue une livraison locale.

Ce panneau, installé au-dessus d'une voie, indique aux conducteurs de camions, de véhicules-outils et de véhicules de transport d'équipement l'obligation d'emprunter cette voie.

92

Ces panneaux indiquent les chemins ou les voies dont l'accès est interdit à certains usagers de la route ou à certains type de véhicules.

 Automobiles

 Motocyclettes

 Bicyclettes

 Automobiles et motocyclettes

 Automobiles et bicyclettes

 Véhicules tout-terrains (quads)

 Piétons

 Piétons et motocyclettes

 Piétons et bicyclettes

 Cavaliers

 Motoneiges

 Autobus urbains

 Autobus interurbains

 Minibus

 Autobus scolaires

 Patineurs à roues alignées

 Véhicules récréatifs

 Véhicules avec remorque

Indique l'interdiction aux camions, aux véhicules-outils et aux véhicules de transport d'équipement de circuler sur un chemin public lorsque la charge, la longueur, la largeur ou le nombre d'essieux de leur véhicule excède les limites indiquées :

 Indique au camionneur qu'il circule sur un chemin identifié comme une route de livraison.

 Accès interdit aux camions dans la voie désignée par le panneau.

 Trajet obligatoire pour les véhicules transportant des matières dangereuses. Le trajet est indiqué par la flèche apparaissant sur le panonceau qui l'accompagne.

 Accès interdit aux véhicules transportant des matières dangereuses.

 Ce panneau, installé au-dessus d'une voie, indique aux conducteurs de véhicules transportant des matières dangereuses l'obligation d'emprunter cette voie.

 Accès interdit dans la voie désignée par le panneau aux véhicules transportant des matières dangereuses.

94

Ces panneaux indiquent aux conducteurs des véhicules ayant l'obligation d'arrêter à un passage à niveau qu'ils en sont exemptés.

Ces panneau indiquent au conducteur de toute catégorie de véhicules routiers dont le poids total en charge dépasse le poids maximal inscrit sur le panneau qu'il ne peut pas emprunter certains ponts ou viaducs.

Ce panonceau, placé sous le panneau précédent, indique la distance à parcourir de l'intersection vers le pont ou le viaduc visé par la limitation de poids.

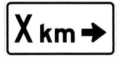

Ce panonceau, placé sous le panneau de limitation de poids, indique que la structure du pont ou du viaduc ne peut supporter plus d'un des véhicules routiers visés par le panneau.

Ces panneaux interdit au conducteur d'immobiliser son véhicule sur la voie ferrée.

Ce panneau indique l'obligation de respecter, durant les périodes de dégel, les restrictions de charge fixées par un règlement.

Ce panneau indique aux conducteurs de camions dont la masse excède la limite légale qu'il leur est interdit de circuler sur certains ponts ou viaducs.

Indique l'obligation pour tout conducteur qui circule lentement de prendre la voie de droite. Bien que le pictogramme représente un camion, il concerne tout véhicule circulant lentement.

Indique l'obligation aux véhicules routiers dont le poids total en charge est de 3 000 kg et plus de vérifier lui-même l'état de ses freins dans l'aire de vérification.

 Indique qu'il reste au plus 30 mètres avant le panneau Arrêt installé à la sortie de l'aire.

 Indique la présence d'un poste de contrôle où il est obligatoire d'effectuer les vérifications exigibles si la remorque du véhicule routier est plus de 10 mètres de longueur.

  Indique la distance et la direction du poste de pesée de contrôle routier.

Quand les feux fonctionnent, indique l'obligation de s'arrêter au poste de contrôle pour un véhicule routier dont le poids excède 4 500kg.

 Indique que les véhicules se déplacent dans le sens de la circulation dans une voie reservée.

 Indique que la circulation se fait à contre-sens ou en alternance dans les deux sens dans une voie réservée.

 Le symbol de covoiturage est représenté par un chiffre sur la silhouette d'un véhicule. Il indique le nombre minimal de personnes qu'un véhicule doit transporter pour être autorisé à emprunter la voie réservée.

Indique qu'une voie de circulation est réservée aux véhicules indiqués et la période d'application. La flèche désigne la voie concernée.

 Indique la fin des voies réservées.

96

LA SIGNALISATION DE DANGER

 Annoncent l'approche d'un panneau Arrêt.

 Annonce l'approche d'un panneau Cédez le passage.

 Annonce l'approche d'un panneau obligeant à céder le passage à la circulation venant en sens inverse.

Ce type de signalisation prévient d'un changement des dispositifs de contrôle de la circulation à une intersection.

 Indiquent la date à laquelle le panneau Arrêt sera enlevé.

 Indiquent la date à laquelle le panneau Arrêt entrera en vigueur.

 Indique la date à laquelle les feux de circulation seront enlevés.

 Indique la date à laquelle les feux de circulation seront en service.

 Indique la date à laquelle entrera en vigueur une nouvelle limite de vitesse permise qui sera inférieure à la limite en cours.

 Indique toute nouvelle signalisation de type Cédez le passage, Feux de circulation et Changement de sens.

 Indique le changement des limites de vitesse. Il est sous le panneau Limite de vitesse.

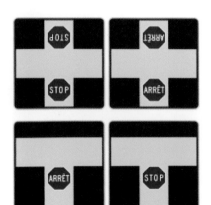 Montrent la position des panneaux Arrêt installés à une intersection et sont accompagnés d'un panonceau.

 Indique l'approche d'une intersection avec feux de circulation. Il est doté de feux jaunes qui commencent à clignoter lorsque le feu de circulation est sur le point de passer rouge. Il importe de se préparer à arrêter.

 Annonce l'approche de feux de circulation à une intersection.

 Indique l'approche d'un passage à niveau. Il est doté de feux jaunes qui commencent à clignoter lorsqu'un train est en approche. Il importe de se préparer à arrêter.

Annonce l'approche d'une zone où la vitesse permise est diminuée d'au moins 30km/h.

 Lorsque le panneau Signal avancé est utilisé à l'approche d'une zone scolaire où une limite de vitesse est prescrite pendant certaines périodes, ce pannonceau précise ces périodes, soit les heures de la journée, les jours de la semaine et les mois.

 Annonce l'approche d'une zone où la circulation s'effectue dans les deux sens.

 Annonce l'approche d'un contournement qui peut se faire par la gauche ou par la droite.

 Prévient le conducteur de la fin de la chaussée séparée.

 Prévient le conducteur qu'il s'approche d'une chaussée séparée où le contournement doit se faire uniquement par la droite.

Ces panneaux indiquent à l'avance la voie dans laquelle le conducteur doit se ranger pour effectuer une manoeuvre à une intersection.

VOIES DE DROITE

VOIE DU CENTRE

 Annonce une courbe vers la gauche.

 Annonce une courbe prononcée vers la gauche.

 Annonce deux courbes qui se succèdent en directions opposées.

 Annonce deux courbes prononcées qui se succèdent en directions opposées.

 Annonce trois courbes ou plus se succèdent à moins de 150 mètres l'une de l'autre.

 Annonce un virage dont l'angle de déviation est supérieur à 90°.

 Indique la distance sur laquelle s'étendent les courbes lorsqu'elle est de plus d'un kilomètre.

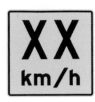 Annonce la vitesse recommandée pour circuler près d'un obstacle ou d'un point dangereux.

 Indique la vitesse recommandée dans les voies de sortie d'une autoroute. La vitesse recommandée permet au conducteur de parcourir une courbe avec une marge de sécurité.

 Indique l'approche d'une voie convergente.

 Indique l'approche d'un voie convergente resévée aux autobus.

 Indique au conducteur qu'il y a une ou plusieurs voies distinctes pour la circulation adjacente.

Le pictogramme indique l'approche d'un point où le chemin public en croise un autre et le type de configuration de l'intersection.

 Annonce une intersection en forme de croix.

 Annonce une intersection en forme de T.

 Annonce une bifurcation en Y.

   Indiquent la direction du chemin public, tel qu'il apparaît au conducteur.

 Annoncent une intersection en T.

Annoncent que le chemin public croise un autre chemin public comportant une chaussée séparée par un terre-plein très large.

Indique un carrefour giratoire, c'est-à-dire une chaussée à sens unique disposée autour d'un îlot central.

Indique que la largeur de la chaussée d'un pont ou d'un tunnel est moindre qu'à leurs abords.

Indique qu'une seule voie est accessible pour circuler et que la chaussée a au plus six mètres de largeur

Indiquent la hauteur libre des ponts, des viaducs et des tunnels. Le panneau en forme de losange en est le signal avancé, alors que le panneau carré est placé sur le pont, le viaduc ou le tunnel.

Ces panneaux annoncent un passage à un niveau situé près d'une intersection.

Les panneaux ci-dessous annoncent l'approche d'un passage à niveau traversant un chemin et montrent l'angle de la voie ferrée par rapport à ce chemin.

Ce panneau est installé lorsque les conditions géométriques d'un chemin public et d'une voie ferrée obligent les conducteurs de camions à réduire considérablement leur vitesse pour traverser en toute sécurité la voie ferrée.

Indiquent que la visibilité est restreinte ou même nulle, à cause de l'inclinaison abrupte de la route.

Ces panneaux indiquent que la largeur de la chaussée est diminuée sans qu'il y ait réduction du nombre de voies de circulation.

Ces panneaux indiquent la fin d'une voie de circulation.

Ce pannaeu indique à quelle distance commence la perte de voie.

Rétrécissement des deux côtés.

Rétrécissement par la droite.

Rétrécissement par la gauche.

Marque l'endroit où prend fin une voie ou un chemin.

100

Ces panneaux indiquent le pourcentage d'inclinaison d'une pente. Ils signalent les pentes atteingant au moins 6 % (dénivellation de 6 mètres tous les 100 mètres).

 Annonce le pourcentage maximal d'une pente.

 Annonce qu'une pente a une longueur supérieure à un kilomètre.

  Ces panneaux sont utilisés lorsque deux pentes importantes, d'inclinaison différentes, se succèdent. La longueur totale est indiquée, si elle est supérieure à un kilomètre.

 Indique la présence, à l'intersection, d'une voie réservée aménagée en bordure de la rue transversale. Ce panneau avertit les usagers qui tournent à droite à l'intersection qu'ils doivent effectuer leur virage dans la voie adjacente à la voie reservée.

Annonce le début d'une zone scolaire. Il est interdit d'y circuler à une vitesse excédant 50 km/h entre 7h et 17h, du lundi au vendredi et du mois de septembre au mois de juin. La fin de la zone scolaire est indiquée en affichant la vitesse permise en dehors de cette zone.

   Annoncent l'approche d'une voie réservée aux catégories de véhicules indiquées. Le clignotement des feux signale que la prescription est en vigueur et le panonceau indique la période pendant laquelle elle l'est.

Indique la présence possible d'un autobus scolaire immobilisé pour faire monter ou descendre des écoliers.

Ces panneaux indiquent à l'avance la proximité d'un endroit où peuvent traverser des personnes, des bicyclettes, des véhicules, des cavaliers ou des animaux.

 Piétons

 Enfants près d'un terrain de jeux

 Personnes atteintes de défience visuelle

 Zone scolaire ou passage pour écoliers

 Personnes atteintes de défience physique

 Bicyclettes

 Piétons et bicyclettes

 Camions transportant du bois en longueur

 Camions

 Motoneiges

  Véhicules tout-terrains (quads) et motoneiges.

 Véhicules tout-terrains (quads)

   Présence possible d'animaux sauvages.

 Cavaliers

  Présence d'un passage pour animaux de ferme.

 Indique aux cyclistes et aux conducteurs qu'ils circulent conjointement sur une chaussée désignée comme voie cyclable.

 Annonce le changement d'une bande ou d'une piste cyclable en chaussée désignée, ou avertit de l'approche d'une chaussée désignée.

Les panneaux suivants informent le conducteur de la distance qu'il reste à parcourir avant la fin de l'autoroute et indiquent la configuration de la route à l'endroit où se termine l'autoroute.

 Indique au conducteur qu'il doit passer à droite ou à gauche des obstacles.

    Indique au conducteur qu'il doit contourner l'obstacle par la droite.

   Indique au conducteur qu'il doit contourner l'obstacle par la gauche.

Indiquent la présence d'un point particulièrement dangereux dans une courbe en coude ou à une intersection en forme de T.

 Les délinéateurs, placés le long de la route dans un virage, avertissent les conducteurs que la courbe est serrée.

Installé du côté gauche.

Installé du côté droit.

102

 Indique un virage prononcé. Le chevron d'alignement, placé dans le virage, avertit les conducteurs que la courbe est extrêmement serrée.

 Installé sur l'îlot central d'un carrefour giratoire, ce panneau indique à l'usager le sens de la circulation dans l'anneau du carrefour.

 Indique que la chaussée risque d'être glissante à certains endroits quand elle est mouillée.

 Indique que la chaussée, située en bordure d'un cours d'eau, peut être glissante lorsque mouillée par les embruns.

 Indique au motocycliste que la chaussée risque d'être particulièrement glissante quand elle est mouillée.

 Prévient le conducteur qu'un chemin est recouvert d'eau à certains endroits.

 Indique que la chaussée d'un chemin, d'un pont ou d'un viaduc peut être glacée ou givrée lorsque la température est aux environs du point de congélation.

 Indique l'approche d'une chaussée rainurée ou, sur un pont, d'une chaussée en treillis métallique.

 Annonce la fin d'une chaussée avec revêtement et le commencement d'une autre en gravier ou en terre.

 Annonce que la chaussée présente des déformations à certains endroits.

 Annonce la possibilité d'une chute de pierres ou de terre détachant d'un sol friables, en pente.

 Indique la présence d'un pont-levis.

Ces panneaux indiquent la possibilité de manoeuvres d'aéronefs à basse altitude aux abords d'un chemin.

Aéroports

Pour les aéroports homologués public et privés

Pour les hydrobases

Pour les héliports

 Indique, à l'avance, la proximité d'un accès interdit aux camions sauf pour la livraison locale.

 Indique qu'un véhicule peut s'enliser s'il s'aventure plus loin.

 Prévient de la présence possible de brouillard ; le clignotement des feux signale la présence du brouillard.

 Prévient de la présence possible de neige ; le clignotement des feux signale la présence de neige poussée par des vents violents.

 Indique, à l'avance, aux conducteurs qu'ils doivent allumer les phares (avant) et les feux de position arrière rouges de leur véhicule pour signaler leur présence lorsqu'ils circulent dans un tunnel.

LA SIGNALISATION DE TRAVAUX

■■■■■■■■■■ Lorsque des travaux sont en cours, les barrières servent à fermer, en tout ou en partie, un chemin à la circulation. Elles sont placées au début de l'aire de travail.

Les repères visuels servent à délimiter l'aire de travail (espace où sont exécutés les travaux) ainsi que le biseau (rétrécissement oblique d'une voie de circulation précédant l'aire de travail). Ils servent à indiquer la direction à suivre ou des travaux de marquage en cours, ou encore à canaliser la circulation.

 Chevron de direction.

 Indique que des travaux de marquage sont en cours.

 Indique l'étendue, en kilomètre, de l'aire de travail.

 Balise des travaux qui sert à canaliser la circulation.

 Cône de signalisation.

 Indique la fin d'une aire de travail.

Baril

 Indique la distance à parcourir avant une aire de travail.

 Indique la vitesse maximale autorisée à proximité d'une aire de travail.

 Le panneau en forme de losange est le signal avancé d'une nouvelle vitesse maximale.

104

Ces panneaux indiquent la présence d'une aire de travail où sont effectués différents types de travaux.

 Présence de travailleurs.

 Travaux d'arpentage.

 Présence de travailleurs dans une bretelle de sortie.

 Travaux mécanisés.

 Travaux en hauteur.

 Indique sur quelle distance s'étendent les travaux.

 Indiquent la présence d'une niveleuse ou d'une souffleuse.

 Indique la présence d'une équipe d'intervention d'urgence sur un chemin public ou aux abords de celui-ci.

 Indique la présence d'une activité sportive sur un chemin public, c'est-à-dire que le chemin est barré en raison de l'activité sportive.

 Indique à l'avance la proximité d'une file d'attente occasionnée par l'exécution de travaux ou le réaménagement de voies de circulation. Ce panneau est placé sur un véhicule d'accompagnement.

 Le fanion peut également être utilisé par le signaleur pour ralentir ou arrêter la circulation.

Les deux faces de ce panneau composent le panneau que le signaleur utilise pour diriger et contrôler la circulation près d'une aire de travail.

Signaux du signaleur.

Ordre d'arrêter.

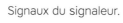

Ordre de circuler.

Ordre de ralentir.

Indique la présence d'un signaleur dirigeant la circulation. Les usagers de la route doivent s'y conformer.

Indiquent les endroits où le stationnement est interdit de façon temporaire à proximité d'une aire de travail ou à l'occasion d'évènements spéciaux et d'opérations d'entretien routier. Les heures et les jours de l'interdiction et l'étendue de la zone peuvent être précisés sur le panneau.

Ces panneaux indiquent à l'avance un endroit temporairement fermé à la circulation.

Ce type de panneau indique qu'un endroit est fermé temporairement à la circulation. Il est accompagné du panneau Détour.

Sur un chemin barré, ce panneau indique que seule la circulation locale est permise aux résidents et à la clientèle des commerces.

Ce type de panneau indique qu'une des voies de circulation est temporairement fermée.

Indiquent la direction de l'itinéraire de détour prévu que doivent suivre les usagers de la route en raison des travaux.

Indiquent, à l'avance, le trajet à emprunter en raison de la fermeture d'une voie de circulation ou d'une sortie.

Indiquent l'itinéraire facultatif proposé aux usagers de la route en raison des risques de congestion occasionnés par des travaux en aval.

106

 Indique, au début du biseau précédent l'aire de travail, la direction à suivre pour changer de voie ou se diriger sur une autre chaussée.

 Indique la présence d'un obstacle sur la chaussée, lequel peut être contourné par la droite ou par la gauche.

 Annonce la présence d'une dénivellation entre la chaussée et l'accotement.

 Indique la proximité d'une zone de dynamitage et invite le conducteur à fermer son émetteur ou son téléphone cellulaire.

 Principalement installé sur un véhicule d'accompagnement, il prévient que des travaux de marquage sont effectués.

 Est installé sur le véhicule traceur.

  Préviennent la présence d'enquêteurs sur un chemin.

 Indique qu'une aire de travail occupe partiellement la chaussée et que l'espace accessible à la circulation est inférieure à la largeur indiquée sur le panneau.

 Indique que des matériaux peuvent être projetés par des véhicules circulant sur une section du chemin sur laquelle des travaux sont exécutés.

 Indique qu'un camion chargé peut accéder au chemin public en quittant la voie d'accès.

Ces panneaux indiquent si la circulation est permise de façon temporaire sur l'accotement, à proximité d'une aire de travail.

 Indique la période durant laquelle s'échelonnent les travaux.

Ce type de panneau indique à l'avance que la circulation est déviée en raison de travaux.

LA SIGNALISATION D'INDICATION

Indiquent qu'une autoroute longe une municipalité desservie par plusieurs échangeurs successifs ainsi que le nombre de sorties pour l'atteindre ou la proximité de la dernière sortie.

Indique les sorties rapprochées ainsi que les distances à parcourir pour les atteindre.

Indique au conducteur le numéro de la route qu'il va rejoindre, les principales destinations desservies par l'échangeur ainsi que le numéro de la sortie ainsi que le côté de la sortie et la distance à parcourir pour l'atteindre.

Répète les renseignements figurant sur le panneau de présignalisation de sortie et indique par une flèche le début de la voie de décélération de l'échangeur.

Indique rapidement au conducteur la manoeuvre requise aux abords d'un échangeur complexe comportant plusieurs sorties.

Indique la destination de l'autoroute et les voies à emprunter pour s'y rendre.

Indiquent que les véhicules circulant sur cette voie doivent obligatoirement emprunter la bretelle de sortie. Les voies exclusives de sortie sont toujours identifiées par une séquence de trois panneaux.

Présignalisation de sortie.

Direction de sortie.

Confirmation de sortie.

Indiquent le début de la bretelle de sortie, son orientation et le numéro de la sortie.

Indique les directions d'un carrefour giratoire.

Indiquent les destinations les plus importantes pouvant être atteintes en empruntant chacune des branches formant l'intersection.

Indiquent la distance à parcourir pour atteindre l'une ou l'autre des agglomérations.

Indique la présence d'un lac de villégiature, la direction à prendre pour y arriver et la distance à parcourir.

Signalisation de repérage : identification des routes : les chiffres paires indiquent les routes est ou ouest, et les chiffres impairs indiquent les routes nord ou sud.

 Routes faisant partie de l'itinéraire transcanadien.

 Route numérotée.

 Autoroute.

 Nom de l'autoroute.

 Nom de la route.

 Indique les accès à l'autoroute en fonction des destinations accessibles par l'autoroute.

 Indique le début de la route ou du circuit touristique.

 Indique la présence d'une route ou d'un circuit touristique et dirige les usagers de la route vers ceux-ci.

 Indique aux usagers le numéro de téléphone abrégé à composer pour obtenir de l'information en matière de transport.

 Les panneaux suivants indiquent à l'usager de la route qu'il entre à l'intérieur des limites de la province de Québec ou d'une de ses régions.

 Indique la frontière du Québec sur les routes numériques de 200 à 399 ou sur les routes non numérotées.

 Indique le nom de la région touristique dans laquelle l'usager de la route entre.

 Indique les limites territoriales d'une agglomération ou d'une réserve indienne.

 Indique la présence d'un pont figurant sur la *Carte routière officielle du Québec*.

    Ces panneaux indiquent l'orientation générale de la route. Ils peuvent être présentée sur fond bleu.

 Indique la fin de la numération d'une autoroute qui se poursuit sous un autre numéro.

 Indique la fin d'une route numérotée ou d'une autoroute qui se poursuit sous un autre numéro, selon qu'il accompagne un panneau d'identification de route numérotée ou d'autoroute.

Indiquent la distance pour atteindre un équipement spécifique ou un aménagement routier particulier.

 Indiquent la direction d'une autoroute, d'une route numérotée ou la direction pour atteindre un équipement donné.

Les panneaux ci-dessous indiquent l'orientation générale des routes numérotées ; l'orientation des flèches varie selon la direction à suivre.

Annoncent l'intersection d'une route numérotée.

Indiquent la distance depuis le point d'origine de la route.

Indique les limites de la route sans services (route isolée)

Ce type de panneau sert à indiquer le nom des lacs, des rivières, des monts, des chutes et des réservoirs visibles de la route.

Mont ROUGEMONT   Réservoir CABONGA   Chute BLANCHE   Rivière RICHELIEU   Lac MÉGANTIC

 Indique la présence d'un poste de la Sûreté du Québec.

  Indiquent la présence d'un poste de police autre qu'un poste de la Sûreté du Québec.

Indique les numéros de téléphone universels pour atteindre les services de la Sûreté du Québec.

Indique la présence d'un hôpital, d'un centre hospitalier universitaire ou d'un pavillon, ouvert 24 heures par jour, 7 jours par semaine, et possédant un service d'urgence de type hospitalier.

110

 Indique la présence d'un centre local de services communautaires (CLSC) à proximité.

 Indique l'existence, sur une autoroute, d'une aire de stationnement réservée aux situations d'urgence.

 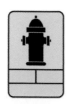 Indiquent la présence d'une borne d'incendie et ses caractéristiques, lesquelles sont nécessaires aux pompiers et au personnel d'entretien.

 Indique la présence d'un téléphone de secours.

 Indique la présence d'un véhicule ayant besoin d'assistance. On ne verra pas ce panneau, à moins qu'un accident ne vienne de se produire. En effet, si un véhicule défonce une glissière de sécurité située près d'un fossé profond le long d'une route isolée et disparaît dans la fossé, un mécanisme spécial soulève immédiatement ce panneau. Cela signifie que des usagers de la route ont besoin d'aide. Il faut se préparer à intervenir et à prévenir les corps policiers.

 Indique la présence et la direction d'un aéroport majeur où les arrivées et les départs sont à horaire fixe. Le devant de l'avion indique la direction à prendre.

 Indique la présence et la direction d'un aéroport public ou privé offrant certains services.

 Indique une hydrobase.

 Indique un héliport.

 Indique le nom d'un aéroport (ou d'une gare) et la direction à suivre pour l'atteindre.

 Indique le nom d'un aéroport (ou d'une gare), la direction à suivre et la distance à parcourir pour l'atteindre.

 Indique la présence d'une gare ferroviaire.

 Indique la présence d'une gare d'autobus interurbains.

Indiquent le chemin conduisant au quai d'un traversier pour véhicules, le point de départ et d'arrivée du traversier, le kilométrage ou la direction à suivre pour atteindre le quai.

   Indique que le service de traverse maritime est fermé.

111

Ces panneaux indiquent la présence d'un aménagement spécialement conçu pour favoriser l'utilisation d'un mode de transport collectif.

Train de banlieue Autobus urbain Traverse maritime Station de métro

Indiquent l'endroit spécifique d'une station de transport en commun où le conducteur peut attendre ou aller chercher un passager.

Ces panneaux indiquent la présence des aires de stationnement, qu'elles soient accessibles à tous, ou réservées à certaines catégories de véhicules.

Accessible à tous les véhicules.

Indique l'existence d'un lieu d'enfouissement sanitaire.

 Réservée aux taxis.

 Réservée aux autobus.

Indique la présence d'un parc industriel.

 Réservée aux motocyclettes.

 Réservée aux camions.

 Indiquent la présence d'un parc technologique, sa direction et sa distance.

Indique la présence d'un port maritime servant à la manutention des marchandises.

Ces panneaux indiquent la présence de certains autres services.

 Indique la présence d'une rampe de mise à l'eau.

 Indiquent la présence d'un poste de douane à la frontière canada-américaine.

 Aréna

 Bibliothèque

 Centre communautaire

112

 Marché public.

 Piscine publique extérieure.

 Parc municipal

 Église.

 Piscine publique intérieure.

 Université

 Cégep.

 Palais de justice.

 Indiquent un chemin sans issue.

 Indiquent la présence d'un aménagement dans un terre-plein permettant exclusivement les manoeuvres de demi-tour.

Indique que le feu vert a une séquence de clignotement qui accorde la priorité de virage.

Indiquent aux piétons ou aux cyclistes qu'il leur faut utiliser le bouton afin d'obtenir le feu qui les autorise à traverser.

Indique à l'usager de la route en provenance des États-Unis que la signalisation routière au Québec est faite selon le système métrique.

Indique que la route fait parfois l'objet d'une surveillance policière aérienne.

 Indique l'approche d'une pente raide comportant une voie de secours.

 Indique qu'une voie de circulation supplémentaire est aménagée afin de permettre les dépassements.

 Indique la présence d'une voie de secours avec un lit d'arrêt permettant l'immobilisation sécuritaire d'un véhicule dont le système de freinage est devenu inefficace.

 Indique au conducteur les distances le séparant des deux prochaines stations d'essence.

Ces panneaux rappellent que le remorquage est réglementaire sur certaines parties ou sections de routes réservées exclusivement aux entreprises de remorquage dont le numéro de téléphone figure sur le panonceau.

Ces panneaux indiquent une zone surveillée par un cinémomètre photographique ou par un système photographique de contrôle de circulation.

 Indiquent l'emplacement d'une halte routière exploitée par le gouvernement du Québec. Il s'agit d'un endroit aménagé, le long d'une route, pour les automobilistes qui souhaitent se reposer. Les services offerts sont représentés par des symboles appropriés. Lorsqu'il s'agit d'une halte municipale, la fleur de lys est remplacée par la mention Halte municipale. Le panneau peut indiquer la distance des deux prochaines haltes routières.

 Indique la présence d'une aire de repos pour les camionneurs, qui leur permet également de vérifier l'état de leur véhicule et du chargement.

 Indique la présence d'un aménagement situé en bordure d'une route qui permet de profiter d'une vue panoramique. La lunette d'approche pointe dans la direction du belvédère.

 Indique la présence d'une aire de services aménagée en bordure d'une route, comprenant un parc de stationnement, une station-service, un restaurant ou tout autre équipement.

 Indique la présence d'un pont couvert ayant une valeur patrimoniale.

Indiquent la présence d'une réserve, d'un parc, d'un refuge faunique ou d'un lieu historique sous la juridiction du gouvernement provincial ou du gouvernement fédéral.

 Utilisé pour les parcs nationaux du Canada dont le territoire relève de la compétence de l'Agence Parcs Canada.

 Le symbole de la couronne de feuilles d'érable est utilisé pour les parcs gérés par la Commission de la capitale nationale du Canada.

 Indique les parcs nationaux dont le territoire relève de la compétence de la Société de la faune et des parcs du Québec.

114

Le réseau d'accueil et de renseignements touristiques se compose de quatre catégories de bureaux d'information touristique soit : les centres Infotouristique, les bureaux d'information touristique régionaux et les locaux et les relais d'information touristique.

 Bureau géré par Tourisme Québec et donnant de l'information touristique sur l'ensemble du Québec.

 Bureau d'information touristique régional donnant de l'information pour l'ensemble d'une région.

 Bureau d'information touristique local fournissant de l'information sur une ou plusieurs municipalités, souvent accompagné du panonceau indiquant la direction et la distance qu'il reste à parcourir pour l'atteindre.

 Indique l'itinéraire à suivre et la distance à parcourir pour atteindre les établissements signalés sur l'autoroute, identifiés par leur logo ou par leur nom.

 Indiquent l'accès au site de l'établissement signalé.

 Indiquent les types de carburants disponibles, autres que l'essence, et accompagnent le logo ou le nom de l'établissement.

D : diesel, N : gaz naturel, P : propane

  Indiquent une voie cyclable aménagée en site propre et indépendante des voies de circulation automobile et précisent si l'itinéraire est reconnu Route verte. Lorsque la voie cyclable permet la pratique d'une activité sportive hivernale, celle-ci est identifiée sur le panneau.

 Indique aux cyclistes toute signalisation de prescription qui les concerne uniquement, c'est-à-dire que ce panneau ne s'adresse pas aux autres usagers de la route.

 Indique les relais touristique qui offrent de l'information par d'autres moyens que le personnel en place.

 Indique la présence d'un bureau de change.

Indiquent la proximité d'un équipement touristique, la direction à suivre, la distance à suivre, la distance à parcourir pour l'atteindre ou l'entrée de site.

 Indique la présence d'un arrondissement historique.

 Indique à l'usager circulant sur l'autoroute la proximité de services d'essence ou de restauration.

 Indique aux cyclistes le trajet qu'ils doivent emprunter.

 Indiquent aux cyclistes et aux piétons l'obligation de circuler du côté indiqué de la voie cyclo-pédestre.

 Indique aux cyclistes et aux piétons l'obligation de circuler ensemble sur la voie cyclo-pédestre. Aucun corridor particulier n'est dédié à l'un ou l'autre des usagers.

 Indique aux cyclistes l'obligation de descendre et de marcher à côté de leur bicyclette.

 Indique aux cyclistes de moins de 12 ans qu'ils ne peuvent circuler à bicyclette sur un chemin de plus de 50 km/h à moins d'être accompagnés d'un adulte.

 Indique aux cyclistes qu'ils ne peuvent rouler côte à côte et précise le début d'une zone où le dépassement est interdit.

 Indique la fin d'une zone où le dépassement est interdit.

 Indique aux cyclistes de traverser durant la phase réservée aux piétons lorsque l'intersection est dotée de feux pour piétons.

 Indiquent la présence d'une pente dont l'inclinaison est supérieure à 6 % (dénivellation de 6 mètres tous les 100 mètres).

 Indique aux cyclistes la proximité d'un accès public pouvant entraîner le passage fréquent de véhicules routiers.

 Indique, à l'avance, la proximité d'un endroit où peuvent traverser des bicyclettes.

 Lorsque ce panonceau accompagne le panneau précédent, cela signifie aux usagers de la route la présence d'un accotement asphalté à l'intention des cyclistes le long d'un itinéraire.

 Indique que la chaussée risque d'être glissante à certains endroits.

 Indique qu'une voie cyclable est temporairement fermée à la circulation.

 Indique la direction de l'itinéraire de détour que doivent prendre les cyclistes en raison des travaux.

116

 Est utilisé pour diriger les cyclistes vers les voies cyclables.

 Indique aux usagers de la route d'un aménagement permettant de stationner leurs véhicules afin d'avoir accès à la voie cyclable connexe.

 Indique aux cyclistes la présence d'une aire spécialement conçue pour stationner les bicyclettes.

Indique les voies cyclables faisant partie de l'itinéraire de la Route verte.

 La Route verte est un itinéraire cyclable de plus de 5 000 km qui relie les différentes régions du Québec, du nord au sud et de l'est à l'ouest. Un itinéraire composé de pistes hors route, de tronçons routiers avec accotements asphaltés et de tronçons sur petites routes tranquilles.

 Indique aux cyclistes le début d'une voie cyclable.

 Indique la période de l'année durant laquelle la piste cyclable n'est pas accessible aux cyclistes.

 Indique les services de restauration et de mécanique destinés aux cyclistes et situés à proximité d'une piste cyclable.

Ces panneaux indiquent aux cyclistes les services accessibles disponibles le long d'une voie cyclable.

| Abri | Bureau d'information | Abri chauffé | Eau potable | Pompe à air | Téléphone | Toilette |

LES RÈGLES
DE LA CIRCULATION

DES MESURES DE **PROTECTION**

L'ENSEMBLE COMPLET DE PROTECTION, LA CEINTURE DE SÉCURITÉ ET LES SACS GONFLABLES.

Tous les véhicules vendus aujourd'hui doivent être dotés de ceintures de sécurité. Presque tous les véhicules sont munis de sacs gonflables à l'avant, et de plus en plus de véhicules possèdent des sacs ou des rideaux gonflables latéraux. Tous ces dispositifs sont conçus pour travailler de concert dans l'hypothèse où vous bouclez votre ceinture de sécurité.

- Il est interdit de conduire un véhicule manquant une ceinture de sécurité.

- Un siège d'enfant doit être installé selon les normes du fabricant.

EXCEPTIONS :

- La SAAQ peut dispenser pour des raisons médicales une exemption du port de la ceinture de sécurité.

- Un conducteur de taxi peut être exempté du port de la ceinture de sécurité (certaines conditions).

- Un conducteur faisant une manoeuvre de marche arrière n'a pas l'obligation de porter sa ceinture de sécurité.

RECOMMANDATION :

Il est préférable de consulter le manuel du fabricant de votre véhicule pour plus de détails.

LES LIGNES DE **DÉMARCATION DES VOIES**

La **ligne pointillée** permet le dépassement. Avant de dépasser, on s'assure que personne ne vient en sens inverse ainsi qu'une autre voiture ne vient pas plus rapidement d'en arrière.

La **ligne pointillée collée à une ligne continue** permet le dépassement du côté pointillé. On doit se ranger avant qu'elle se termine.

La **ligne simple continue** interdit le déplacement. La voiture rouge ne peut dépasser la voiture bleue.

EXCEPTIONS :

- Si la voie est obstruée ou fermée ;

- Pour tourner à gauche vers un autre chemin ou une entrée privée ;

- Pour dépasser une machine agricole ;

- Un tracteur de ferme ;

- Un véhicule à traction animale ;

- Un vélo ;

- Un véhicule muni d'un triangle orange avec bordure rouge foncé.

L'UTILISATION DES **VOIES**

SUR LA CHAUSSÉE À DEUX VOIES OU PLUS

Il faut faire preuve d'une grande prudence lorsqu'on circule sur une chaussée à deux voies ou plus. Il faut se maintenir dans l'une des voies de droite et redoubler de vigilance si on veut dépasser.

LA CHAUSSÉE DONT UNE VOIE EST FERMÉE

Un conducteur qui fait face à une obstruction dans sa voie peut utiliser la voie de la circulation en sens inverse après avoir cédé à tous véhicules venant de cette direction.

LA CHAUSSÉE À CIRCULATION DANS LES DEUX SENS DIVISÉE EN TROIS OU CINQ VOIES

Lorsqu'on se déplace sur une chaussée à circulation dans les deux sens divisés en trois ou cinq voies, on doit utiliser l'une des voies de droite. La voie du centre peut être utilisée uniquement pour effectuer un virage à gauche.

Le conducteur ne peut dépasser ni conduire dans la voie médiane réservée au virage à gauche.

LA CHAUSSÉE SÉPARÉE PAR UN TERRE-PLEIN OU AUTRE AMÉNAGEMENT

Vous ne pouvez circuler sur aucune des voies de gauche lorsque celle-ci est divisée par un terre-plein, un fossé ou tout autre aménagement.

Vous ne pouvez franchir un terre-plein, un fossé ou tout autre aménagement qu'aux intersections et aux passages prévus à cette fin.

LES VOIES D'ENTRÉE ET DE SORTIE D'UNE AUTOROUTE

Pour s'engager sur une autoroute, la règle fondamentale consiste à prendre rapidement de la vitesse dans la voie d'accélération, jusqu'à ce que le conducteur roule à la même vitesse que les véhicules circulant déjà sur l'autoroute. Ne pas oublier d'actionner le clignotant.

Pour quitter l'autoroute, le conducteur actionne son clignotant pour signaler son intention et se déporte dans la voie de décélération. Bien surveiller la vitesse, car certaines voies de décélération sont relativement courtes. Attention de ralentir suffisamment.

LIMITES DE **VITESSE**

Limites de vitesse à respecter au Québec :

• Sur les autoroutes :

> Maximum de 100 km/h ;

> Minimum de 60 km/h.

• Sur les chemins ruraux pavés de béton ou d'asphalte :

> Maximum de 90 km/h.

• Sur les chemins de gravier :

> maximum de 70 km/h.

• Dans une zone scolaire, au moment de l'entrée ou de la sortie d'élèves :

> Maximum de 50 km/h (à moins qu'un panneau de signalisation indique autrement).

• Dans une ville ou un village :

> maximum de 50 km/h.

Un conducteur ne doit jamais conduire si lent qu'il crée une obstruction.

Un conducteur doit réduire sa vitesse :

• Dans le brouillard ;

• Dans la pluie ;

• Quand il neige ;

• Sur une chaussée glissante ;

• À l'approche de travaux routiers ;

• La nuit sur des chemins non éclairés.

DISTANCE ENTRE **LES VÉHICULES**

Quand on conduit derrière un autre véhicule, on se doit de garder une distance sécuritaire. Cela nous permet d'éviter un accident avec le véhicule qui nous précède.

Si vous préservez fidèlement une distance de deux secondes ou plus, la distance entre les véhicules augmente avec la vitesse.

DÉPASSEMENT

Pour pouvoir dépasser, il faut s'assurer :

• D'avoir une bonne visibilité vers l'avant. Pour garantir une bonne visibilité lors du dépassement, il vaut mieux ne pas trop se rapprocher du véhicule que l'on veut dépasser, surtout s'il s'agit d'un poids lourd. Il peut alors être nécessaire de se déporter légèrement vers la ligne médiane. Le conducteur doit s'assurer qu'aucun véhicule derrière ne soit déjà en train de le doubler.

• Pour reprendre sa place à droite après le dépassement : il faut tenir compte des distances de sécurité avant d'effectuer cette manœuvre. Ainsi, le véhicule dépassé ne doit pas être obligé de ralentir pour avoir un intervalle de sécurité suffisant.

Puis :

• Le dépassement ne devrait pas durer trop longtemps : il ne faut pas tarder sur la voie utilisée pour le dépassement. Même pour doubler un court instant, la vitesse maximale autorisée ne doit pas être dépassée.

• Indiquer son intention de dépasser à l'aide du clignotant.

• Finalement, se rabattre progressivement devant le véhicule. On peut commencer à se rabattre à partir du moment où l'on voit bien le véhicule qu'on vient de dépasser au complet dans le rétroviseur intérieur.

On doit éviter de dépasser si la visibilité est insuffisante pour le faire en toute sécurité.

DÉPASSER UNE BICYCLETTE

Le Code de la sécurité routière autorise le dépassement d'un cycliste sur une route comportant une ligne continue, mais cette manœuvre doit être réalisée avec la plus grande prudence et dans le respect des règles puisque chaque situation est unique. Ainsi, l'article 341 du Code stipule qu'un véhicule routier ne peut dépasser une bicyclette à l'intérieur de la même voie de circulation (donc, sans empiéter sur la voie inverse) que s'il y a un espace suffisant pour permettre le dépassement sans danger.

Il faut donc avoir anticipé son dépassement, réduire sa vitesse en conséquence et surtout conserver une bonne distance entre son véhicule et le cycliste. Il est déconseillé de klaxonner indûment et trop près du cycliste puisque l'effet de surprise ainsi créé pourrait le déstabiliser et même le conduire à effectuer de fausses manœuvres.

L'automobiliste comprendra qu'il a le devoir d'évaluer chaque situation et de prendre les moyens nécessaires pour éviter de mettre en danger la vie d'un autre usager de la route.

ÊTRE DÉPASSÉ

Il est préférable de bien serrer à droite et de laisser dépasser. Il ne faut pas accélérer. On peut même ralentir un peu par courtoisie.

DÉPASSEMENTS DANS UNE VOIE AMÉNAGÉE POUR LES VÉHICULES LENTS

Sur certaines routes, on trouve des voies spécialement aménagées pour le dépassement des véhicules lents. Ces voies permettent aux véhicules lents de circuler dans la voie de droite pour laisser les véhicules plus rapides les dépasser dans la voie de gauche.

Un panneau avertit d'avance les conducteurs de la présence de ces voies. Un autre panneau indique la fin des voies de dépassement.

LES **VIRAGES**

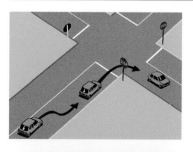

VIRAGE À DROITE

Signalez votre intention de tourner à droite bien avant d'amorcer le virage et déplacez-vous dans la voie de droite lorsqu'elle est libre. Regardez en avant, à gauche, à droite et de nouveau à gauche avant d'amorcer votre virage. Si vous n'avez pas vu de petits véhicules ou de piétons, vérifiez votre angle mort à l'arrière droit. Laissez les bicyclettes, les motocyclettes à vitesse limitée et les cyclomoteurs traverser l'intersection avant de faire votre virage. Lorsque c'est prudent de le faire, tournez à droite et engagez - vous dans la voie de droite de la route où vous vous dirigez.

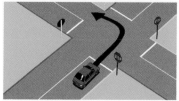

VIRAGES À GAUCHE

Passez de la voie la plus proche de la ligne médiane à la voie se trouvant à droite de la ligne médiane, en suivant une courbe uniforme. Lorsque vous le pouvez, passez dans la voie de droite.

VIRAGE À GAUCHE VERS UNE CHAUSSÉE À SENS UNIQUE

Passez de la voie la plus proche de la ligne médiane à la voie de gauche de la route à sens unique.

VIRAGE À GAUCHE D'UNE CHAUSSÉE À SENS UNIQUE VERS UNE CHAUSSÉE À CIRCULATION DANS LES DEUX SENS

Passez de la voie de gauche à la voie se trouvant à droite de la ligne médiane. Lorsque vous le pouvez, passez dans la voie de droite.

VIRAGE À GAUCHE À L'INTERSECTION DE DEUX CHAUSSÉES À SENS UNIQUE

Passez de la voie de gauche à la voie de gauche de l'autre route.

VIRAGE À DROITE AU FEU ROUGE

On ne peut pas tourner à droite au feu rouge s'il y a un panneau d'interdiction. Sur l'île de Montréal, le virage à droite au feu rouge n'est pas permis.

SIGNALER **SES INTENTIONS** ET **SA PRÉSENCE**

- Avant de changer de voie ;
- Avant d'effectuer un virage ;
- Avant de s'engager sur la route ;
- Avant de se stationner.

FEUX DE DÉTRESSE

- Pour des motifs de sécurité.

LES PHARES ET LES FEUX

- La nuit ou quand les conditions atmosphériques l'exigent, on doit veiller à ce que les phares et les feux de notre véhicule soient allumés ;
- On passe des feux de route aux feux de croisement :

> À moins de 150 mètres d'un véhicule qui arrive en sens inverse.

> À moins de 150 mètres d'un véhicule devant nous.

> Quand la route est suffisamment éclairée.

CÉDER LE **PASSAGE**

- En présence de piétons :

  > Devant un feu vert ;

  > Devant un feu blanc de piétons clignotant ou non ;

  > À un passage pour piétons (lignes sur la voie) ;

  > À une intersection qui a un panneau d'arrêt.

- En présence d'un panneau qui oblige à céder le passage ;

- En entrant sur une autoroute ;

- En présence d'un panneau d'arrêt obligatoire ;

- S'il y a un véhicule, un cycliste ou un piéton déjà engagé dans une intersection ;

- En sortant ou à l'entrée d'une propriété privée ;

- En présence de véhicules d'urgence (se déplacer à droite si possible et arrêter si nécessaire) ;

- En présence d'autobus (si le véhicule circule dans la voie que l'autobus veut reprendre).

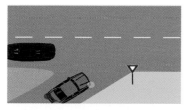

Devant un signal obligeant à céder le passage, le conducteur doit céder le passage au véhicule qui circule déjà dans la voie où le conducteur veut s'insérer.

Intersection avec panneaux d'arrêt pour une seule chaussée :

Le véhicule (cyclistes et piétons) qui n'a pas d'arrêt, a la priorité. L'autre conducteur doit lui céder le passage.

Intersection avec panneaux d'arrêt pour toutes les directions :

À une intersection où il y a des panneaux d'arrêt aux quatre coins, vous devez céder le passage au premier véhicule (cyclistes et piétons) qui s'est arrêté complètement.

(Quand deux véhicules s'arrêtent en même temps, le conducteur du véhicule se trouvant à gauche doit céder le passage au véhicule qui est à droite.)

DEVANT CERTAINS FEUX DE CIRCULATION

Le conducteur qui fait face à un feu rouge ou jaune clignotant, à un feu vert clignotant ou à une flèche verte doit accorder la priorité aux véhicules, aux cyclistes et aux piétons déjà engagés dans la voie devant lui.

VIRAGE À DROITE À UN FEU ROUGE

Sauf indication contraire sur un panneau, vous pouvez faire un virage à droite à un feu rouge si vous avez tout d'abord immobilisé complètement votre véhicule et si la voie est libre. N'oubliez pas de céder le passage aux piétons et aux usagers de la route.

124

Lorsque vous entrez sur une route à partir d'un chemin privé ou d'une allée, vous devez signaler vos intentions et cédez le passage aux véhicules et aux cyclistes qui circulent sur la route et aux piétons qui utilisent le trottoir.

En présence d'un véhicule d'urgence dont les feux pivotants sont allumés, vous devez réduire votre vitesse et serrer la droite pour lui céder le passage et même s'arrêter si nécessaire.

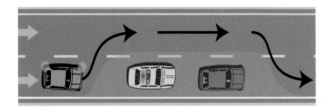

Le conducteur doit également respecter un corridor de sécurité entre lui et le véhicule d'urgence qui est arrêté en bordure de route (le corridor de sécurité est aussi applicable au véhicule de service).

En présence d'autobus sur un chemin où la vitesse maximale est inférieure à 70 km/h, le conducteur doit céder le passage si son véhicule se déplace dans la voie que l'autobus veut reprendre.

En présence d'un autobus d'écoliers, le conducteur d'un véhicule doit s'arrêter à plus de cinq mètres lorsque les feux intermittents (feux jaunes alternatifs ou feux de détresse) et le signal d'arrêt obligatoire sont activés.

Une fois les feux intermittents de l'autobus éteints et le signal d'arrêt replié, le conducteur doit s'assurer qu'il peut s'avancer sans danger.

Le conducteur qui croise un autobus d'écoliers n'a pas à s'arrêter lorsque l'autobus se trouve de l'autre côté des voies de circulation qui sont séparées par un terre-plein, une clôture ou une autre séparation.

PASSAGE À NIVEAU

- Ralentissez, écoutez et regardez des deux côtés pour vous assurer qu'il n'y a pas de train avant de franchir la voie ferrée.
- Lorsqu'un train approche, arrêtez-vous à au moins cinq mètres de la barrière ou de la voie ferrée.
- Si le passage à niveau est muni de clignotants, attendez que ceux-ci se soient éteints pour continuer.
- Évitez de vous immobiliser sur une voie ferrée.
- Évitez de changer de vitesse pendant que vous traversez la voie ferrée.
- Les autobus, les minibus et les véhicules transportant des matières dangereuses sont tenus de s'arrêter à tous les passages à niveau (même quand il n'y a pas de train). Prêtez attention à ces véhicules et soyez prêt à vous arrêter si vous êtes derrière eux.

Dans un carrefour giratoire, vous devez circuler dans le sens inverse des aiguilles d'une montre. Avant d'entrer dans un carrefour giratoire, vous devez céder le passage aux véhicules, aux cyclistes et aux piétons qui s'y trouvent déjà et qui sont assez près pour constituer un danger immédiat.

MARCHE **ARRIÈRE**

Avant de faire marche arrière, le conducteur doit s'assurer qu'il peut le faire en toute sécurité.

La loi interdit de reculer sur une autoroute et les voies d'entrée ou les voies de sortie de l'autoroute.

LE PARTAGE DE LA CHAUSSÉE AVEC LES **VÉHICULES LOURDS**

Il est extrêmement important de savoir conduire de façon sécuritaire quand vous partagez la route avec de gros véhicules utilitaires comme des camions remorques et des autobus. Des données récentes indiquent que la plupart des collisions mortelles impliquant de gros véhicules utilitaires ne sont pas attribuables aux gestes du camionneur, mais à ceux de l'autre conducteur. Cela signifie que, pour partager la route avec de gros véhicules utilitaires, vous devez toujours être conscient des capacités et des limites de ces véhicules. Soyez particulièrement prudent en ce qui concerne les aspects suivants :

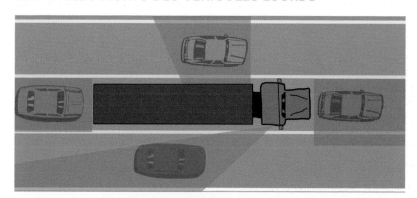

Tout comme vous, automobilistes, ces conducteurs ne peuvent voir certaines zones de la route autour de leur véhicule. Ces zones sont appelées angles morts. Vous devez éviter les manœuvres hasardeuses lorsque vous vous retrouvez à l'intérieur d'un angle mort.

À L'AVANT DU VÉHICULE

Lorsque vous dépassez un camion - toujours par la gauche - pour être le plus tôt possible dans le champ de vision du camionneur, et ne réintégrez la voie de droite que lorsque voyez complètement le camion dans votre rétroviseur intérieur.

À L'ARRIÈRE DU VÉHICULE

Si vous ne voyez pas un des rétroviseurs extérieurs du camion que vous suivez, vous êtes trop près et le conducteur ne vous voit pas. Une collision pourrait alors survenir si le camionneur freine ou ralentit soudainement.

DE CHAQUE CÔTÉ DU VÉHICULE

Lorsque vous roulez à côté d'un véhicule lourd, il est possible que son conducteur ne vous voie pas. Vous pourriez être en danger s'il changeait de trajectoire. Selon la situation, accélérez ou ralentissez pour qu'il vous voie ; ce sera le cas si vous apercevez le visage du conducteur dans son rétroviseur extérieur.

À L'APPROCHE D'UNE **ZONE DE TRAVAUX**

Redoublez de prudence lorsque vous traversez une zone où des personnes travaillent sur la route ou à proximité. Lorsque vous approchez d'une zone de construction, ralentissez et observez toutes les indications figurant sur les panneaux d'avertissement ou sur les dispositifs de signalisation ainsi que toutes les directives données par les personnes qui dirigent la circulation.

Les limites de vitesse réduites sont en vigueur dès que des panneaux sont affichés dans la zone. Dans la zone de construction, conduisez prudemment, respectez les limites de vitesse affichées, restez dans votre voie et soyez prêt à arrêter soudainement. Prenez garde aux travailleurs et aux véhicules de construction se trouvant sur la route et laissez-leur suffisamment d'espace afin d'assurer la sécurité de tous les usagers de la route.

Des signaleurs dirigent la circulation dans les zones de construction afin d'éviter les conflits entre les travaux de construction et la circulation. De jour ou de nuit, surveillez ces personnes qui dirigent la circulation et suivez leurs directives.

Traitez les travailleurs de la voirie avec respect et faites preuve de patience. Il arrive parfois que les véhicules circulant dans une direction doivent attendre pendant que ceux de l'autre voie font un détour. Si votre voie est bloquée et que personne ne dirige la circulation, cédez le passage au véhicule qui vient en sens inverse. Quand la voie est libre, contournez l'obstacle lentement et prudemment.

Par suite de récentes modifications au Code de la route, **les amendes ont été doublées** pour excès de vitesse dans une zone de construction où des travailleurs sont présents.

IMMOBILISATION ET **STATIONNEMENT** DES VÉHICULES

Comme les règles de stationnement varient selon la route et l'endroit, surveillez et respectez les panneaux qui interdisent ou limitent l'arrêt, l'immobilisation ou le stationnement.

OBLIGATIONS

Le Code de la route exige de stationner :

• Dans le sens de la circulation.

• Pas plus de 30 cm de la bordure.

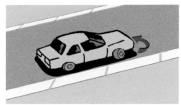

Dans une pente, le conducteur doit :

- Positionner les roues avant du véhicule de façon à s'assurer que tous déplacements du devant du véhicule se fera vers le trottoir ;

- Utiliser le frein de stationnement.

Ne garez jamais votre véhicule sur la partie carrossable de la route. Quittez la chaussée et mettez-vous sur l'accotement si vous devez vous arrêter pour quelque raison que ce soit.

Ne garez jamais votre véhicule de manière à empêcher le départ d'un véhicule stationné ou de façon à bloquer un trottoir, un passage pour piéton, qu'il soit protégé ou non, ou une entrée sur une route.

Ne garez pas votre véhicule à moins de cinq mètres :

- D'une intersection ;

- D'un passage à niveau ;

- D'une borne-fontaine ;

- D'un poste de police/pompier.

Ne garez pas votre véhicule à moins de huit mètres : - côté opposé d'un poste de police/pompier

Ne garez pas votre véhicule de façon à gêner la circulation ou les activités de déneigement.

N'ouvrez jamais la portière de votre véhicule stationné sans vous assurer d'abord que vous ne mettez pas en danger une autre personne ou un autre véhicule ou que vous ne gênez pas la circulation. Lorsque vous devez ouvrir une portière du côté de la circulation, ne la tenez ouverte que le temps qu'il faut pour faire monter ou descendre les passagers.

Après avoir garé votre véhicule, coupez le moteur, éteignez les feux, retirez la clé du contact et verrouillez la portière pour réduire le risque de cambriolage. Ne laissez ni enfants, ni animaux dans le véhicule.

Avant de quitter un espace de stationnement, signalez toujours votre intention et vérifiez la circulation. Ne partez que si vous pouvez le faire sans danger.

ESPACE RÉSERVÉ AUX PERSONNES HANDICAPÉES ET VIGNETTE DE STATIONNEMENT

Le conducteur, pour faire monter ou descendre une personne handicapée, peut immobiliser son véhicule à l'un des endroits désignés à cette fin. Il doit le faire de façon sécuritaire.

Le Permis de stationnement pour personnes handicapées est une carte laminée qui peut être accrochée au rétroviseur de tout véhicule à bord duquel se déplace une personne handicapée. Grâce à ce permis, tout véhicule à bord duquel se déplace la personne handicapée peut être garé dans un espace de stationnement ou une zone de débarquement ou d'arrêt désigné pour les personnes handicapées. Le permis est délivré au titulaire, pas à un véhicule en particulier.

128

PRATIQUES **INTERDITES**

Il est interdit :

- De circuler sur l'accotement sauf si nécessaire ou à moins qu'une signalisation ne l'autorise ;

- De conduire un véhicule aux endroits indiqués et aux périodes décrétées par les autorités lorsqu'il y a urgence, dégel, pluie ou inondation ;

- De participer à une course sur le réseau routier ;

- De transporter plus de passagers que le nombre de ceintures de sécurité disponibles ;

- De consommer des boissons alcoolisées dans un véhicule circulant sur la chaussée ou dans une aire de stationnement publique ;

- De se tenir sur le marchepied d'un véhicule en marche, d'y monter ou d'y descendre sauf pour les personnes qui doivent le faire dans l'exercice de leurs fonctions. Celles-ci doivent se tenir sur une partie extérieure spécialement aménagée à cette fin ;

- De faire crisser ses pneus ou de freiner brusquement sauf pour des raisons de sécurité ;

- De remorquer un autre véhicule dont les roues demeurent au sol, à moins d'être muni d'une barre (tow bar) ;

- De porter des écouteurs en conduisant ;

- D'installer un téléviseur visible du conducteur ;

- D'utiliser un détecteur de radar ;

- De conduire lorsque la vue est obstruée ;

- De conduire avec un cellulaire en main.

LE **TRANSPORT** D'UN **CHARGEMENT**

Le Code de la sécurité routière oblige :

- À respecter la réglementation sur le transport des matières dangereuses ;

- À se conformer aux directives d'un agent de la paix qui exigerait l'inspection de la cargaison ;

- À installer un drapeau rouge ou un panneau réfléchissant à l'extrémité d'un chargement qui dépasse de plus d'un mètre l'arrière du véhicule. De plus, la nuit, un feu rouge visible d'une distance d'au moins 150 mètres de l'arrière et des côtés doit être installé ;

- Un véhicule lent doit être muni d'un panneau avertisseur ;

- Le chargement : dois être retenu de manière à ce qu'aucune de ses parties ne puisse se déplacer, à réduire le champ de vision du conducteur ou cacher ses feux et ses phares ;

- Le chargement ne doit pas nuire à la stabilité ou la conduite du véhicule.

Il est interdit de transporter des passagers dans une remorque ou semi-remorque en mouvement.

ÊTRE **COURTOIS** SUR LA ROUTE, UN **FACTEUR DE SÉCURITÉ**

UN ESPACE À PARTAGER

 La route et la rue sont des espaces à partager. Les usagers qui les empruntent sont divers par leur âge, leurs préoccupations, leurs conditions sociales ou professionnelles. Certains sont pressés, d'autres flâneurs, habiles ou hésitants, habitués ou étrangers. Tous ont droit à emprunter les mêmes infrastructures. Le Code de la route est la règle de base, le minimum social qui permet à chacun de se déplacer dans cet espace commun avec une certaine garantie de sécurité.

LA COURTOISIE

Au volant toute attitude impolie, discourtoise ou agressive qui induit irritation ou colère, est facteur de risque. Exemples : suivre au plus près un véhicule qui respecte les limitations de vitesse, accélération intempestive. En revanche, la qualité du comportement est pour soi et pour les autres un facteur de sécurité.

Les occasions de faire preuve de courtoisie au volant ne manquent pas : rester compréhensif envers le conducteur qui, étranger à la ville cherche sa route, hésite et conduit très lentement. S'arrêter quelques mètres avant le passage piétons, ce qui permet, par amélioration du champ de visibilité, de sécuriser la traversée de la chaussée, notamment pour les enfants et personnes âgées.

Lorsque la circulation est fortement ralentie, laisser le passage au conducteur qui désire quitter un stationnement ou qui se présente sur une voie adjacente pourvue d'un stop.

Rester patient envers les cyclistes qui, sur une voie étroite, en côte de surcroît, obligent à rouler lentement. Ils ont autant le droit que quiconque de circuler et ont l'excuse de ne pas disposer d'une voie cyclable.

Veiller à ralentir en cas de flaques d'eau afin de ne pas éclabousser des pieds à la tête piétons et cyclistes.

En temps opportun, faciliter la manœuvre de ceux qui marquent leur intention de vouloir dépasser. Prendre soin de ne pas s'intercaler entre des véhicules dont les conducteurs gardent leur distance de sécurité.

Informer de ses intentions en usant de son clignotant pour changer de file ou de direction et, inversement, ne pas gêner la manœuvre de celui qui a manifesté son intention.

Allumer ses feux au tout début de la pénombre afin de ne pas surprendre les autres usagers.

Être indulgent à l'égard de ceux qui commettent une légère faute de conduite.

Lors d'un constat d'accident, garder son calme et rester courtois. S'en tenir à l'observation des faits objectifs. Le respect de la réglementation est un gage de sécurité.

La courtoisie au volant permet en plus d'humaniser la nécessaire rigueur du Code de la route.

VOUS AVEZ TENDANCE À ÊTRE IMPATIENT SUR LA ROUTE ?

Pour éviter de vous retrouver dans des situations de stress qui créent de l'impatience, voire des conflits sur la route :

- Évitez de conduire dans un état de fatigue ou de tension ou sous le coup d'émotions très fortes ;
- Quand c'est possible, empruntez des routes moins achalandées ;
- Évitez les conversations tendues avec les passagers ;
- Rappelez-vous que les fausses manœuvres des autres ne sont pas toujours conscientes ni volontaires ;
- Collaborez avec les autres conducteurs.

SE **CONCENTRER** SUR LA **CONDUITE**

Un conducteur doit s'ajuster :

- Aux conditions de trafic ;
- Aux conditions climatiques ;
- Pour éviter les conflits avec les autres conducteurs ;
- Pour toujours être sécuritaire.

Un conducteur ne doit pas conduire quand il est fatigué ou sous le coup d'émotions très fortes.

FAIRE FACE À LA PRESSION DES AUTRES

Un conducteur qui fait face à des pressions a tendance à commettre des erreurs. Il faut que le conducteur apprenne à s'ajuster à toutes les différentes circonstances :

- klaxon inutile ;
- multiples passagers ;

- véhicule suivant de trop prêt.

Le conducteur se doit de développer des stratégies pour lui permettre une conduite sécuritaire.

FAIRE FACE AUX COMPORTEMENTS IRRESPECTUEUX OU AGRESSIFS

Un conducteur se doit de comprendre que les autres conducteurs ne partagent pas nécessairement leur façon de voir la conduite automobile. Les irritants sont nombreux et sont souvent liés au non-respect du code de sécurité routière et de la signalisation.

La conduite sécuritaire commence par un respect des règles de la circulation et de tous ses usagers.

Pour faire face aux comportements agressifs :

- garder son calme ;
- éviter les comportements qui peuvent entraîner une hausse de pression ;

- ne pas faire de contact visuel, gestuel ou autre avec l'agresseur.

LA **SÉCURITÉ** DE SES **PASSAGERS**

La sécurité des passagers est mieux assurée lorsque toutes les ceintures de sécurité sont attachées et lorsque les dispositifs spéciaux pour les enfants sont appliqués.

ÊTRE À L'ÉCOUTE DE SES PASSAGERS

Afin d'assurer le bien-être des passagers, soyez à leur écoute lorsqu'ils se plaignent que vous roulez trop vite ou qu'ils vous offrent de conduire ou demandent de quitter le véhicule. Vous devriez en tenir compte.

TENIR COMPTE DES AUTRES **USAGERS** DE LA ROUTE

AVEC LES PIÉTONS

En montant dans votre voiture, vous risquez, ne fut-ce qu'un instant, d'oublier le piéton. D'autres réflexes et habitudes s'emparent soudain de vous.

Restez vigilant et modérez votre vitesse dès que vous approchez d'un passage pour piétons. En effet, c'est là que, chaque année, la plupart des piétons sont victimes d'accidents. Adaptez votre vitesse de façon à être sûr de pouvoir toujours vous arrêter à temps. Car les piétons aussi sont susceptibles de traverser subitement ou de tenter une manœuvre intempestive.

Quand la voiture qui vous précède approche d'un passage pour piétons, ne la dépassez pas. Votre vue sur le passage pour piétons est en effet entravée par le véhicule qui ralentit. De ce fait, il sera souvent trop tard pour s'arrêter en sécurité quand vous remarquerez enfin le piéton.

Redoublez de prudence en traversant un passage pour piétons dans un virage. Ici aussi, ils méritent toute votre attention.

Essayez toujours d'avoir un contact visuel avec les piétons sur un passage pour piétons. Ainsi, le piéton sait que vous l'avez vu et vous saurez ce qu'il envisage de faire. Pour éviter tout malentendu, faites-lui savoir d'un geste de la main que vous lui cédez le passage.

S'immobiliser sur un passage pour piétons est interdit, même si vous êtes bloqué dans un embouteillage. Libérez toujours le passage pour piétons, de manière à ce que ceux-ci puissent traverser en toute sécurité, sans devoir slalomer entre les voitures. C'est aussi dangereux qu'irritant.

LES PIÉTONS QUI ONT UNE DÉFICIENCE VISUELLE

Certains piétons ont une déficience visuelle. Il faut éviter de les faire sursauter en klaxonnant ou en augmentant le régime du moteur lorsque vous êtes arrêtés. Certaines de ces personnes sont très sensibles aux bruits ambiants.

DEVANT UN PANNEAU « CÉDEZ LE PASSAGE »

Il est interdit de se dépêcher pour passer avant eux.

DEVANT UN PANNEAU D'ARRÊT OU UN FEU ROUGE

Il est important de ne pas être trop avancé, car cela pourrait bloquer leur passage.

AVEC LES ENFANTS

Attention aux enfants : ils ne sont pas toujours conscients du danger, ne connaissent pas nécessairement les règles de la circulation ou les distances de freinage des véhicules. Ils sont souvent imprévisibles.

Respecter les piétons c'est se respecter soi-même.

AVEC LES CYCLISTES

Les droits et les responsabilités des cyclistes sont les mêmes que les véhicules. Ces derniers sont toutefois plus vulnérables que les autres usagers de la route. Il importe donc de respecter certaines règles de sécurité. Vaut mieux ralentir lorsque l'on arrive près d'un cycliste et s'assurer qu'il constate notre présence. Avant de tourner à droite à une intersection, il importe de vérifier dans le rétroviseur et dans l'angle mort de la droite, sa présence et de lui accorder la priorité. Les mêmes critères s'appliquent à gauche et la priorité va à celui qui vient en sens inverse.

Les voies cyclables sont réservées aux cyclistes et sur les routes secondaires il faut être vigilant.

AVEC LES CYCLOMOTORISTES

Le conducteur doit être attentif et faire-part de prudence lorsqu'il est près d'un cyclomotoriste (scooter). Les cyclomotoristes ont les mêmes responsabilités que les autres véhicules de la route.

AVEC LES MOTOCYCLISTES

Prudence aux intersections ! Près de 40 %, des accidents mortels impliquant une motocyclette et une automobile y surviennent lorsqu'un automobiliste coupe le passage à un motocycliste. L'automobiliste pense avoir le temps de tourner à gauche ou de traverser l'intersection avant que la moto arrive, ou il ne la voit tout simplement pas.

L'automobiliste doit :

- Établir un contact visuel avec le motocycliste ;

- Apprendre à décoder les mouvements de la motocyclette. Les motocyclistes se tiennent généralement à gauche pour être plus visibles ; ils ne veulent pas nécessairement tourner à gauche ;

- Respecter la voie d'un motocycliste, car il en a besoin pour circuler en sécurité. Le motocycliste a droit à toute la largeur de la voie, contrairement au cycliste ;

- Garder une distance sécuritaire avec le motocycliste qui est devant et au moment d'un dépassement, s'assurer de ne pas empiéter sur la voie du motocycliste, puis réintégrer la voie de droite loin devant lui.

La cohabitation entre l'automobiliste et le motocycliste peut être harmonieuse si chacun adopte un comportement sécuritaire dans ses déplacements.

AVEC LES VÉHICULES LOURDS

Les gros véhicules utilitaires ont des angles morts considérables des deux côtés. Évitez de suivre un gros véhicule de trop près. Le conducteur ne peut pas vous voir si vous êtes directement derrière son véhicule et, s'il freine brusquement, vous ne pourrez pas l'éviter. Souvenez-vous que si vous ne pouvez pas voir le visage du conducteur dans son rétroviseur latéral, le conducteur ne peut pas vous voir non plus.

Assurez-vous d'être bien vu par les conducteurs de véhicules lourds.

LES VÉHICULES LENTS

Lorsque vous suivez un véhicule muni d'un panneau de véhicule lent, soyez très prudent ; réduisez votre vitesse et gardez une bonne distance. Dépassez un véhicule lent seulement si vous pouvez le faire en toute sécurité.

S'il s'agit d'une voiture tirée par des chevaux, rappelez-vous qu'en s'approchant et en les dépassant, votre véhicule pourrait les effaroucher.

Certains véhicules agricoles, tels que les moissonneuses-batteuses et les tracteurs, sont longs et larges et peuvent tourner à des endroits mal indiqués, comme l'entrée d'un champ. Soyez patient. Ces véhicules sont difficiles à dépasser, mais souvent, ils ne se déplacent pas sur de longues distances.

LES VÉHICULES QUI SERVENT À L'ENTRETIEN DES ROUTES

Restez à bonne distance des véhicules d'entretien lorsque leurs gyrophares sont allumés. Pour bien faire leur travail, les chasse-neige et les camions épandeurs de sel et de sable se déplacent plus lentement que les autres véhicules. La visibilité du conducteur de chasse-neige est très limitée par temps de poudrerie et il peut être dangereux de dépasser ces véhicules.

LES VÉHICULES DONT LA LARGEUR DÉPASSE LES NORMES

En approche de ce type de véhicule qui est parfois accompagné de véhicules d'escortes, un conducteur se doit de :

- Réduire sa vitesse
- Exceptionnellement, utiliser l'accotement pour effectuer le dépassement

AVEC LES AUTOBUS

Le conducteur doit être attentif à son environnement et anticiper, en approche d'un autobus, que des passagers pourraient se présenter devant l'autobus. Il ne faut pas oublier que l'autobus a la priorité quand il veut se réinsérer dans la voie de trafic sur un chemin avec une vitesse inférieure à 70 km/h. L'automobiliste doit être prêt à ralentir ou même à s'arrêter.

AVEC LES AUTOBUS SCOLAIRES

Il convient de retenir deux étapes importantes. Lorsque le conducteur d'un autobus scolaire se prépare à arrêter, il allume quatre feux jaunes d'avertissement. Il faut donc se préparer à s'arrêter (au moins cinq mètres). Une fois immobilisé, le conducteur de l'autobus actionne les feux rouges intermittents. Il faut donc arrêter immédiatement son véhicule et attendre que les feux s'éteignent avant de repartir ou de dépasser.

AVEC LES VÉHICULES D'URGENCE

Les véhicules d'urgence ont la priorité. Le conducteur doit céder rapidement la voie aux ambulances, aux camions d'incendie, aux véhicules de police, etc., dès qu'il entend une sirène ou voit des avertisseurs lumineux dans son rétroviseur. Le conducteur doit le faire d'une façon sécuritaire.

AVEC LES VÉHICULES QUI EFFECTUENT DES ARRÊTS FRÉQUENTS

Le conducteur doit reconnaître les différents types de véhicules qui effectuent des arrêts fréquents :

- Taxi ;
- Autobus ;

- Camion de livraison ;
- Camion de vidanges.

AVEC LES MOTONEIGES OU LES VÉHICULES TOUT-TERRAINS

Les passages de motoneige ou de véhicule tout-terrain sont annoncés par des panneaux de signalisation particuliers. Il faut cependant faire attention au banc de neige qui peut cacher la présence de motoneigistes. En été, les mêmes sentiers servent aux véhicules tout-terrains et il convient de leur accorder une attention toute particulière.

AVEC LES VÉHICULES STATIONNÉS

Le conducteur doit être attentif aux voitures stationnées :

- Une porte peut s'ouvrir ;
- Le véhicule peut décider de quitter le stationnement sans avertissement ;

- Aux piétons entre les véhicules (spécialement les enfants) ;

AVEC LES VÉHICULES VENANT EN SENS INVERSE

Attention au véhicule qui vient en sens inverse en dépassant. Le conducteur a peut-être mal calculé la distance ou la vitesse de ceux de l'autre voie. Soyez prêts à réagir.

À VOUS MAINTENANT

- Site internet : http://educationroutiere.saaq.gouv.qc.ca (module 3)
- Site internet : http://www.saaq.gouv.qc.ca
- Exercises théoriques

Les comportements à risque

COMPÉTENCES VISÉES

- Reconnaître les caractéristiques personnelles qui peuvent influer sur son comportement de conducteur en devenir

- Déterminer les facteurs qui augmentent le risque en situation de conduite

Module 4 Les comportements à risque

Supplément aux guides d'apprentissage

INTRODUCTION

Le module 4 vise à amorcer une réflexion sur la prise de risques ainsi que sur les facteurs qui augmentent le risque en situation de conduite. L'apprenant effectue un premier survol de la problématique du risque, des principaux comportements qui y sont associés ainsi que de leur rôle dans les accidents de la route.

Les thèmes de la vitesse et du non-port de la ceinture de sécurité, celui de la conduite avec les facultés affaiblies par l'alcool, les drogues ou les médicaments ainsi que celui de la fatigue et des distractions sont abordés succinctement ici, et ils seront approfondis au cours des modules 8, 10 et 11.

Conduire comporte une part de risque

Comme bien d'autres activités de la vie courante, la conduite d'un véhicule routier comporte une part de risque. Cependant, comme le fait de circuler en automobile fait partie intégrante du quotidien, la plupart des gens ne perçoivent pas la conduite d'un véhicule routier comme une activité dangereuse. Ils ont parfois tendance à sous-estimer, à oublier, voire à nier l'élément de danger que cela représente. Ils adoptent des comportements risqués, par exemple circuler au-dessus des limites de vitesse permises ou prendre le volant alors que leurs facultés sont affaiblies par l'alcool, des drogues ou la fatigue.

Pourtant, conduire un véhicule est une activité complexe et exigeante pour laquelle il existe, à chacune des sorties effectuées, un risque d'être impliqué dans un accident, aussi bénin soit-il. En raison de la complexité de la tâche, toutes les facultés sont mises à contribution, d'où l'importance d'avoir la capacité de conduire lorsqu'on décide de prendre le volant et de veiller au maintien de cette capacité pendant toute la durée du déplacement.

Les facteurs de risque

Il existe plusieurs facteurs et comportements qui accroissent le risque de commettre une infraction ou d'être impliqué dans un accident de la route.

FACTEURS PROPRES À L'INDIVIDU

Parmi les facteurs propres à un individu qui peuvent influer sur son rapport au risque et sa perception de celui-ci, il y a son âge, son sexe et son expérience de la conduite. La connaissance et le contrôle de soi sont également des éléments à prendre en considération, de même que les émotions qui l'habitent et les influences auxquelles il est soumis, en particulier celles de son entourage.

L'âge, le sexe et l'expérience

Comment expliquer que les jeunes âgés de 16 à 24 ans commettent plus d'infractions et sont impliqués dans plus d'accidents de la route que les conducteurs plus âgés? De même, comment expliquer que le taux d'accidents mortels des jeunes conducteurs masculins est supérieur à celui des jeunes conductrices? Ce phénomène n'est pas unique au Québec, on le constate dans tous les pays industrialisés. C'est donc dire que les jeunes, peu importe d'où ils sont, ont des caractéristiques communes. Ces caractéristiques sont :

- Le manque de maturité physique et émotionnelle : leur corps, en particulier leur cerveau, est encore en développement;

- Leur vulnérabilité à l'influence de l'entourage, particulièrement celle des pairs : envie d'être à la hauteur, de relever les défis lancés par les copains, de se conformer au comportement du cercle d'amis, etc.;

- La tendance à surestimer leurs aptitudes en tant que conducteurs, et ce, en dépit de leur expérience limitée de la conduite;

- La tendance à sous-estimer la complexité de la conduite.

Les jeunes sont dans une période de maturation rapide au cours de laquelle ils testent leurs limites et affirment leur indépendance. Leur vie sociale est souvent très intense, avec une forte activité de nuit et les fins de semaine, en groupe, etc. Plusieurs ont un style de vie qui les expose fortement à des conduites à risque : déplacements la nuit, avec plusieurs passagers dans le véhicule, état de fatigue élevé puisque la soirée se termine tard, présence d'alcool ou de drogues et parfois combinaison des deux, etc.

En ce qui concerne particulièrement les jeunes hommes, ils vivent des changements hormonaux importants qui expliquent en partie leur plus grande propension à prendre des risques. Par exemple, à 16 ans, le niveau de testostérone est 20 fois plus élevé qu'avant la puberté. Or, il existe un lien entre le niveau de testostérone, la recherche de sensations et les comportements à risque. Cette recherche de sensations augmente à partir de 14 ans pour atteindre un sommet vers l'âge de 20 ans et décliner progressivement par la suite.

Les jeunes hommes se distinguent également des jeunes femmes. De façon générale, les premiers associent davantage la conduite au plaisir et aux sensations qu'elle procure. Ils sont par conséquent plus enclins à prendre des risques, à adopter des comportements antisociaux, à commettre plus d'excès de vitesse et ils sont ainsi impliqués dans un plus grand nombre d'accidents. Enfin, ils ont tendance plus que les filles à surestimer leur habileté à conduire et ils sont plus sensibles à l'influence de leurs amis.

Les jeunes femmes ont généralement une conception plus pratique de la conduite; pour elles, un véhicule leur permet de se déplacer du point A au point B. De fait, elles sont plus prudentes, notamment parce qu'elles craignent plus que les garçons d'être impliquées dans un accident qui occasionnera des blessures pour elles-mêmes ou autrui.

La connaissance, le contrôle de soi et le rapport au risque

Nous n'avons pas tous le même rapport au risque, et certains le recherchent plus que d'autres. De même, ce qui peut paraître périlleux pour les uns ne l'est peut-être pas pour les autres. Cela dépend de notre tempérament, de notre personnalité, de notre tolérance au risque. Mais, de façon générale, les jeunes âgés de 16 à 24 ans ont une acceptation du risque plus élevée que les personnes plus âgées.

On ne peut nier, par exemple, que la conduite d'un véhicule routier procure beaucoup de plaisir à certaines personnes. La vitesse, en particulier, peut être grisante. Cependant, malgré le plaisir que l'on peut en tirer, l'aspect sécuritaire de la conduite doit toujours primer. Il importe de se contrôler et d'évaluer le niveau de risque, pour soi comme pour les autres, de la manœuvre que l'on s'apprête à effectuer.

FACTEURS LIÉS À UN CHOIX OU À UN COMPORTEMENT

Qu'elle soit prise en toute conscience ou non, la décision de conduire lorsqu'on est fatigué, sous l'influence de l'alcool, de drogues ou de médicaments augmente le risque de commettre une infraction ou d'être impliqué dans un accident ; on parle alors de capacité de conduite affaiblie ou de facultés affaiblies. L'état de santé, physique ou mental, la réaction propre à chaque individu à l'absorption d'une substance (alcool, drogues, médicaments) qui peut modifier son comportement à la fatigue peuvent aussi avoir une incidence sur sa capacité de conduire.

La fatigue et la somnolence

Bien que la plupart des gens reconnaissent les risques relatifs à la conduite avec les facultés affaiblies par l'alcool, peu d'entre eux réalisent que conduire en état de fatigue comporte des risques importants d'avoir un accident. Il n'est pas nécessaire de s'endormir au volant pour être la cause d'évènements tragiques sur la route. À l'exemple de l'alcool, il est reconnu que la fatigue ou la somnolence au volant diminuent les réflexes du conducteur ainsi que sa vigilance et altèrent son jugement. Peu importe votre âge, si vous ne dormez pas assez, vous accumulez une dette de sommeil. Or, une dette de sommeil de cinq heures a le même effet que quelques verres de vin. La seule façon de la combattre, c'est de dormir suffisamment.

Consultez les pages 218 à 221 du guide Conduire un véhicule de promenade
(à partir de « Prévenir la somnolence et la fatigue »).

L'alcool, les drogues et les médicaments

L'alcool, les drogues ou les médicaments, qu'ils soient en vente libre ou sous ordonnance médicale, ont tous un effet sur le jugement, la coordination, les réflexes et les perceptions du conducteur. Les effets dévastateurs de l'alcool au volant sont bien connus depuis longtemps. Au Québec, environ 30 % des décès sur la route y sont associés. Par ailleurs, le risque d'être impliqué dans un accident mortel après avoir consommé du cannabis, de la cocaïne ou des benzodia-zépines (tranquillisants) est de 2 à 5 fois plus élevé que pour un conducteur sobre. Selon le type de drogue consommé, les effets sur la conduite d'un véhicule routier peuvent aller de la somnolence (tranquillisant) à l'adoption de comportements à risque comme la vitesse excessive et l'agressivité au volant (cocaïne, ecstasy). Le mélange alcool-drogues est particulièrement dangereux et augmente de façon exponentielle le risque d'accident. De plus, le conducteur dont la capacité de conduite est affaiblie par l'alcool ou les drogues peut être accusé d'une infraction au Code criminel.

Consultez les pages 221 à 224 du guide Conduire un véhicule de promenade
(à partir de « Conduire sans avoir consommé d'alcool ni de drogues »).

Les distractions

Il existe de nombreux facteurs de distraction, tant à l'intérieur qu'à l'extérieur du véhicule : les panneaux publicitaires le long de la route, le paysage, les autres usagers de la route, le fait de régler le chauffage ou la ventilation, de changer de poste de radio ou de CD, de parler au téléphone cellulaire, de converser avec un passager, etc. Ces distractions diminuent la concentration nécessaire à la conduite. Malgré lui, le conducteur repère moins vite les dangers, réagit plus lentement aux conditions de la circulation et diminue sa marge de sécurité par rapport aux autres usagers de la route, ce qui accroît le risque d'accident.

S'il est impossible de faire complètement abstraction des distractions susceptibles de nuire à sa concentration, il faut apprendre à les gérer, voire à les éliminer, de façon à limiter leur effet sur la conduite et ainsi diminuer les risques d'accident.

La loi ayant changé depuis 2008 au sujet de l'utilisation du cellulaire au volant, ne pas tenir compte du contenu des pages 217 à 218 du guide Conduire un véhicule de promenade *(édition 2005).*

AUTRES FACTEURS DE RISQUE

Parmi les autres comportements à risque, la vitesse et le non-port de la ceinture de sécurité ne diminuent pas nécessairement les facultés du conducteur, mais ils contribuent néanmoins à un risque accru d'accident et à une plus grande sévérité des blessures.

La vitesse

Les dangers de la vitesse sont mal perçus par la majorité des conducteurs. La vitesse a pourtant un effet sur le risque d'accident, donc sur la fréquence des collisions. Des études récentes ont établi que l'accroissement de la vitesse par rapport à la limite de vitesse prescrite augmente le risque d'accident de façon exponentielle. Donc, plus la vitesse est grande par rapport à la limite permise, plus ce risque s'accroît.

En plus de ses effets sur la fréquence des collisions, l'augmentation de la vitesse a une incidence sur la sévérité des blessures en cas d'impact. L'effet d'une collision à haute vitesse est donc beaucoup plus important en comparaison avec les dommages consécutifs à une collision qui se produit lorsque le véhicule circule plus lentement. La gravité des blessures s'accroît à cause de la relation entre la vitesse et l'énergie cinétique libérée, et cela touche aussi bien le conducteur que les autres occupants du véhicule. Enfin, en cas d'accident impliquant un usager vulnérable, par exemple un piéton, la vitesse élevée du véhicule entraîne souvent son décès.

Le non-port de la ceinture de sécurité

Le fait de ne pas porter sa ceinture de sécurité n'est pas en soi un facteur qui accroît le risque d'être impliqué dans un accident. Cependant, le fait de ne pas être attaché contribue à la sévérité des blessures en cas d'impact, notamment parce que l'occupant risque d'être éjecté du véhicule. En outre, le non-port de la ceinture de sécurité est souvent associé à d'autres comportements dangereux sur la route (consommation d'alcool, de drogues ou vitesse). C'est pourquoi le fait de ne pas porter sa ceinture de sécurité est une infraction entraînant une amende et l'inscription de points d'inaptitude au dossier de conduite.

CONCLUSION

Le comportement au volant reflète habituellement le comportement général des individus. Chez les jeunes, cela se traduit, entre autres, par une soif d'indépendance, une attitude téméraire et la recherche de sa propre identité, qui amènent à tester ses forces et ses limites. On dénote évidemment d'importantes différences individuelles et il va de soi que tous les jeunes n'affichent pas un comportement à risque au volant.

Néanmoins, il est nécessaire d'être conscient en tout temps que conduire est une activité qui comporte des risques. Chaque conducteur, peu importe son âge ou son expérience de la conduite, doit faire tout ce qu'il peut pour ne pas augmenter ce niveau de risque. C'est pourquoi, chaque fois que l'on s'apprête à conduire, il est essentiel de se questionner sur son état physique et mental, sur l'état du véhicule et l'environnement routier. Cette attitude contribue à une conduite sécuritaire et responsable.

Éducation routière
educationroutiere.saaq.gouv.qc.ca

Activité

Aspects positifs ou négatifs de la prise de risques

Il est important de reconnaître les facteurs qui augmentent le risque en situation de conduite et leurs conséquences sur les accidents de la route. Cette activité vous permet de prendre conscience des risques liés à la conduite d'un véhicule de promenade.

TITRE DE L'ACTIVITÉ

Prendre des risques : aspects positifs ou négatifs

TÂCHES À RÉALISER

En équipes de travail (5 minutes)

- Désignez un porte-parole dans votre équipe pour le retour en séance plénière.

- Prenez cinq minutes pour répondre à la question suivante :

  - Est-ce que prendre parfois des risques sur la route (ou ailleurs, par exemple au cours d'activités sportives) peut être positif ?

    - Si oui, pourquoi ?

    - Si non, pourquoi ?

Retour en séance plénière

- Présentez les résultats de vos travaux.

Bilan de l'activité

Bien que l'on ne puisse nier le plaisir que procure la conduite d'un véhicule, l'aspect sécuritaire doit toujours primer.

Individuellement

Ce que j'ai appris au cours de cette activité :

_____

_____

_____

_____

_____

_____

_____

_____

_____

Activité

Les facteurs de risque

Les facteurs de risque peuvent provenir de différentes sources (conducteur, véhicule, environnement). Cette activité permet de vous sensibiliser aux nombreux facteurs qui peuvent augmenter le risque en situation de conduite.

TITRE DE L'ACTIVITÉ	**Les facteurs de risque**

TÂCHES À RÉALISER

En équipes de travail (10 minutes)

- Désignez un porte-parole dans votre équipe pour le retour en séance plénière.

- Sur le carton, dessinez ou écrivez les facteurs qui peuvent contribuer à augmenter le risque routier. Ces facteurs peuvent provenir du conducteur, du véhicule ou de l'environnement.

Retour en séance plénière

- Présentez les résultats de vos travaux.

Facteurs qui peuvent augmenter le risque en situation de conduite

Conducteur	Environnement	Véhicule
Âge	Usagers de la route	État du véhicule
Sexe	Conditions climatiques	Caractéristiques du véhicule
Tempérament – personnalité	État de la chaussée	
Croyances, valeurs, motivations, attitudes, représentations	Jour et heure de la journée	
Expérience de conduite	Distractions (externes)	
Distractions (internes)	Type de route	
Comportements à risque (vitesse, alcool, drogues, fatigue, non-port de la ceinture de sécurité, etc.)		

Bilan de l'activité

Conduire un véhicule est exigeant. Il faut en tout temps être attentif et capable de bien percevoir tout ce qui bouge autour de nous ainsi que d'anticiper certains événements. Nous devons également savoir juger, prendre des décisions rapidement et surtout être en mesure de coordonner nos actions efficacement. Cela implique donc d'être en pleine possession de toutes nos facultés.

C'est avec le temps et l'expérience que les connaissances de base sont maîtrisées et que les habiletés nécessaires se perfectionnent.

Pas moins de 80 % des accidents routiers mettent en cause le comportement humain et pourraient être évités. Il est donc essentiel, lorsqu'on parle des facteurs qui peuvent augmenter le risque en situation de conduite, d'insister sur les limites du conducteur plutôt que sur les limites du véhicule ou sur l'état des routes.

Pour reconnaître les situations à risque et ainsi les éviter, le conducteur doit, avant de prendre le volant, se questionner sur sa capacité de conduire, sur l'état de son véhicule et sur les conditions de l'environnement.

Le contenu de ce module a été l'occasion d'effectuer un premier survol de la problématique de la prise de risques et des comportements à risque. Par ailleurs, d'autres modules présentés dans le programme permettront de revenir plus en profondeur sur ce thème. Ainsi, le module 8 de la phase 3 du programme est consacré à la vitesse au volant – qui, rappelons-le, demeure avec l'alcool l'une des premières causes d'accidents sur les routes – et au non-port de la ceinture de sécurité. De plus, le contenu du module 10 présenté aussi en phase 3 vous propose de revenir plus en profondeur sur la capacité de conduite affaiblie par l'alcool, les drogues et les médicaments. Enfin, le module 11 de la phase 4 traitera de la fatigue et des distractions au volant, qui sont aussi des facteurs importants d'augmentation du risque de collisions routières.

Individuellement

Ce que j'ai appris au cours de cette activité :

_____

_____

_____

_____

_____

_____

_____

_____

_____

_____

LES COMPORTEMENTS
À RISQUE

PRÉVENIR LA SOMNOLENCE ET LA FATIGUE

La fatigue retarde les opérations mentales, notamment la perception des dangers ou la prise de décisions adéquates. Elle peut provoquer une mauvaise appréciation des distances et des vitesses.

LES **SYMPTÔMES** DE LA **FATIGUE** :

- Clignotement des paupières ;
- Bâillements ;
- Picotement des yeux ;
- Hallucinations passagères ;

- Hypnose de la route ;
- Engourdissements ;
- Somnolence.

LES MOYENS **TEMPORAIRES** DE **COMBATTRE LA FATIGUE** :

- Dormir suffisamment, soit au moins huit heures avant de prendre la route pour un long trajet ;
- Prendre une période de repos toutes les deux heures ;
- Aérer la voiture ;
- Bouger les yeux ;
- Parler ;
- Chanter ;
- Se servir de la radio ;
- Faire de l'exercice ;
- Prendre un café fort ;
- Mâcher de la gomme.

LE MOYEN **LE PLUS EFFICACE** DE **COMBATTRE LA FATIGUE** :

- Arrêter et prendre une pause.

CONDUIRE **SANS AVOIR CONSOMMÉ** NI D'ALCOOL NI DE DROGUES

L'alcool, même en petite quantité, est un poison mortel pour le conducteur ; il paralyse le cerveau, émousse les sens et agit sournoisement sans même que l'on s'en rende compte.

L'alcool provoque dans l'organisme humain différents troubles psychiques et physiologiques ; il affecte le corps en même temps que l'esprit.

L'alcool est une drogue dépressive, non un stimulant. En effet, l'alcool n'aiguise pas les réflexes et l'activité mentale, mais ralentit ses fonctions et les endort.

LES EFFETS DE L'**ALCOOL** SUR L'**ORGANISME** :

SUR LA VUE

- La vision sur les côtés est déficiente ;
- La perception des distances et des vitesses est faussée ;
- Après un éblouissement, il faut plus de temps qu'habituellement pour retrouver sa vision normale.

SUR L'INTELLIGENCE

- L'alcool influence le jugement, la vigilance, le pouvoir de concentration ;
- On sous estime le danger et l'on prend des risques qu'on éviterait en temps ordinaire.

SUR LE SYSTÈME NERVEUX

- Les ordres donnés par le cerveau sont retransmis plus lentement. Les gestes manquent de précision, notre jugement et notre habileté à conduire sont altérés.

Certaines drogues et certains médicaments peuvent influencer le comportement d'un individu, diminuer son raisonnement et, en supprimant la douleur, provoquer un assoupissement. Quant aux stimulants, ils ne sont pas moins dangereux, car leurs effets ne sont pas aussi prolongés que les conducteurs le croient.

Le nombre grandissant de gens qui prennent des calmants ou des stimulants sont une source d'inquiétude.

Que ce soient des narcotiques, des barbituriques, des tranquillisants, des antihistaminiques ou amphétamines, qu'ils soient vendus librement ou par ordonnance, nous devons connaître le danger d'en absorber, avant de prendre le volant. Si l'on combine médicaments et alcool, on peut avoir des résultats différents selon les individus et leur état physique.

Bien qu'on puisse prédire l'intensité de la réaction, l'effet combiné de ces deux produits peut être décuplé. Des quantités relativement faibles de l'un ou de l'autre peuvent donner des résultats imprévus et extrêmement dangereux.

LES **FAUSSES CROYANCES**

L'alcool n'est pas un stimulant, mais un inhibiteur qui diminue les tensions et les inhibitions. L'alcool rend le conducteur plus audacieux, plus téméraire et influence le jugement. Il n'existe aucune recette miracle pour faire disparaître l'alcool du sang. Café fort, manger, danser, prendre une douche froide, rien n'y fait. Seul le facteur temps contribue à éliminer l'alcool du sang.

LES MESURES DE **RECHANGE**

Le conducteur qui a l'intention de consommer de l'alcool lors d'une soirée entre amis ou à un événement quelconque a différentes options :

- Il peut confier ses clés à un chauffeur désigné qui n'a consommé ni alcool ni drogue ;

- Coucher chez un ami ;

- Prendre un taxi ou le transport en commun ;

- Faire appel à un service de raccompagnement ;

Toute personne doit se faire un devoir d'empêcher quelqu'un de conduire alors que ses facultés sont affaiblies. Il n'y a pas de risque à prendre.

ÉLIMINER **LES** DISTRACTIONS

La conduite d'un véhicule demande un degré d'attention constant. La distraction au volant est l'un des problèmes de sécurité routière les plus grave à affronter. On boit, mange, fume, lit, se rase, se maquille, téléphone, s'occupe des enfants assis à l'arrière, ramasse un objet sur le plancher. Bref, toutes des tâches qui éloignent les conducteurs de leur attention de la route.

LES RÉVOCATIONS
ET LES SUSPENSIONS

Révoquer un permis de conduire veut dire de l'annuler à la suite :

• D'une condamnation en vertu du Code criminel ;

• Pour l'accumulation d'au moins 15 points d'inaptitude pour un permis de conduire ;

• L'accumulation d'au moins 4 points d'inaptitude pour un permis d'apprenti ou un permis probatoire ;

• 8 points pour le titulaire de permis de conduire qui a moins de 23 ans ;

• 12 points pour un titulaire de permis de conduire qui a 23 ou 24 ans ;

• 15 points pour un titulaire de permis de conduire qui a 25 ans ou plus.

Suspendre un permis de conduire veut dire y mettre fin de façon temporaire. Suspendre le droit d'une personne d'obtenir un permis signifie que la SAAQ ne peut lui livrer de permis pendant une période déterminée.

La Société de l'assurance automobile du Québec (SAAQ) peut suspendre un permis pour les raisons suivantes :

• Cumul des points d'inaptitude ;

• Facultés affaiblies ;

• Grands excès de vitesse ;

• Amendes impayées ;

• Raisons médicales.

La suspension peut également être de nature administrative lorsque le requérant :

• Refuse de se soumettre à un examen médical ou optométrique ;

• Omets de lui remettre le rapport d'un examen médical ou optométrique ;

• Refuse de se soumettre à un examen de compétence.

Il est interdit de conduire un véhicule routier alors que son permis ou son droit d'obtenir un permis fait l'objet d'une suspension sauf :

• Si, à la suite d'une accumulation de points d'inaptitude, la personne est titulaire d'un permis restreint (avec ordonnance du Juge dans l'exécution de son travail) et qu'elle en respecte les conditions.

Une révocation, une suspension du permis ou du droit d'en obtenir un peut survenir à la suite :

• D'une amende non payée pour une infraction au Code de la sécurité routière ou à un règlement municipal relatif à la circulation ou au stationnement ;

• D'une accumulation de points d'inaptitude découlant d'infractions au Code de la sécurité routière ;

• D'une condamnation pour une infraction au Code criminel liée à la conduite d'un véhicule routier ;

• D'une interception par un agent de la paix à la suite d'un grand excès de vitesse.

Le Québec a conclu des ententes de réciprocité avec les États du Maine, New York et la province de l'Ontario. Lorsqu'une infraction au Code de la sécurité routière est commise dans ces États ou cette province, l'infraction est portée au dossier du conducteur et elle entraîne les mêmes sanctions que si elles avaient été commises au Québec.

LA **SUSPENSION** POUR **AMENDE NON PAYÉE**

La SAAQ peut suspendre le permis de conduire ou le droit d'en obtenir un d'une personne qui a des amendes impayées à la suite d'une infraction :

• Au Code de la sécurité routière ;

• À un règlement municipal de circulation ;

• À un règlement de stationnement.

Le percepteur d'amendes transmet un avis de non-paiement d'amende à la SAAQ pour qu'elle impose ces mesures jusqu'à ce que le percepteur lui envoie un avis de paiement pour confirmer le paiement de son amende.

Pendant la durée de la suspension, il est formellement interdit au contrevenant de conduire un véhicule. Si la personne ne respecte pas cette interdiction, un agent de la paix peut saisir le véhicule qu'elle conduit pour une période de trente jours. Ce conducteur ne pourra ni acheter, ni louer à long terme un véhicule routier. Il ne pourra non plus vendre ou céder un véhicule qui lui appartient. Enfin, personne ne pourra circuler avec un véhicule immatriculé à son nom.

LES POINTS D'**INAPTITUDE**

La Société de l'assurance automobile du Québec inscrit des points d'inaptitude au dossier des conducteurs qui commettent certaines infractions au Code de la sécurité routière, à une loi ou à un règlement ayant trait à la sécurité routière. Elles sont présentées dans les tableaux suivants.

LES INFRACTIONS LIÉES À LA VITESSE QUI ENTRAÎNENT L'INSCRIPTION DE POINTS D'INAPTITUDE				
Excès		**Points d'inaptitude**		
Vitesse supérieure à la limite prescrite ou indiquée sur une signalisation		Zone de 60 km/h ou moins	Zone de plus de 60 km/h et d'au plus 90 km/h	Zone de 100 km/h
de 11 à 20 km/h		1	1	1
de 21 à 30 km/h		2	2	2
de 31 à 45 km/h	31 à 39 km/h	3	3	3
	40 à 45 km/h	6	3	3
de 46 à 60 km/h	46 à 49 km/h	10	5	5
	50 à 59 km/h	10	10	5
	60 km/h	10	10	10
de 61 à 80 km/h		14	14	14
de 81 à 100 km/h		18	18	18
de 101 à 120 km/h		24	24	24
de 121 km/h ou plus		30 ou plus	30 ou plus	30 ou plus

GRANDS EXCÈS **DE VITESSE –**
NOUVELLES SANCTIONS

QU'EST-CE QU'UN **GRAND EXCÈS DE VITESSE** ?

Vous commettez un grand excès de vitesse si vous dépassez :

- De 40 km/h ou plus la limite permise dans une zone de 60 km/h ou moins ;

- De 50 km/h ou plus la limite de vitesse permise dans une zone de 60 km/h et d'au plus 90 km/h ;

- De 60 km/h ou plus la limite de vitesse permise dans une zone de 100 km/h.

1re INFRACTION	Si vous êtes intercepté à la suite d'un grand excès de vitesse : • suspension immédiate de votre permis de conduire pour sept jours. Et si vous êtes déclaré coupable : • le nombre de points d'inaptitude est doublé ; • le montant de l'amende est doublé.
2e INFRACTION	Si vous êtes intercepté à la suite d'un grand excès de vitesse et que vous avez déjà été déclaré coupable d'un grand excès de vitesse au cours des dix dernières années : • Suspension immédiate de votre permis de conduire pour trente jours ; • Saisie immédiate du véhicule pour trente jours si les deux infractions se sont produites dans une zone de 60 km/h ou moins. • Si vous êtes déclaré coupable de cette infraction : • le nombre de points d'inaptitude est doublé ; • le montant de l'amende est doublé.
3e INFRACTION	Si vous êtes intercepté à la suite d'un grand excès de vitesse et que vous avez déjà été déclaré coupable deux fois d'un grand excès de vitesse au cours des dix dernières années : • Suspension immédiate de votre permis de conduire pour trente jours ; Ou • Suspension immédiate de votre permis de conduire pour soixante jours si les trois infractions, incluant cette infraction, se sont produites dans une zone de 60 km/h ou moins ; • Saisie immédiate du véhicule pour trente jours si cette infraction et au moins une autre se sont produites dans une zone de 60 km/h ou moins ; Et si vous êtes déclaré coupable de cette infraction : • Le nombre de points d'inaptitude est doublé ; • Le montant de l'amende est doublé.
4e INFRACTION	Si vous êtes intercepté à la suite d'un grand excès de vitesse et que vous avez déjà été déclarée coupable trois fois ou plus d'un grand excès de vitesse au cours des dix dernières années : • Suspension immédiate du permis de conduire pour trente jours ; Ou • Suspension immédiate de votre permis de conduire pour soixante jours si cette infraction et au moins deux autres se sont produites dans une zone de 60 km/h ou moins ; • Saisie immédiate du véhicule pour trente jours si cette infraction et au moins une autre se sont produites dans une zone de 60 km/h ou moins ; Et si vous êtes déclaré coupable de cette infraction : • Le nombre de points d'inaptitude est doublé ; • Le montant de l'amende est triplé.

LES AUTRES INFRACTIONS QUI ENTRAÎNENT L'INSCRIPTION DE POINTS D'INAPTITUDE	POINTS
Accélération au moment d'un dépassement par un autre véhicule	2
Défaut de respecter la priorité accordée aux piétons et aux cyclistes à une intersection	2
Défaut de respecter la priorité accordée aux véhicules qui circulent en sens inverse	2
Dépassement d'une bicyclette sans espace suffisant sur la voie de circulation	2
Distance imprudente entre les véhicules	2
Freinage brusque sans nécessité	2
Vitesse trop grande par rapport aux conditions atmosphériques ou environnementales	2
Dépassement interdit par la droite	3
Dépassement interdit par la gauche	3
Marche arrière interdite	3
Omission d'arrêter avant d'effectuer un virage à droite sur un feu rouge (là où ce virage est permis)	3
Omission de porter la ceinture de sécurité	3
Omission de porter le casque protecteur (motocyclette ou cyclomoteur)	3
Omission de se conformer à des ordres ou à des signaux d'un agent de la paix, d'un brigadier scolaire ou d'un signaleur	3
Conduite en faisant usage d'un appareil muni d'une fonction téléphonique	3
Franchissement interdit d'une ligne de démarcation de voie	3
Omission de se conformer à un arrêt obligatoire à un passage à niveau	3
Omission de se conformer un feu rouge ou à un panneau d'arrêt	3
Dépassement successif en zigzag	4
Dépassement interdit sur la voie réservée à la circulation en sens inverse	4
Vitesse ou action imprudente	4
Conduite pour un pari, un enjeu ou une course	6
Conduite interdite d'un véhicule transportant des matières dangereuses dans un tunnel	9
Manquement à un devoir de conducteur impliqué dans un accident	9
Omission d'arrêter à un passage à niveau, en conduisant un autobus, un minibus ou un véhicule lourd transportant certaines catégories de matières dangereuses	9
Omission d'arrêter à l'approche d'un autobus scolaire ou d'un minibus scolaire dont les feux intermittents sont en marche, ou qui fait usage de son signal d'arrêt obligatoire ou croisement ou dépassement interdit d'un tel véhicule	9
Pour les titulaires d'un permis d'apprenti conducteur, d'un permis probatoire ou d'un permis autorisant uniquement la conduite d'un véhicule muni d'un dispositif détecteur d'alcool. Également, pour toute autre personne âgée de moins de 25 ans et titulaire d'un permis autorisant uniquement la conduite d'un cyclomoteur ou d'un tracteur de ferme depuis moins de 5 ans.	
Conduite sans la présence d'un accompagnateur (si vous possédez un permis d'apprenti conducteur)	4
Conduite en présence d'alcool dans l'organisme	4
Omission de fournir un échantillon d'haleine	4

Le respect des limites de vitesse, c'est plus qu'une question de points d'inaptitude et d'une amende.

C'est votre vie et celle des autres qui est en jeu.

L'ACCUMULATION
DE POINTS D'INAPTITUDE

Dans le cas d'un permis d'apprenti conducteur et d'un permis probatoire, la suspension survient lorsque le dossier d'un conducteur compte 4 points d'inaptitude ou plus à la suite d'infractions au Code de la sécurité routière. Selon le cas, les sanctions suivantes s'appliquent :

- La suspension du permis ;

- La suspension du droit d'obtenir un permis ; pour la personne qui n'a jamais été titulaire d'un permis de conduire.

Quatre points s'effacent du dossier lorsqu'un permis est suspendu ou qu'une suspension du droit est imposée. Dans le cas d'un permis de conduire, la suspension du droit d'obtenir un permis survient lorsque le dossier d'un conducteur compte 15 points d'inaptitude ou plus à la suite d'infractions au Code de la sécurité routière.

Quinze points s'effacent du dossier lorsqu'une suspension du droit est imposée.

LES **POINTS D'INAPTITUDE** ET LE **DOSSIER DE CONDUITE**

Les points excédant le nombre restant de points restent inscrits pendant les 2 années qui suivent la date de déclaration de culpabilité ou du paiement de l'amende.

LE **PERMIS RESTREINT** RELIÉ AUX **POINTS D'INAPTITUDE**

Pour obtenir un permis restreint, faire la demande à un juge de la Cour du Québec, dans le district judiciaire de sa région.

LES **INFRACTIONS** RELIÉES AU **CODE CRIMINEL**

- Négligence criminelle lors de la conduite ou de l'utilisation d'un véhicule automobile ;

- Homicide involontaire lors de la conduite ou de l'utilisation d'un véhicule automobile ;

- Conduite alors que son permis de conduire est suspendu ;

- Faire de la course avec son véhicule automobile ;

- Conduite négligente ;

- Conduire sans le soin et l'attention nécessaire ;

- Conduite dangereuse ;

- Conduite avec facultés affaiblies ;

- Défaut ou refus de fournir un échantillon d'haleine ou de sang ;

- Échec au test d'haleine ou au test de sang ;

- Omission de s'arrêter sur les lieux d'un accident ;

- Omission de s'arrêter à la demande d'un agent de police (entraîne une suspension de longue durée du permis de conduire, soit une suspension de trois ans) ;

- Défaut ou refus de la part d'un conducteur débutant de fournir un échantillon d'haleine.

Dans le cas où une infraction de conduite avec facultés affaiblies et une infraction de défaut ou refus de fournir un échantillon d'haleine ou de sang sont liées au même événement, les infractions seront considérées comme une seule et même infraction.

LES SANCTIONS **POUR** CONDUITE AVEC LES FACULTÉS AFFAIBLIES PAR L'ALCOOL

Quand il est question d'alcool au volant, la loi est très stricte à l'égard des nouveaux conducteurs. En effet, il leur est tout simplement interdit de conduire un véhicule après avoir consommé de l'alcool. Le non-respect de cette règle communément appelée « tolérance zéro » implique, en cas de condamnation, des sanctions pénales et administratives.

RÈGLE DU **ZÉRO ALCOOL**

Que vous soyez détenteur d'un permis d'apprenti conducteur, d'un permis probatoire ou d'un permis de conduire âgé de 21 ans ou moins, il est interdit de conduire un véhicule avec de l'alcool dans votre organisme.

Cette mesure appelé « tolérance zéro » a été adoptée compte tenu de l'impact de la consommation d'alcool sur les nouveaux conducteurs, généralement peu expérimentés au volant. Elle a été instaurée dans l'espoir de diminuer le nombre d'accidents les impliquant.

SUSPENSION IMMÉDIATE DU PERMIS

Les conducteurs commettent une infraction au Code criminel, qu'ils soient nouveaux conducteurs ou non, s'il :

- Conduisent avec plus de 80 mg d'alcool par 100 ml de sang ;
- Conduisent avec les facultés affaiblies.

De plus, le nouveau conducteur qui conduit sous l'effet de l'alcool, peu importe la quantité, commet une infraction au Code de la sécurité routière. Conséquemment, le policier qui, suite à la prise d'un échantillon d'haleine, détecte de l'alcool dans l'organisme du nouveau conducteur suspend son permis, sur-le-champ, pour une période de 90 jours.

En cas de condamnation pour cette infraction, le nouveau conducteur est passible d'une amende de 300 $ à 600 $ et 4 points d'inaptitude sont automatiquement inscrits à son dossier, ce qui entraîne la suspension de son permis.

LA DURÉE DE LA PÉRIODE D'**INTERDICTION DE CONDUIRE**

Si l'on a suspendu votre permis, parce que vous avez accumulé quatre points d'inaptitude ou plus, la suspension de votre permis probatoire ou d'apprenti conducteur durera 3 mois. Vous devez attendre que ce délai s'écoule.

Pour un apprenti conducteur, ce délai vient donc retarder le moment où il peut demander un permis probatoire. Dans le cas d'un permis probatoire, il vient s'ajouter au délai nécessaire à l'obtention d'un permis ordinaire (qui varie selon que le conducteur soit âgé de moins de 25 ans ou non).

Si la perte du permis découle d'une condamnation criminelle pour conduite en état d'ébriété, les périodes d'attente sont beaucoup plus longues et les conditions d'obtention d'un nouveau permis sont plus complexes.

LES **CONDITIONS** DE **RÉ-OBTENTION DU PERMIS**

Vous devez attendre la fin de la période d'interdiction ordonnée par le juge ou la fin de la période de suspension administrative de votre droit d'obtenir un permis (si celle-ci est plus longue que l'ordonnance du juge).

Vous devez vous soumettre à vos frais à une évaluation sommaire, dans un centre pour personnes alcooliques et toxicomanes, au sujet de vos habitudes de consommation d'alcool. Si vous réussissez cette évaluation, vous devez ensuite suivre, à vos frais et avec succès, une session d'information et de sensibilisation appelée *Alcofrein* et dispensée par le gouvernement. Vous pouvez alors demander votre permis de conduire sans contraintes.

Par contre, lorsque cette évaluation sommaire révèle que vos habitudes de consommation d'alcool compromettent la conduite sécuritaire d'un véhicule, vous devez subir à vos frais un examen plus complet à la satisfaction de la Société de l'assurance automobile du Québec (SAAQ). Si vous réussissez cette deuxième évaluation, vous pourrez obtenir un permis de conduire, mais à condition d'utiliser pendant un an une voiture équipée à vos frais d'un antidémarreur éthylométrique. Cet équipement empêche la mise en marche si de l'alcool est détecté dans l'haleine du conducteur.

Si vous échouez la deuxième évaluation, vous pouvez quand même obtenir un permis, mais pour une durée limitée, et à condition que le véhicule que vous conduisez soit équipé d'un antidémarreur éthylométrique.

S'IL S'AGIT D'UNE **DEUXIÈME INFRACTION**

Vous devez attendre la fin de la période d'interdiction ordonnée par le juge ou la fin de la période de suspension administrative de votre droit d'obtenir un permis (si celle-ci est plus longue que l'ordonnance du juge). Après ce délai, vous devez subir une évaluation complète dans un centre pour personnes alcooliques et toxicomanes.

Si cette évaluation révèle que vos habitudes de consommation d'alcool compromettent la conduite sécuritaire d'un véhicule, vous ne pouvez obtenir qu'un permis d'une durée limitée et tout véhicule que vous conduisez doit être équipé d'un antidémarreur éthylométrique. Si cette évaluation révèle que vos habitudes de consommation ne nuisent pas en général à la conduite sécuritaire d'un véhicule, vous pouvez obtenir votre permis de conduire. Mais le véhicule que vous conduisez devra quand même être équipé à vos frais de l'antidémarreur éthylométrique, pendant deux ans s'il s'agit de votre deuxième infraction et pendant trois ans pour toute infraction subséquente.

Tous les frais sont à votre charge. Le coût minimal pour l'obtention de ce nouveau permis varie de 300 $ à 400 $ selon qu'il s'agit de votre première infraction ou d'une récidive.

De plus, vous devez débourser 150 $ pour le programme obligatoire de sensibilisation (Alcofrein). Pour l'évaluation faite par un spécialiste du traitement de l'alcoolisme, il en coûte environ 600 $ et une période d'attente de six à neuf mois est à prévoir.

SI QUELQU'UN A ÉTÉ **TUÉ** OU **BLESSÉ**

Les peines sont plus lourdes s'il est prouvé que le fait d'avoir conduit avec les facultés affaiblies a causé des blessures ou la mort d'une autre personne.

La loi prévoit une peine d'emprisonnement maximale de 10 ans si vous blessez quelqu'un, à laquelle peut s'ajouter une interdiction de conduire d'un maximum de 10 ans.

Si vous causez la mort d'une personne, la peine maximale prévue est l'emprisonnement à vie. Le juge peut aussi vous interdire de conduire pour la période qui lui semble indiquée. Aucune période maximale n'est prévue.

158

LA **SAISIE** DU **VÉHICULE**

Un véhicule peut être saisi sur le champ et envoyé à la fourrière pour 30 jours, à vos frais, si :

- Vous refusez de subir les tests de coordination, de fournir un échantillon d'haleine, ou de suivre le policier au poste pour subir un alcootest ou les tests d'un agent évaluateur ;

- L'alcootest démontre que votre sang contient au moins deux fois la limite d'alcool permise, c'est-à-dire que votre alcoolémie est de 160 mg d'alcool par 100 ml de sang ou plus ;

- Vous conduisez sans être détenteur d'un permis, par exemple, après une révocation, parce que vous avez déjà été condamné pour conduite avec les facultés affaiblies ;

- L'alcootest démontre que vous avez plus de 80 mg d'alcool par 100 ml de sang et vous avez été reconnu coupable dans le passé (10 dernières années) de :

  - Conduite avec les facultés affaiblies ;- conduite avec plus de 80 mg d'alcool par 100 ml de sang.

    ou

  - De fournir un échantillon d'haleine.

- Le permis du conducteur fait l'objet d'une révocation ou d'une suspension à la suite d'une infraction au Code criminel, d'une accumulation de points d'inaptitude, d'une amende impayée ou pour des raisons relatives à son état de santé ;

- Le véhicule routier n'est pas muni d'un anti démarreur, alors que le permis du conducteur autorise uniquement la conduite d'un véhicule muni de ce dispositif ;

- Le conducteur ne respecte pas les conditions d'utilisation de l'anti démarreur ou conduit avec présence d'alcool dans son organisme ;

- Le conducteur ne respecte pas les conditions d'utilisation du permis restreint relié aux points d'inaptitude ;

- Le conducteur n'est pas titulaire d'un permis de conduire valide, de la classe appropriée au type de véhicule et comportant les mentions requises (dans le cas de véhicules lourds) ;

- Le conducteur est titulaire d'un permis d'apprenti de la classe 6R et conduit une motocyclette en dehors d'un cours de conduite ou de l'examen de la Société ;

- Le conducteur d'un véhicule routier commet un grand excès de vitesse ;

- Le conducteur (ou la personne qui a la garde du véhicule) a un taux d'alcoolémie supérieur à 160 mg d'alcool par 100 ml de sang ;

- Le conducteur refuse de fournir un échantillon d'haleine ou de sang.

Le conducteur a la responsabilité d'aviser sans délai le propriétaire du véhicule routier, de la saisie du véhicule, lui remettre la copie du procès-verbal de saisie afin qu'il puisse acquitter la totalité des frais de remorquage et de garde pour récupérer son véhicule.

LES AMENDES **RELIÉES**
À LA CONDUITE PENDANT LA SANCTION

Si une personne conduit un véhicule, qu'il en soit le propriétaire ou non alors que :

- Le permis du conducteur fait l'objet d'une sanction ou d'une suspension à la suite d'une infraction au Code criminel, d'une accumulation de points d'inaptitude, d'une amende impayée ou pour des raisons reliées à son état de santé ;

- Le véhicule n'est pas muni d'un antidémarreur éthylométrique alors que le permis du conducteur l'y oblige ;

- Le conducteur ne respecte pas les conditions d'utilisation de l'antidémarreur éthylométrique ou conduit avec présence d'alcool dans son organisme ;

- Le conducteur n'est pas titulaire d'un permis valide.

Celle-ci est sujette à l'interception du véhicule par un agent de la paix et à la saisie du véhicule pour une période de trente jours. Si le véhicule ne lui appartient pas, le contrevenant est obligé d'aviser le propriétaire sans délai de la saisie de son véhicule.

Le conducteur pourra se voir imposer une amende de 1 500 $ à 3 000 $ suite à une condamnation pour conduite avec facultés affaiblies ou d'une amende de 600 $ à 2 000 $ pour avoir conduit pendant une suspension ou une révocation reliée aux points d'inaptitude.

Voici un tableau résumé des lois et sanctions imposées par le Code criminel et le Code de la sécurité routière à la suite d'une condamnation pour conduite avec les facultés affaiblies, ainsi que de certaines conditions spécifiques pour obtenir de nouveau un permis.

	CODE CRIMINEL	CODE DE LA SÉCURITÉ ROUTIÈRE
1re sanction	Interdiction de conduire de 1 an Possibilité d'antidémarreur après une période minimale d'interdiction de conduire de 3 mois Amende minimale de 1000 $	Suspension immédiate du permis pour 90 jours Saisie immédiate du véhicule pour 30 jours si l'alcoolémie est supérieure à 160 mg/l00 ml ou pour refus de fournir un échantillon d'haleine Révocation du permis pour 1 an 1 Session Alcofrein - obligatoire Évaluation sommaire du conducteur pour établir si son rapport à l'alcool ou aux drogues ne compromet pas la conduite sécuritaire d'un véhicule Si évaluation sommaire non favorable : évaluation complète + antidémarreur obligatoire pour 1 an après la révocation et une fois que l'évaluation est satisfaisante pour la Société
2e sanction	Interdiction de conduire de 2 ans Possibilité d'antidémarreur après une période minimale d'interdiction de conduire de 6 mois Emprisonnement minimal de 30 jours	Suspension immédiate du permis pour 90 jours Saisie immédiate du véhicule pour 30 jours si l'alcoolémie est supérieure à 160 mg/100 ml ou pour refus de fournir un échantillon d'haleine Révocation du permis pour 3 ans ! Évaluation complète + Antidémarreur obligatoire pour 2 ans après la révocation et une fois que l'évaluation est satisfaisante pour la Société
3e sanction et les subséquentes	Interdiction de conduire de 3 ans Possibilité d'antidémarreur après une période minimale d'interdiction de conduire de 12 mois Emprisonnement minimal de 120 jours	Suspension immédiate du permis pour 90 jours Saisie immédiate du véhicule pour 30 jours si l'alcoolémie est supérieure à 160 mg/l00 ml ou pour refus de fournir un échantillon d'haleine Révocation du permis pour 5 ans ! Évaluation complète + Antidémarreur obligatoire pour 3 ans après la révocation et une fois que l'évaluation est satisfaisante pour la Société

160

	CODE CRIMINEL	CODE DE LA SÉCURITÉ ROUTIÈRE
Accident* causant des lésions corporelles	Emprisonnement maximal de 10 ans	
Accident* causant la mort	Peine maximale d'emprisonnement à perpétuité	
Période de référence pour le calcul de la récidive		• 10 ans
Autres dispositions		Conduite durant sanction : saisie du véhicule pour 30 jours et amende de 1 885 $ à 3 760 $ •. Zéro alcool pour les titulaires d'un permis apprenti conducteur et d'un permis probatoire

*Alors qu'il avait les facultés affaiblies, une alcoolémie supérieure à 80mg/l00ml ou s'il a refusé de fournir un échantillon d'haleine.

**Les montants, sous réserve de modification, comprennent l'amende prévue au Code de la sécurité routière, les frais de greffe ainsi qu'une contribution à l'IVAC (Indemnisation des victimes d'actes criminels).

Prenez note que d'autres frais peuvent s'ajouter.

Voir à ce sujet le dépliant « Les infractions au Code criminel. Permis de conduire ». **2Programme A1cofrein** : programme d'éducation reconnu par le ministre des Transports. Il s'agit de sensibiliser les conducteurs aux problèmes de la consommation d'alcool ou de drogue (session aux frais du contrevenant). **3Evaluation sommaire** : évaluation visant à déterminer notamment le risque de récidive d'un individu (rencontre aux frais du contrevenant). **4Evaluation complète** : évaluation visant à identifier la nature des problèmes, à établir un plan d'encadrement et de suivi selon la gravité du cas et la motivation de l'individu (plusieurs rencontres sur une période variant de 6 à 9 mois, aux frais du contrevenant).N.B. : Toutes ces évaluations sont faites par des personnes travaillant dans des centres de réadaptation pour personnes alcooliques et autres toxicomanes reconnues dans le réseau de la santé et des services sociaux.

LE DROIT DE **CONTESTER**

Une personne, dont le permis ou le droit d'en obtenir un est suspendu pour une période de 30, 60 ou 90 jours à la suite d'une interception pour un grand excès de vitesse ou pour l'alcool au volant avec récidive, peut demander la révision de cette suspension à la Société, moyennant le paiement des frais exigés pour cette demande. Lorsqu'une suspension est levée, la Société rembourse les frais de révision qui lui ont été payés. Si la suspension est maintenue en révision, le citoyen peut exercer, dans les 10 jours, un recours devant le Tribunal administratif du Québec.

Par ailleurs, le Code de la sécurité routière prévoit d'autres circonstances pour lesquelles il donne au citoyen le droit de contester certaines décisions de la Société devant le Tribunal administratif du Québec, dans les 60 jours de la prise d'effet de la décision. Ainsi, le citoyen peut recourir à ce tribunal lorsque la Société a refusé de délivrer ou de renouveler, ou encore a suspendu son permis de conduire, d'apprenti conducteur, probatoire ou restreint, pour des raisons de santé ou en l'absence du rapport d'examen ou d'évaluation de la santé exigé.

De même, le propriétaire d'un véhicule peut recourir à la Cour du Québec ou s'adresser directement à la Société pour demander la levée de la saisie de son véhicule.

LES FACTEURS INFLUANT
SUR LA CONDUITE
D'UN VÉHICULE ROUTIER

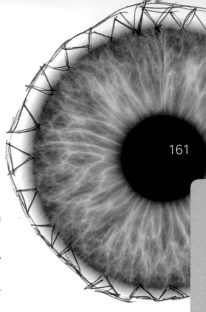

La Société peut en tout temps réviser toute décision qu'elle a rendue si celle -ci ne fait pas l'objet d'un appel auprès d'un tribunal.

Plus de 90% des décisions et des gestes nécessaires à la conduite d'une voiture dépendent des yeux de son conducteur. Une bonne acuité visuelle est donc primordiale pour conduire de jour et surtout de nuit. Il ne s'agit pas seulement de voir, mais de bien voir ; de pouvoir apercevoir à temps la silhouette sombre d'un piéton qui, hors de portée des phares, se détache à peine sur le bord de la route.

Bien voir consiste, entre autres, une bonne acuité visuelle, une bonne sensibilité aux contrastes et en la possession d'un bon champ de vision latéral (au volant on regarde intensément devant et pourtant c'est sur le côté que peut surgir le véhicule, cause de l'accident).

La notion de vitesse n'est pas fournie par les images que le conducteur regarde droit devant lui, mais par celles qu'il ne regarde pas vraiment et qui défilent de chaque côté. C'est donc bien que notre vision périphérique nous est aussi indispensable pour conduire que notre vision centrale. Plus la vitesse augmente, plus la perception visuelle diminue.

La conduite est aussi influencée par d'autres facteurs comme les indispositions physiques, la fatigue, les appareils munis d'une fonction téléphonique, etc. La personnalité, le caractère, les sentiments, l'attitude psychologique sont aussi des facteurs influant sur la conduite d'un véhicule.

LA **VISION**

Pour une conduite sécuritaire, une bonne vision est essentelle. 90% des décisions prisent par le conducteur sont le résultat de ce qu'il voit.

L'**ACUITÉ** VISUELLE

L'acuité visuelle est un des critères définissant la qualité de la vision d'une personne. Elle permet de renforcer la capacité de balayage de la route (voir les détails). Le vieillissement et l'état de la santé peuvent diminuer l'acuité visuelle. Aussi, il est bon de subir des examens périodiques de la vue afin d'en déceler la détérioration.

LE **CHAMP VISUEL**

Le champ visuel, c'est l'espace visuel périphérique vu par l'œil. Il s'étend normalement de 60° en haut, 70° en bas et 90° environ latéralement ce qui correspond à un objectif photographique « grand angle » de 180°. Lorsque le champ visuel est altéré, des zones du champ sont moins sensibles, voire aveugles.

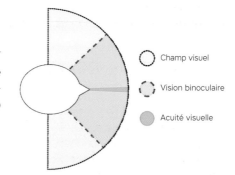

○ Champ visuel

◌ Vision binoculaire

● Acuité visuelle

LA **VISION STÉRÉOSCOPIQUE**

La vision binoculaire ou stéréoscopique (deux yeux) est quasi indispensable pour percevoir la profondeur et apprécier les distances. Le premier de ces phénomènes est l'accommodation, c'est-à-dire le travail que fait l'œil pour obtenir une image nette. L'effort musculaire, bien qu'inconscient, commandé par le cerveau fournit à celui-ci une estimation de la distance à laquelle se trouve l'objet observé. Elle permet d'évaluer la distance entre son véhicule et les autres qui circulent sur la route de même que les objets qui l'entourent.

VERRES **CORRECTEURS**

Si votre permis de conduire porte la lettre « A », il indique que vous avez l'obligation de porter des verres correcteurs. Si vous ne portez pas vos lunettes ou vos lentilles cornéennes, vous risquez une amende.

LA **VISION NOCTURNE**

La nuit, votre vue est moins précise, la vision des couleurs et des contrastes est altérée, l'appréciation du relief ou des distances est faussée : c'est ce qu'on appelle la myopie nocturne. Le conducteur a alors tendance à sous- estimer les distances. Il y a beaucoup plus d'accidents mortels la nuit que le jour : c'est souvent dû une vitesse excessive combinée à cette vision altérée.

L'éblouissement de feux de véhicules venant en sens inverse mal réglés, peut rendre le conducteur aveugle pendant quelques secondes.

La capacité de récupérer d'un éblouissement diminue avec l'âge. Il faut donc faire preuve d'une plus grande prudence.

LES **INDISPOSITIONS PHYSIQUES**

Des exigences médicales minimales sont requises pour obtenir et garder une autorisation de conduire. Pour se déterminer, les intérêts des conducteurs d'une part et les exigences de la sécurité routière d'autre part doivent être considérés. La préoccupation principale est d'éviter des accidents dont les conséquences peuvent être graves non seulement pour les autres usagers de la route, mais, évidemment, pour le conducteur lui-même.

Par la connaissance qu'ils ont de leurs patients, les professionnels de la santé paraissent les personnes plus adéquates pour faire cette évaluation.

Les professionnels de la santé doivent signaler à la SAAQ tous les cas susceptibles de rendre une personne inapte sur le plan médical ou visuel, à conduire un véhicule routier.

Les tendances à l'endormissement, les syncopes, les malaises, les vertiges, le diabète, l'épilepsie, des troubles psychiques, l'abus de substances et des problèmes ophtalmologiques sont autant de raisons pour lesquelles, la SAAQ peut suspendre un permis, en modifier les conditions ou même refuser d'en délivrer un. Elle peut aussi exiger un nouvel examen ou à une évaluation par un professionnel de la santé.

On devrait éviter de conduire lorsque l'on ressent des malaises passagers, par exemple, les maux de tête ou la nausée.

LA **FATIGUE**

À peu près tout le monde connaît les dangers de la conduite avec facultés affaiblies par l'alcool, mais parallèlement, peu de gens réalisent que la somnolence au volant peut avoir des conséquences tout aussi tragiques. Comme l'alcool, la fatigue ralentit les réflexes et le temps de réaction, diminue l'attention, fausse le jugement et accroît les risques d'accident.

Le niveau de fatigue est problématique à partir du moment où il compromet la capacité d'un conducteur de réaliser des tâches qui nécessitent de l'attention, du jugement et des réflexes.

Les causes de la fatigue peuvent être liées au conducteur lui-même : son état de santé (physique et mental), sa quantité et qualité du sommeil, son alimentation, sa forme physique, sa vie familiale, son âge, sa condition mentale ou psychologique, etc.

Elles peuvent aussi être liées à des facteurs extérieurs comme le type de travail, l'environnement, l'ergonomie du véhicule, les conditions routières et climatiques, la disponibilité des aires de repos, la monotonie de la route, etc.

Les signes avant-coureurs sont nombreux :

- Cesser de regarder dans ses miroirs ;
- Bâiller fréquemment et clignoter des yeux ;
- Changer involontairement de voie ;
- Freiner tardivement ;
- Rouler à une vitesse inconstante ;
- Manquer une sortie ;
- Halluciner.

Tout automobiliste qui ressent, ces signes devrait savoir s'arrêter, faire des exercices d'assouplissement ou prendre un repos de quelques minutes. Cela suffit parfois pour retrouver sa forme.

LE **CELLULAIRE**

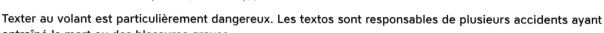

Il est interdit pour un conducteur d'utiliser, pendant qu'il conduit, les appareils tenus en main :

- Tous les téléphones cellulaires ;
- Les terminaux mobiles de poche (BlackBerry) ;
- Les appareils qui affichent les courriels et qui permettent de naviguer sur Internet.

Texter au volant est particulièrement dangereux. Les textos sont responsables de plusieurs accidents ayant entraîné la mort ou des blessures graves.

Le seul fait de tenir en main ces types d'appareils pour faire un appel tout en conduisant constitue une infraction.

La personne qui attend à un feu rouge ou dans un bouchon de circulation est considérée comme conduisant son véhicule et ne peut donc pas utiliser un cellulaire tenu en main.

Le cellulaire peut être utile en cas de panne ou d'accident afin d'appeler des secours, mais il faut savoir s'en servir judicieusement.

S'il vous faut absolument utiliser votre téléphone, vous devez le faire en lieu sûr, c'est-à-dire dans un stationnement, une aire de service, sur le bord d'une route où la vitesse maximale est de moins de 70 km/h ou demandez à un passager de le faire à votre place.

L'**ALCOOL**

L'alcool est un inhibiteur, et non un stimulant. Il vous rend moins alerte et ralentit vos réflexes. Si vous avez trop bu, le café noir, la nourriture ou une douche froide ne feront rien pour vous dessoûler. Il faut attendre que votre corps élimine l'alcool.

Les automobilistes dont les facultés sont affaiblies par l'alcool comptent parmi les personnes les plus dangereuses, les plus imprévisibles qui soient sur nos routes, et ils sont responsables de 32 % des décès, 16% des blessés graves survenus lors d'accidents de la circulation. Voilà pourquoi la conduite en état d'ébriété est sévèrement punie par la loi.

Être responsable, c'est :

- Avant le début de la soirée, désigner celui qui restera sobre afin de ramener en vie ses amis ;
- Ne pas laisser ses amis reprendre le volant lorsqu'ils ont bu ;
- Refuser de monter dans un véhicule dont le chauffeur n'est manifestement pas en état de conduire parce qu'il a trop bu ou fumé du cannabis ;

- Prendre les transports en commun, appeler un taxi ou rentrer à pied ;
- Savoir attendre que l'alcool soit éliminé par l'organisme avant de reprendre la route, en finissant la nuit sur place. Pour s'en assurer, soufflez dans un éthylotest avant de reprendre le volant ;
- Prendre contact avec les associations qui organisent des raccompagnements.

164

Il est insupportable de mettre sa vie et celle des autres en péril par des comportements irresponsables qui brisent des vies et des familles. Nous pouvons tous arrêter ça. Le choix d'un conducteur désigné, sobre, qui ne boit pas et s'engage à raccompagner son entourage en sécurité, et le recours à l'autocontrôle d'alcoolémie avec un éthylotest avant de reprendre la route, est des automatismes à acquérir pour lutter contre des drames parfaitement évitables.

Enfin, conduire avec des facultés affaiblies par l'alcool risque de provoquer un accident grave, qui pourrait ruiner votre avenir en vous envoyant en prison.

L'alcool agit principalement sur le système nerveux central, et provoque dès que l'alcoolémie dépasse le 0,05 (50mg/100 millilitres de sang effets suivants sur la plupart des sujets :

- Rétrécissement du champ visuel ;
- Augmentation de la sensibilité à l'éblouissement ;
- Altération de l'appréciation de l'espace et notamment des distances ;
- Diminution des réflexes et augmentation des temps de réaction à des situations imprévues. La durée moyenne du temps de réaction en conditions normales est évaluée à une seconde environ. Dès 0,05, ce temps de réaction atteint 1,5 seconde. Plus l'alcoolémie est élevée, plus le temps de réaction est allongé ;
- Surestimation de ses capacités ; l'effet générale-ment euphorisant de l'alcool inhibe certains réflexes et peut induire des comportements périlleux.

Les jeunes conducteurs sont davantage affectés par l'alcool, et ce, même par de faibles quantités. À .03 exemple, le risque d'être impliqué dans un accident mortel est trois fois plus élevé pour un conducteur dont l'âge se situe entre 16 et 19 ans.

Il n'existe aucun moyen d'accélérer la vitesse d'absorption de l'alcool. Oubliez le café ou la douche ou la marche. Le foie élimine 90 % de l'alcool dans le sang. Il travaille à un rythme régulier et n'en élimine qu'une certaine quantité par heure. Seul le temps fait son œuvre. Marcher ou prendre une douche ne sont pas des moyens pour accélérer l'élimination de l'alcool. Il n'y a donc aucun moyen miracle d'accélérer l'élimination de l'alcool et ses effets. Seul le temps y parvient.

LES **DROGUES** ET LES **MÉDICAMENTS**

De nombreux médicaments peuvent influencer la capacité à conduire un véhicule.

Les modifications de la capacité à conduire sont liées à différents types de perturbations soit par les troubles de la vigilance qui restent les plus connus d'une grande majorité de la population, des troubles de l'attention que certains médicaments entraînent. D'autres provoquent des troubles du comportement tel qu'une euphorie anormale, des troubles de la perception du danger, d'autres influent sur la qualité de la vision où le champ visuel, mais certains médicaments aussi peuvent agir par l'intermédiaire des troubles de l'équilibre ou du fonctionnement cardio-vasculaire.

Les effets des différents médicaments sont bien entendu variables en fonction des doses utilisées, mais aussi de la sensibilité indivi-duelle de chaque personne ou de la synergie que peuvent avoir des médicaments entre eux.

DES **PRÉCAUTIONS** À PRENDRE

Si vous devez prendre le volant, il existe de précautions à prendre :

- Les mises en garde et les effets indésirables indiqués sur le contenant peuvent signaler des effets du médi-cament ayant un retentissement sur la conduite ;
- Le signalement à votre médecin ou votre pharma-cien que vous conduisez peut l'aider à vous mettre en garde contre les effets du médicament ou vous pres-crire celui qui aura moins d'effets sur votre conduite ;
- Ne modifiez pas ou n'arrêtez pas vous-même votre traitement. Si vous modifiez les doses du médicament qui vous a été prescrit, vous risquez d'augmenter les effets indésirables (et donc les risques pour la conduite), tout en perdant les effets bénéfiques du traitement ;
- Une consommation, même modérée, d'alcool présente des effets dangereux pour la conduite, qui peuvent être aggravés par la prise de médi-cament ; il en est de même pour les drogues, y compris le cannabis.

LES INFRACTIONS
ET LES AMENDES

LE PERMIS DE CONDUIRE

INFRACTIONS	AMENDES
Ne pas avoir avec soi son permis de conduire, son permis d'apprenti conducteur, son permis probatoire ou son permis restreint.	30 $ à 60 $
Ne pas communiquer un changement d'adresse à la Société dans les 30 jours.	60 $ à 100 $
Fournir sciemment un renseignement faux ou trompeur lors d'une demande de permis.	300 $ à 600 $
** À ces amendes s'ajoutent des frais, sous réserve de modifications, établis selon le montant de la pénalité et une contribution 30$ à obligatoire de 10 $ à l'IVAC indemnisation des victimes d'actes criminels).	
Conduire un véhicule routier sur un chemin public sans être titulaire d'un permis de la classe appropriée.	300 $ à 600 $
Conduire un véhicule routier malgré la révocation ou la suspension du permis, ou la suspension du droit d'en obtenir un pour un motif autre que l'accumulation de points d'inaptitude ou qu'une infraction criminelle liée à la conduite d'un véhicule routier.	300 $ à 600 $
Conduire un véhicule ou en avoir la garde après avoir consommé de l'alcool, alors qu'on est titulaire d'un permis d'apprenti conducteur, d'un permis probatoire, ou qu'on est âgé de moins de 25 ans et titulaire depuis moins de 5 ans d'un permis autorisant uniquement la conduite d'un cyclomoteur (classe 6D) ou d'un tracteur de ferme (classe 8).	300 $ à 600 $
Laisser conduire un véhicule par une personne qui n'est pas titulaire d'un permis de la classe appropriée ou qui fait l'objet d'une sanction pour un motif autre qu'une infraction au Code criminel liée à la conduite d'un véhicule routier.	300 $ à 600 $
Conduire un véhicule routier malgré la révocation ou la suspension du permis ou la suspension du droit d'en obtenir un à la suite d'une accumulation de points d'inaptitude.	600 $ à 2000 $
Conduire un véhicule routier malgré la révocation du permis ou la suspension du droit d'en obtenir un par suite d'une déclaration de culpabilité à une infraction criminelle liée à la conduite d'un véhicule routier	1500 $ à 3000 $

L'IMMATRICULATION

Ne pas avoir avec soi son certificat d'immatriculation, son attestation d'assurance ou de solvabilité, une preuve de la durée du prêt du véhicule ou sa copie du contrat de location.	60 $ à 100 $
Ne pas communiquer un changement d'adresse à la Société dans les 30 jours.	60 $ à 100 $
Conduire un véhicule routier muni d'une plaque d'immatriculation d'une autre catégorie que la sienne, ou de la plaque d'immatricullation d'un autre véhicule routier.	200 $ à 300 $
Fixer une plaque factice ou la plaque d'immatriculation d'un autre véhicule routier.	200 $ à 300 $
Omettre de retourner sa plaque à la Société en cas de suspension d'immatriculation.	300 $ à 2000 $
Fabriquer une plaque factice.	600 $ à 2000 $

LE VÉHICULE ET SON ÉQUIPEMENT

Conduire un véhicule routier pourvu d'un équipement mal entretenu.	60 $ à 100 $
Conduire un véhicule routier non muni de deux rétroviseurs.	100 $ à 200 $
Conduire un véhicule routier ou un ensemble de véhicules routiers non muni d'au moins un système de freinage en bon état de fonctionnement.	100 $ à 200 $
Conduire un véhicule routier muni de pneus non conformes aux normes, sur un chemin public.	200 $ à 300 $
Conduire un véhicule routier dont le système de freinage a été modifié ou altéré pour en diminuer l'efficacité.	200 $ à 300 $
Enlever ou faire enlever, modifier ou faire modifier, mettre ou faire mettre hors d'usage une ceinture de sécurité.	200 $ à 300 $

166

Rendre inopérant un module de sac gonflable.	300 $ à 600 $
Conduire un véhicule routier muni d'un détecteur de radar.	500 $ à 1000 $
Modifier, effacer, rendre illisible, remplacer ou enlever le numéro d'identification d'un véhicule routier sans autorisation préalable de la Société.	600 $ à 2000 $

LA CIRCULATION

Ne pas signaler son intention de dépasser au moyen des feux indicateurs de changement de direction.	30 $ à 60 $
Freiner brusquement sans raison.	30 $ à 60 $
Laisser un enfant de moins de 7 ans sans surveillance dans un véhicule Routier	60 $ à 100 $
Ne pas diminuer l'intensité de l'éclairage avant de son véhicule, une fois parvenu à moins de 150 mètres du véhicule qu'on suit ou qu'on va croiser, ou encore sur un chemin suffisamment éclairé.	60 $ à 100 $
Conduire ou occuper un véhicule routier sur un chemin public sans porter sa ceinture de sécurité correctement.	80 $ à 100 $
Conduire en utilisant un appareil muni d'une fonction téléphonique	80 $ à 100 $
Consommer des boissons alcoolisées à l'intérieur d'un véhicule routier ; • Pour le conducteur	300 $ à 600 $
• Pour le passager	200 $ à 300 $
Conduire un véhicule routier pour un pari, un enjeu ou une course avec un autre véhicule, sauf s'il s'agit d'un rallye approuvé en vertu de la Loi sur la sécurité dans les sports.	300 $ à 600 $

LA VITESSE

Vitesse et gestes imprudents susceptibles de mettre en péril la vie, la propriété ou la sécurité des personnes.	300 $ à 600 $

Revoir les pages de ce module 27-45 GDR pour les infractions et amendes aux limites de vitesse

LA VÉRIFICATION MÉCANIQUE

Remettre en circulation après 48 heures un véhicule routier présentant une défectuosité mineure, sans faire la preuve de sa conformité au Code.	100 $ à 200 $
Remettre en circulation après 48 heures un véhicule routier présentant une défectuosité majeure, sans faire la preuve de sa conformité au Code.	300 $ à 600 $

À VOUS MAINTENANT

- Site internet : www.educationroutiere@saaq.gouv.qc.ca (module 4)

- Site internet : http://www.saaq.gouv.qc.ca

- Exercices théoriques

Module 5

L'évaluation

- Reconnaître les caractéristiques personnelles qui peuvent influer sur son comportement de conducteur en devenir

- Déterminer les facteurs qui augmentent le risque en situation de conduite

- Déterminer le cadre légal et les règles de courtoisie qui permettent une conduite sécuritaire, coopérative et responsable

- Déterminer les caractéristiques d'une conduite écologique, économique et respectueuse de la sécurité routière (écoconduite)

- Préparer le véhicule pour son déplacement

Module 5 L'évaluation

Supplément aux guides d'apprentissage

INTRODUCTION

Le module 5 complète la phase 1 du Programme d'éducation à la sécurité routière. C'est le moment pour vous de revoir l'ensemble du contenu des modules précédents afin d'être bien préparé pour l'évaluation des connaissances, qui sera faite à l'école de conduite. Cette première évaluation est importante puisqu'elle permet aux candidats qui réussissent le test écrit d'obtenir leur permis d'apprenti conducteur et ainsi de commencer la formation pratique et la conduite accompagnée.

Les modules 1, 2, 3 et 4 ont porté sur le véhicule, ses dispositifs et ses commandes, sur le conducteur et les diverses influences auxquelles il est soumis, sur l'environnement, le réseau routier et les règles de la circulation qui encadrent son usage et le partage de la route avec les autres usagers de même que sur les comportements susceptibles de nous mettre en situation d'infraction ou à risque d'être impliqué dans un accident de la route.

Sur la base de ces connaissances, il est maintenant essentiel pour l'apprenant de se questionner sur son niveau de risque chaque fois qu'il prend la route, en prenant en considération les trois éléments suivants : lui-même comme conducteur, le véhicule et l'environnement.

Intégration Véhicule – Conducteur – Environnement

LE CONDUCTEUR LUI-MÊME

La première responsabilité du conducteur est de s'assurer qu'il est bien disposé lorsqu'il prend le volant. Il a besoin de toutes ses capacités pour conduire en sécurité. Lorsqu'il conduit, il doit percevoir rapidement les dangers et prendre des décisions pour agir vite. Une bonne condition physique et mentale est importante pour la conduite d'un véhicule de promenade.

Plusieurs facteurs peuvent compromettre la capacité de conduire : la maladie, le stress, la fatigue, la consommation d'alcool, de drogues ou de médicaments. Si sa capacité de conduire est affaiblie, un conducteur devrait s'abstenir de prendre le volant pour ne pas mettre en péril sa sécurité et celle des autres usagers de la route. Si sa capacité de conduire se détériore pendant le trajet, il est préférable qu'il se retire de la circulation jusqu'à ce que la situation revienne à la normale.

LE VÉHICULE

Être un conducteur au comportement sécuritaire, c'est également s'assurer que son véhicule est en bon état de marche avant de prendre la route. Conduire un véhicule dont un dispositif ou un composant est défectueux peut accroître le risque d'être impliqué dans un accident. De plus, un véhicule bien entretenu consomme moins de carburant et produit moins d'émissions polluantes.

L'ENVIRONNEMENT

Un conducteur au comportement sécuritaire doit planifier ses déplacements ou décider de ne pas conduire si les conditions routières ou climatiques sont difficiles. De plus, lorsqu'il prend le volant, il doit constamment adapter sa conduite aux différents éléments de l'environnement routier, mais aussi aux autres usagers avec qui il partage la route.

CONCLUSION

Lorsqu'il a complété avec succès la phase 1 du Programme d'éducation à la sécurité routière, l'apprenti conducteur dispose d'un niveau de connaissances suffisant pour passer à la phase 2, faire ses premières expériences derrière le volant et poursuivre l'acquisition de compétences afin de devenir un conducteur au comportement sécuritaire, coopératif et responsable.

Éducation routière
educationroutiere.saaq.gouv.qc.ca

Intégration Véhicule – Conducteur – Environnement

Il est essentiel, dès maintenant, de vous questionner sur votre niveau de risque chaque fois que vous prenez la route. Cette évaluation doit toujours prendre en considération les trois éléments suivants : le conducteur lui-même, le véhicule et l'environnement.

**AVANT DE PRENDRE LA ROUTE,
J'ÉVALUE MON NIVEAU DE RISQUE**

Je me pose des questions sur :

Moi-même
(Être disposé à conduire)

Mon véhicule
(Avoir un véhicule en bon état)

L'environnement
(Tenir compte des autres usagers de la route, ainsi que des conditions routières et climatiques)

Moi-même

**Conduite
sécuritaire,
coopérative
et responsable**

L'environnement

Mon véhicule

Moi-même

Suis-je en état de conduire ?

Suis-je sous l'influence d'une émotion forte, d'un grand stress ?

Ai-je pris de l'alcool ou de la drogue ?

Suis-je fatigué ?

Etc.

SI OUI, JE NE PRENDS PAS LA ROUTE !

Sous l'effet de l'alcool, de drogues ou de médicaments, sous le coup d'une émotion ou dans un état de fatigue pouvant compromettre ma capacité de conduire :

- J'opte pour un taxi.

- J'utilise le transport en commun.

- Je reste à coucher chez des amis.

- Je me fais reconduire par un chauffeur désigné.

Mon véhicule

Mon véhicule est-il en bon état ?

Mon pare-brise est-il propre et bien dégagé ?

Ai-je suffisamment de lave-glace ?

Mes pneus sont-ils bien gonflés ?

Mon siège et mes rétroviseurs sont-ils bien ajustés ?

Etc.

SI OUI, JE PEUX PRENDRE LA ROUTE !

Lorsque mon véhicule n'est pas en état de me permettre un déplacement sécuritaire :

- Je m'assure de la bonne condition de tous les dispositifs et systèmes du véhicule avant de prendre le volant.

L'environnement

Comment se présente l'environnement ?

Suis-je dans un environnement où il peut y avoir une présence accrue d'autres usagers, en particulier des usagers vulnérables (zones scolaires, aménagements cyclables, etc.) ?

La circulation est-elle dense ?

Les conditions routières et climatiques sont-elles difficiles ?

Y a-t-il des travaux routiers ?

Etc.

SI OUI, JE DOIS ADAPTER MA CONDUITE !

Lorsque les conditions climatiques ou routières sont difficiles, que la circulation est dense, etc. :

- J'augmente les marges de sécurité avec les autres usagers.
- Je ralentis ma vitesse.
- Je me rends plus visible (j'allume les phares de nuit).
- J'élimine toute source de distractions.
- Je me concentre sur la conduite.
- Ou je reporte mon déplacement.

Pour obtenir son permis d'apprenti conducteur

Pour trouver le centre de services le plus près de chez vous, visitez le site Internet de la SAAQ (www.saaq.gouv.qc.ca) et cliquez sur l'onglet « Bureaux et points de service » sous la rubrique « Pour nous joindre ».

Avant de vous présenter dans un centre de services pour obtenir votre permis d'apprenti conducteur, vous devez avoir suivi avec succès la phase 1 du cours de conduite dans une école de conduite reconnue par CAA-Québec ou par l'Association québécoise du transport et des routes (AQTR).

Pour obtenir votre permis d'apprenti conducteur, vous devez présenter deux pièces d'identité, dont l'une avec photo, parmi les suivantes :

1re PIÈCE

Si vous êtes né au Québec

- Original du certificat de naissance délivré après le 1er janvier 1994 par le Directeur de l'état civil (l'extrait de naissance délivré par une paroisse ou par le ministère de la Justice n'est pas accepté) ;

- Passeport canadien ;

- Carte d'identité des Forces armées canadiennes ;

- Certificat de statut d'Indien.

Si vous êtes né ailleurs

- Original du certificat de naissance d'une province ou d'un territoire canadien ;

- Certificat de citoyenneté canadienne avec photo ;

- Attestation légale de présence connue au Canada ;

- Carte de résident permanent.

2e PIÈCE

- Carte d'assurance maladie

Une fois votre identité établie, vous devez :

- Fournir l'original du consentement écrit du titulaire de l'autorité parentale si vous avez moins de 18 ans ;

- Fournir une attestation dûment remplie confirmant que vous avez suivi avec succès la phase 1 du cours de conduite, qui comporte quatre modules théoriques ;

- Remplir la déclaration médicale de la SAAQ ;

- Satisfaire aux exigences médicales ;

- Réussir le test visuel de la SAAQ ;

- Payer les sommes nécessaires à l'obtention du permis (argent comptant, chèque ou carte de débit [sauf dans les unités mobiles de service]).

Votre permis d'apprenti conducteur vous permet d'accéder au réseau routier avec un moniteur pendant le cours de conduite ou avec un accompagnateur en dehors du cours et d'acquérir ainsi les compétences pratiques nécessaires à la conduite d'un véhicule de promenade.

Pour conduire en dehors du cours de conduite, vous devez être accompagné d'une personne qui est titulaire, depuis au moins deux ans, d'un permis de conduire valide autorisant la conduite d'un véhicule de promenade et qui est en mesure de vous fournir aide et conseil. Une personne qui est titulaire d'un permis probatoire ne peut pas accompagner un apprenti conducteur.

Les restrictions du permis d'apprenti conducteur

Ce permis, que vous devez utiliser pendant une période minimale de 12 mois, vous distingue des autres conducteurs en raison de restrictions qui lui sont propres. Outre le fait que vous devez être accompagné en tout temps pour conduire, vous êtes assujetti au régime de sanction des 4 points d'inaptitude et vous êtes soumis à la règle du zéro alcool et aux sanctions correspondantes.

Règles et responsabilités relatives à la détention du permis d'apprenti conducteur

4 POINTS D'INAPTITUDE

Si inscription de 4 points d'inaptitude au dossier de conduite :

- Permis d'apprenti conducteur révoqué pour 3 mois

- Période d'apprentissage prolongée de 3 mois

ZÉRO ALCOOL

Si conduite après avoir consommé de l'alcool :

- Permis immédiatement suspendu pour 90 jours

- Si déclaré coupable : inscription de 4 points d'inaptitude au dossier de conduite + révocation du permis pour 3 mois supplémentaires

- Amende de 300 $ à 600 $ plus les frais

Conduite
dirigée

Module 6

La conduite accompagnée

Module 6 **La conduite accompagnée**

Supplément aux guides d'apprentissage

INTRODUCTION

Le module 6 vise à amener l'apprenti conducteur et le futur accompagnateur à mieux comprendre l'importance de la conduite accompagnée dans le processus d'apprentissage de la conduite. Il fait également connaître le rôle et les responsabilités de l'accompagnateur et les conditions à mettre en place pour atteindre les objectifs visés par la conduite accompagnée. De plus, ce module propose des conseils pratiques destinés à l'accompagnateur pour l'aider dans sa tâche.

L'importance de la conduite accompagnée

La conduite accompagnée est obligatoire au Québec pour tout détenteur d'un permis d'apprenti conducteur. Elle permet d'acquérir de l'expérience de conduite dans des conditions de risque minimal. Selon l'article 99 du Code de la sécurité routière, tout apprenti conducteur qui conduit sans être accompagné d'une personne titulaire d'un permis de conduire valide depuis au moins deux ans est passible d'une amende de 200 $ à 300 $ et de 4 points d'inaptitude.

Même si le cours de conduite est obligatoire, la conduite accompagnée est importante car elle permet à l'apprenti conducteur de faire un plus grand nombre d'heures d'apprentissage sur le réseau routier et de compléter ainsi la formation reçue à l'école de conduite. Plus l'apprenti conducteur fera des déplacements fréquents et variés, plus vite il arrivera à une bonne maîtrise de l'ensemble des situations de conduite et mieux il sera en mesure d'utiliser le réseau routier de façon sécuritaire lorsqu'il sera seul au volant de son véhicule.

Le rôle de l'accompagnateur

Pour être accompagnateur, il faut que la personne soit titulaire, depuis au moins deux ans, d'un permis de conduire valide de classe 5, qui autorise la conduite d'un véhicule de promenade. Il faut aussi qu'elle connaisse les différentes techniques de conduite et soit capable de les expliquer à l'apprenti conducteur, et qu'elle adopte elle-même un comportement sécuritaire, coopératif et responsable.

L'accompagnateur est généralement un parent, soit le père ou la mère. Un autre membre de la famille, le conjoint ou un ami peuvent également jouer ce rôle. Toutefois, le titulaire d'un permis probatoire n'est pas autorisé à être accompagnateur. De plus, les années où une personne a eu un permis probatoire ne comptent pas dans le calcul des deux années d'expérience nécessaires.

L'accompagnateur agit comme formateur auprès de l'apprenti conducteur. Il doit être lui-même un modèle comme conducteur, agir en complémentarité avec l'école de conduite, discuter avec l'apprenti conducteur de ses forces et de ses faiblesses et le faire progresser vers l'autonomie. Pour un accompagnateur, superviser un apprenti conducteur peut être une source de stress et peut mettre au défi sa capacité à rester calme et concentré, surtout en considérant que la majorité des apprentis conducteurs ont entre 16 et 24 ans et que c'est généralement le parent qui agit à titre d'accompagnateur. Une relation parfois déjà difficile peut s'envenimer dans des situations de stress telles que la conduite d'un véhicule de promenade.

Pour que l'accompagnateur puisse bien exercer son rôle, c'est-à-dire faire face calmement aux diverses situations qui se présentent et être en mesure de suivre la hiérarchie des apprentissages appliquée à l'école de conduite, il est fortement conseillé d'utiliser le *Guide de l'accompagnateur* qui a été remis avec le *Carnet d'accès à la route* et qui est également disponible sur le site Internet de la SAAQ à l'adresse www.saaq.qc.ca.

CONCLUSION

Vous avez maintenant votre permis d'apprenti conducteur, qui vous permet de prendre le volant sous la supervision de votre accompagnateur. Votre défi, dans les prochains mois, sera de vous forger une expérience de la route dans diverses situations et différentes circonstances. N'oubliez pas, la conduite d'un véhicule est une tâche complexe et elle l'est particulièrement pour un apprenti conducteur. La maîtrise des situations de conduite et l'adoption de comportements sécuritaires, coopératifs et responsables exigent du temps, une bonne dose d'engagement et le soutien de votre moniteur ainsi que celui de votre accompagnateur.

Éducation routière
educationroutiere.saaq.gouv.qc.ca

Activité

L'accompagnateur

Il est important de connaître le rôle et les responsabilités de l'accompagnateur et de l'apprenti conducteur ainsi que les conditions de réussite à mettre en place pour atteindre les objectifs visés par la conduite accompagnée.

TITRE DE L'ACTIVITÉ L'accompagnateur

TÂCHES À RÉALISER

En équipes de travail (10 minutes)

- Nommez un porte-parole pour le retour en séance plénière.

- Prenez environ 10 minutes pour répondre aux questions suivantes :

  - En tant qu'accompagnateur, pouvez-vous nommer les pires attitudes et comportements d'un accompagnateur au cours des pratiques sur la route ?

  - En tant qu'apprenti conducteur, pouvez-vous nommer les pires attitudes et comportements d'un accompagnateur au cours des pratiques sur la route ?

En séance plénière (20 minutes)

- Présentez les résultats de vos travaux.

Bilan de l'activité

La période de conduite accompagnée et les apprentissages qui y sont réalisés seront déterminants pour vous et pour votre avenir en tant que conducteur.

Plus vous ferez de sorties fréquentes et variées avec votre accompagnateur, mieux vous serez préparé à utiliser le réseau routier de façon sécuritaire lorsque vous serez seul au volant.

Votre rôle comme apprenti conducteur

- Respectez votre rythme d'apprentissage.
- Soyez en état de conduire avant de partir (sobre, reposé, etc.).
- Faites-vous confiance !
- Évitez l'excès de confiance.
- Demandez un arrêt à votre accompagnateur pendant le parcours si vous vous sentez stressé.
- Soyez ouvert aux commentaires de votre accompagnateur.

Et n'oubliez pas, il n'y a pas de modèle parfait d'apprenti conducteur !

Vos responsabilités comme apprenti conducteur

- Assurez-vous d'avoir votre permis d'apprenti conducteur avec vous[1].
- Respectez en tout temps les règles de la circulation et de conduite sur le réseau routier.
- Signalez vos intentions aux autres usagers de la route.
- Respectez les limites de vitesse.
- Respectez la règle du zéro alcool.
- Attachez votre ceinture de sécurité.

Pour en savoir plus, consultez le *Guide de l'accompagnateur.*

Individuellement

Ce que j'ai appris au cours de cette activité :

_____

_____

_____

_____

_____

---

1. Selon le Code de la sécurité routière (CSR) (article 97), la personne qui conduit un véhicule routier doit avoir avec elle son permis sinon elle est passible d'une amende de 30 $ à 60 $. En outre, en vertu de l'article 99 du CSR, si vous conduisez sans être assisté d'une personne qui est titulaire d'un permis de conduire valide depuis au moins deux ans, vous êtes passible d'une amende de 200 $ à 300 $.

Conduite dirigée

Durée : 1 heure
Circuit : Facile
Circulation : Minimale

PARTICULARITÉS

Familiarisation avec le véhicule

Techniques pour explorer l'environnement

LES MANŒUVRES ET LES COMPORTEMENTS

Départ
- Préparer le véhicule pour le déplacement
- Se doter d'une position de conduite sécuritaire

Manœuvres de base
- Conduire en ligne droite
- Maîtriser le volant
  - Positionner correctement les mains sur le volant
  - Manier correctement le volant
- Contrôler la direction du véhicule
- Contrôler et maintenir la vitesse du véhicule
- Contrôler l'accélération du véhicule
- Contrôler le freinage et l'immobilisation du véhicule
- Quitter le véhicule

Vision
- Explorer l'environnement grâce au balayage visuel

EN TOUT TEMPS, L'APPRENTI CONDUCTEUR DOIT :
- **Respecter le Code de la sécurité routière et le Code criminel**
- **Respecter la signalisation routière**
- **Appliquer les règles de courtoisie**
- **Coopérer avec les usagers de la route, particulièrement avec les usagers vulnérables (partage de la route)**
- **Adopter une conduite sécuritaire, coopérative et responsable**
- **Prendre des décisions conformes à la sécurité routière**

LE MONITEUR DOIT S'ASSURER QUE L'APPRENTI CONDUCTEUR :

Observe
- Repère les caractéristiques techniques du véhicule utilisé
- Explore l'environnement
  - Balayage visuel :
    - Ne fixe pas
    - Garde les yeux en mouvement
    - Porte le regard loin
    - Élargit son champ de vision (regard large)

Évalue
- Évalue l'état du véhicule
- Évalue l'environnement

Agit
- Se dote d'une position de conduite sécuritaire
- Manœuvre le véhicule de façon sécuritaire
- Quitte le véhicule de façon sécuritaire

Éducation routière
educationroutiere.saaq.gouv.qc.ca

Apprentissage sur la
Route

Sortie 1

Conduite dirigée

Phase

2

Apprentissage sur la
Route

Conduite dirigée

Sortie 2

Durée : 1 heure
Circuit : Facile
Circulation : Minimale

PARTICULARITÉS

Autres usagers

Stratégie de conduite Observer – Évaluer – Agir (OEA) : les grands principes

Priorités de passage

Angles morts

LES MANŒUVRES ET LES COMPORTEMENTS

Manœuvres

- Sortir de la cour en marche avant pour accéder au chemin public
- Partir en bordure de la route
- Stationner en bordure de la route

Intersection

- Traverser une intersection
  - Repérer les arrêts
  - Repérer les priorités de passage
- Effectuer un virage à une intersection avec ou sans arrêt

Immobilisation

- Ralentir en vue d'une immobilisation
- S'immobiliser à une intersection

Marche arrière

- Contrôler la marche arrière

Vision

- Explorer l'environnement
  - Balayage visuel
  - Vérifications par les rétroviseurs
  - Vérifications par-dessus l'épaule (angles morts)
- Détecter les arrêts

LE MONITEUR DOIT S'ASSURER QUE L'APPRENTI CONDUCTEUR :

Observe

- Explore l'environnement
  - Vérifications par les rétroviseurs
  - Balayage visuel :
    - Ne fixe pas
    - Garde les yeux en mouvement
    - Porte le regard loin
    - Élargit son champ de vision (regard large)
  - Vérifications par-dessus l'épaule (angles morts)
- Détecte les arrêts

Évalue

- Évalue les priorités de passage
- Prévoit les changements des feux de circulation

Agit

- Communique ses intentions par l'utilisation des clignotants (de façon appropriée et au bon moment)
- S'assure d'être vu par les autres usagers
- Positionne le véhicule dans la voie pour le virage
- Adopte un comportement sécuritaire, coopératif et responsable

EN TOUT TEMPS, L'APPRENTI CONDUCTEUR DOIT :

- **Respecter le Code de la sécurité routière et le Code criminel**
- **Respecter la signalisation routière**
- **Appliquer les règles de courtoisie**
- **Coopérer avec les usagers de la route, particulièrement avec les usagers vulnérables (partage de la route)**
- **Adopter une conduite sécuritaire, coopérative et responsable**
- **Prendre des décisions conformes à la sécurité routière**

Éducation routière
educationroutiere.saaq.gouv.qc.ca

CONDUITE **ACCOMPAGNÉE**

LA MAÎTRISE **DU** VÉHICULE

La voiture est soumise aux lois de la physique. Un virage, un freinage, la montée ou la descente d'une côte sont de beaux exemples de leur application. La voiture seule, ne pouvant y faire face, il appartient au conducteur de rester maître de sa voiture et de sa vitesse en toutes circonstances, quel que soit l'état de la chaussée, les difficultés de circulation et les obstacles.

LES **LOIS** DE **LA PHYSIQUE**

Les descriptions qui vont suivre illustrent les lois de la physique qui s'appliquent sur un véhicule en mouvement. Prenons l'exemple de la gravité : descendre une côte, augmente la vitesse. Si on freine dans cette côte, la distance d'arrêt sera plus longue que si on freinait en terrain plat.

LA **FRICTION**

Friction signifie l'action de frotter (traction). Ce terme désigne également la force qui oppose une résistance au mouvement lorsque deux surfaces sont en contact l'une de l'autre. Ce phénomène se produit à divers niveaux dépendants :

- Des pneus (type, pression d'air, usure...) ;
- Du type de chaussée (asphalte, gravier, terre...) ;
- De l'état de la chaussée (sèche, mouillée, enneigée...) ;
- De la masse du véhicule ;
- De la vitesse du véhicule (le facteur le plus déterminent).

LA **GRAVITÉ**

La gravité nous maintient au sol. La force d'attraction que la terre exerce provoque une perte de vitesse si on monte une côte et une accélération si on la descend. En montée, vous aurez donc à accentuer la pression sur l'accélérateur alors qu'en descente vous aurez à le relâcher, et possiblement à appuyer sur la pédale de frein. Dépendant de l'angle de la pente, vous aurez peut-être à rétrograder ou à compresser.

L'**INERTIE**

La loi de l'inertie a été élaborée par Isaac Newton. Elle s'édicte comme suit : « Un corps au repos a tendance à demeurer au repos. » On l'appelle inertie statique. « Un corps en mouvement continuera de se mouvoir en ligne droite à moins qu'une force réagisse contre lui. » On l'appelle l'inertie dynamique.

Plus un véhicule accélère, plus celui-ci et ses occupants cumulent de l'énergie cinétique et plus la force d'inertie fait effet. Dans une courbe, pour que le véhicule puisse la négocier, il faut que les pneus exercent une force de traction qui excède la force d'inertie créée par le véhicule et ses passagers. Il n'y a pas que les occupants du véhicule qui sont soumis aux forces de l'inertie. C'est pourquoi le port de la ceinture et l'importance de fixer les objets qui sont transportés sont primordiaux.

LA FORCE **CENTRIFUGE**

La force centrifuge tend à attirer le véhicule vers l'extérieur de la courbe que vous négociez. Il faut donc combattre l'inertie. Il importe donc que l'adhérence des pneus soit suffisante pour éviter le dérapage du véhicule qui pourrait le faire sortir à l'extérieur du virage. Attention : tout ce qui nuit à la friction peut aussi réduire l'adhérence sur la chaussée.

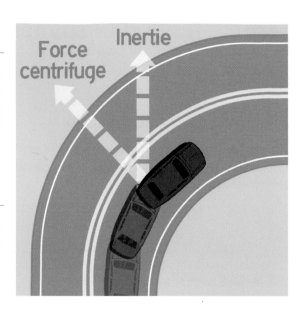

L'ÉNERGIE **CINÉTIQUE**

Tout corps en mouvement accumule une énergie cinétique dont la quantité varie selon sa masse et sa vitesse. Plus un véhicule est lourd, plus il frappe fort. Plus un véhicule roule vite, plus il frappe fort ($EC = \frac{1}{2}\,M\,V^2$).

Quand la vitesse est doublée, l'énergie cinétique est quadruplée.

Quand la masse est doublée, l'énergie cinétique est doublée.

LA FORCE D'**IMPACT**

C'est l'énergie cinétique ($EC = \frac{1}{2}\,M\,V^2$) accumulée par un véhicule lors d'une collision.

Lors d'une collision qui semble inévitable, le conducteur doit tenter de réduire la vitesse de son véhicule avant l'impact. La collision frontale est l'un des pires impacts. Aussi, s'il peut diriger son véhicule vers des obstacles offrant moins de résistance, cela diminuera la force d'impact. En cédant sous le choc, ces objets absorbent l'énergie cinétique du véhicule réduisant ainsi les blessures potentielles causées aux occupants.

Au moment de la collision, la vitesse a une grande influence sur la violence des chocs.

En cas de collision la ceinture de sécurité joue un très grand rôle. Elle permet de distribuer la force du choc sur les parties plus solides du corps comme les hanches et les épaules.

- À 50 km/h, le choc équivaut à une chute du haut d'un édifice de 3 étages ;

- À 75 km/h, le choc équivaut à une chute du haut d'un édifice de 7 étages ;

- À 100 km/h, le choc équivaut à une chute du haut d'un édifice de 12 étages.

CIRCULER **DE FAÇON** SÉCURITAIRE

MAÎTRISER LES **MANŒUVRES DE BASE**

Accès au véhicule : si votre véhicule est stationné au bord de la côte, accédez à celui-ci en faisant face à la circulation.

DÉMARRER LE **MOTEUR**

Consultez le manuel du propriétaire pour connaître les particularités de votre véhicule concernant le démarrage. Normalement vous devez :

- Vous assurer que le frein de stationnement est appliqué ;

- Que le levier de vitesse est à la position (P) (en transmission manuelle, enfoncer la pédale d'embrayage et mettre le levier de vitesse à la position N) ;

- Tourner la clé de contact à la position (On) ;

- Vérifier tous les voyants lumineux et les indicateurs ;

- Tourner la clé de contact à la position (Start) ;

- Relâcher la clé dès que le moteur démarre.

Si l'un des témoins de couleur rouge reste allumé, coupez le contact et consultez un mécanicien. Si le démarrage est difficile, évitez de trop insister pour éviter d'affaiblir la batterie.

SE PRÉPARER À LA **MISE EN MOUVEMENT**

Avant de se mettre en marche :

- Appuyer sur la pédale de frein ;

- Désengager le frein de stationnement ;

- Engager le levier de vitesse (pour une transmission automatique, à la position (D) pour avancer (R) pour reculer, pour une transmission manuelle, enfoncer la pédale d'embrayage et placer le levier de vitesse à 1 pour avancer ou à R pour reculer) ;

- Allumer les phares si nécessaire ;

- Mettre les accessoires nécessaires en marche ;

- Freiner afin de sortir de la position (P).

MAÎTRISER **LE VOLANT**

Il faut le tenir fermement en gardant les mains idéalement à la position 10 h et 2 h. La position 9 h et 3 h peut aussi convenir.

CONDUIRE EN **LIGNE DROITE**

Pour ce faire, il faut regarder loin (plus ou moins 12 secondes) et garder les mains sur le volant. S'il est nécessaire de corriger la trajectoire du véhicule, il faut le faire en douceur en évitant les coups de volant. Plus la vitesse est élevée plus le coup de volant peut être dangereux.

PRENDRE **LES VIRAGES**

Pour mieux évaluer l'orientation des roues, le conducteur doit tourner le volant seulement lorsque le véhicule est en mouvement. S'il doit tourner le volant plus d'un demi-tour, la meilleure méthode est celle du croisement des mains.

CROISEMENT DES MAINS :

- En tenant le volant avec les deux mains, tournez le volant vers la direction désirée ;

- La main qui se trouve plus bas relâche prise et passe par-dessus l'autre main ;

- Ce mouvement entraîne le croisement des bras. Alors, il faut ensuite décroiser ;

- Répétez ces mouvements selon la nécessité.

Il existe deux méthodes pour faire revenir le véhicule en ligne droite. La première est le braquage inversé, c'est-à-dire la méthode du croisement des mains expliquée dans la section précédente. Cette méthode convient bien lorsque le conducteur circule à très basse vitesse, par exemple pour stationner son véhicule.

La seconde consiste à laisser glisser le volant entre les mains, tout en accélérant un peu pour faciliter son retour. Cette méthode peut exiger une légère correction de la trajectoire pour retrouver la ligne droite. Il est important de regarder loin à la sortie du virage pour avoir succès.

RALENTIR EN VUE D'UNE **IMMOBILISATION**

PRÉCAUTIONS À PRENDRE :

- Jeter un coup d'œil dans le rétroviseur ;

- Laisser remonter l'accélérateur ;

- Freiner un peu plus fort au début, cela dissipe plus vite l'énergie cinétique du véhicule et améliore la précision du freinage.

MANIPULER LE **LEVIER DE VITESSE** (TRANSMISSION AUTOMATIQUE)

Sur la colonne de direction : le conducteur doit le tirer vers lui pour le verrouiller et ensuite l'actionner de bas en haut (ou l'inverse).

Au plancher : Peser sur un bouton poussoir pour le déverrouiller et l'actionner de l'avant vers l'arrière (ou l'inverse). N.B. S'assurer que le véhicule est bien immobile avant de passer de la marche avant à la marche arrière, ou l'inverse, ou pour passer au P.

LA **MARCHE ARRIÈRE**

Pour effectuer une marche arrière sécuritaire, le conducteur doit adopter une position qui lui permet de voir la trajectoire que prendra le véhicule. Regardez par le centre de la fenêtre arrière.

- Actionnez les clignotants du côté où vous voulez tourner ;

- Enfoncez la pédale de frein et passez la transmission au R (les feux blancs de recul s'allument ;

- Désengagez le frein de stationnement ;

- Faire un balayage visuel de 360° pour s'assurer que la voie est libre ;

- Tournez la tête et le corps du côté de la manœuvre ;

- Reculez en tenant une pression sur le frein pour contrôler la vitesse du véhicule et tournez le volant dans la direction voulue ;

- Regardez par la lunette arrière en tournant la tête et le tronc vers la droite alors que la main gauche tient le volant (en tournant à gauche, il faut regarder en avant, à droite et à l'arrière du véhicule) ;

- Jetez de fréquents et rapides coups d'œil tout autour ;

- Bien se placer dans l'espace choisi et ramenez les roues droites avant d'immobiliser le véhicule.

STATIONNER

Avant tout, le conducteur doit s'assurer que le stationnement est permis. Il existe plusieurs façons de stationner le véhicule :

- À angle de 45 degrés appelé aussi en épi ;
- À angle de 90 degrés ;

- En file.

S'ENGAGER DANS UN **ESPACE DE STATIONNEMENT**

Stationner en marche arrière permet une meilleure visibilité au moment de quitter l'espace de stationnement. On diminue ainsi les risques d'accident.

STATIONNER À 45° OU 90° OU EN PARALLÈLE

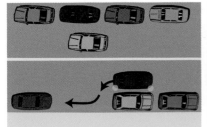 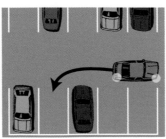

QUITTER UN ESPACE DE STATIONNEMENT

Le conducteur doit vérifier 360° avant de se déplacer et signaler son intention.

SE DÉPLACER

ENTRER SUR UN **CHEMIN PUBLIC**

Avant de s'engager sur un chemin public le conducteur doit évaluer si la manœuvre est permise (sens unique), l'état de la circulation, la vitesse des véhicules, l'état de la chaussée. Il doit vérifier dans le rétroviseur et dans l'angle mort où on dirigera le véhicule. Il actionne les feux de changement de direction du côté ou l'on souhaite diriger son véhicule. Il regarde à gauche, à droite et de nouveau à gauche et s'engage.

Le conducteur devrait, pendant ses vérifications avant de s'engager, garder un angle de 90° avec la rue où il veut aller. Ceci lui permet d'avoir une meilleure vision gauche, droite, avant, droite, gauche. De plus, la nuit, ses phares ne risquent pas d'éblouir les autres conducteurs qui circulent déjà sur cette rue.

CONDUIRE EN **LIGNE DROITE**

Pour conduire en ligne droite, le conducteur doit regarder droit devant lui afin que son véhicule soit bien centré dans la voie. Il doit aussi bouger souvent les yeux, car un regard fixe peut fausser la trajectoire du véhicule. Tout comme :

- Des vents latéraux ;
- L'état ou l'inclinaison de la chaussée ;
- Les ornières ;

- Un déplacement d'air provoqué par un véhicule lourd venant en sens inverse ou au moment d'un dépassement ;
- Des pneus insuffisamment gonflés ;
- Un mauvais parallélisme des roues.

Il est important que le conducteur regarde loin pour apporter un correctif de redressement en douceur surtout s'il circule à grande vitesse.

PRENDRE UNE **COURBE**

Le conducteur qui approche d'une courbe doit savoir à quelle vitesse la négocier en tenant compte de son champ de vision, de la vitesse recommandée, du rayon, de l'angle et de l'inclinaison de la courbe, de l'état de la chaussée et des conditions météorologiques.

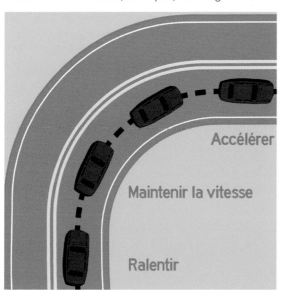

Pour négocier une courbe il doit :

- Ralentir avant le début de la courbe lorsqu'il circule en ligne droite ;
- Regarder loin en avant dans la direction de la courbe ;
- Tourner le volant à l'entrée de la courbe pour diriger le véhicule vers l'intérieur de la courbe en restant dans sa voie sans toucher les limites de la courbe ni l'accotement ;
- Maintenir sa vitesse une fois engagé dans la courbe ;
- Accélérer de façon progressive à la sortie de la courbe.

SORTIR DE **LA CIRCULATION**

Pour accéder à une entrée privée ou publique, pour stationner en bordure de la chaussée, le conducteur doit suivre les consignes de sécurité suivantes :

- Planifier l'endroit où il est préférable de sortir de la circulation ;

- Se placer dans la voie appropriée ;

- Vérifier rétroviseurs et angles morts. Actionner les clignotants ;

- Se ranger sur le bord de la chaussée ou effectuer le virage s'il y a lieu.

Lorsqu'il entre dans un terrain de stationnement, le conducteur doit surveiller la position et le mouvement des autres usagers, car plusieurs ne respectent pas les couloirs de circulation et circulent à des vitesses trop élevées pour l'endroit.

SE PRÉPARER À **QUITTER LE VÉHICULE**

Une fois le véhicule immobilisé vous devez:

- Engager le frein de stationnement ;

- Passer en position (P) ;

- Couper le moteur ;

- S'assurer que les phares sont éteints ;

- Retirer la clé de l'allumage ;

- Regarder dans les rétroviseurs et dans l'angle mort, pour s'assurer qu'il n'y a pas d'autre véhicule ni de vélo qui s'approchent du véhicule ;

- Ouvrir la portière seulement après s'être assuré qu'on peut sortir en toute sécurité ;

- Verrouiller les portes ;

- Enfin, il est conseillé de quitter le véhicule en faisant face à la circulation.

FRANCHIR **UNE INTERSECTION**

Les risques de collision sont plus élevés lorsque le conducteur franchit une intersection. Celui-ci doit porter une attention toute particulière aux cyclistes et aux piétons.

S'**IMMOBILISER** À **UNE INTERSECTION**

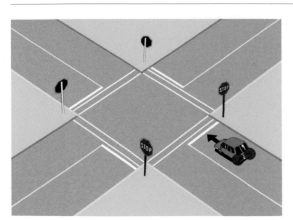

Lorsqu'il immobilise son véhicule à une intersection, le conducteur doit :

- Respecter le lieu d'arrêt et laisser l'intersection libre ;

- Maintenir une distance suffisante avec le véhicule devant (le conducteur devrait voir les roues arrières du véhicule).

Le conducteur doit faire un arrêt complet et en douceur du véhicule :

- Il vérifie l'état de la circulation à l'avant et à l'arrière ;

- Il freine en douceur ;

- Il s'immobilise et maintient le pied sur la pédale de frein.

TRAVERSER UNE INTERSECTION

Les intersections sont des endroits à haut risque d'accident. Les véhicules, les cyclistes et les piétons venant de diverses directions s'y croisent. Vous devez donc faire preuve d'une grande attention pour y interpréter la signalisation et y déceler tous les indices de danger.

Pour franchir une intersection de façon sécuritaire :

• Regardez à gauche ;

• Puis à droite ;

• De nouveau à gauche.

Traversez seulement lorsque l'intersection est libre. Si la visibilité est réduite, avancez lentement en appuyant sur la pédale de frein. La priorité est accordée aux véhicules, aux cyclistes ou aux piétons déjà engagés.

EFFECTUER UN VIRAGE À UNE INTERSECTION

VIRAGE À DROITE

À l'approche de l'intersection ou de l'allée où vous désirez tourner à droite, il faut vous placer le plus près possible de la bordure droite de la chaussée ou du côté droit de la route.

Procédure habituelle :

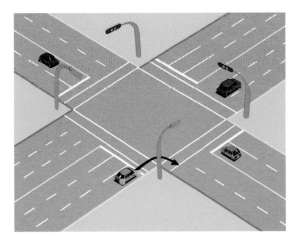

1. Prenez la décision de tourner à droite bien à l'avance.

2. Actionnez le clignotant de droite, vérifiez l'état de la circulation dans les rétroviseurs et vérifiez dans l'angle mort de droite. S'il n'y a aucun danger, approchez-vous le plus près possible du trottoir.

3. Vérifiez l'arrivée d'autres véhicules, de cyclistes et la présence de piétons et tout autre danger réel ou possible dans l'intersection et aux abords. Une exploration visuelle relativement simple suffit : vers la gauche, droit devant, vers la droite, et encore une fois vers la gauche.

4. Ralentissez. Identifiez à nouveau tous les dangers réels et possibles.

5. S'il n'y a aucun danger, tournez à droite et placez-vous dans la voie appropriée et accélérez graduellement.

VIRAGE À GAUCHE

Un virage à gauche est plus dangereux qu'un virage à droite, car il faut tenir compte de la circulation qui vient de deux directions ou plus. L'exploration visuelle devient donc encore plus importante et elle doit se poursuivre pendant tout le virage.

Pour effectuer un virage à gauche, vous devez vous approcher de l'intersection dans la voie la plus rapprochée qui permet le déplacement dans le sens désiré sur l'autre rue ou l'autre route.

Voici la procédure habituelle :

1. Si vous devez changer de voie, prenez la décision de tourner à gauche bien à l'avance. Actionnez le clignotant de gauche pour signaler votre intention et vérifiez l'issue arrière pour voir s'il n'y a pas de véhicule juste derrière vous. Placez-vous sur la partie gauche de la voie de gauche.

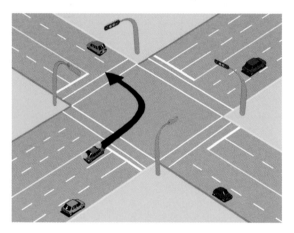

2. Vérifiez l'arrivée d'autres véhicules, de cyclistes et la présence de piétons et tout autre danger réel ou possible dans l'intersection et aux abords. Effectuez une exploration visuelle de base : vers la gauche, droit devant, vers la droite, et encore une fois vers la gauche.

3. Ralentissez.

4. Identifiez à nouveau tous les dangers réels et possibles. Assurez-vous de repérer tous les véhicules qui arrivent en sens inverse.

5. Si vous devez vous arrêter à l'intersection pour laisser passer les véhicules en sens inverse, assurez-vous que votre véhicule est parallèle à la voie et que vos roues avant sont droites. De cette façon, si un autre véhicule vous heurte à l'arrière, vous ne vous retrouverez pas au milieu de la circulation en sens inverse.

6. S'il n'y a aucun danger, tournez à gauche et placez-vous dans la voie appropriée.

EFFECTUER UN **VIRAGE EN DOUBLE**

Des panneaux ou des feux de circulation autorisent parfois les virages à partir de deux voies ou plus. Dans ce cas, vous devez compléter le virage sans déborder de la voie correspondante à celle que vous suiviez en approchant l'intersection et dans laquelle vous avez commencé le virage.

S'ADAPTER À **LA CIRCULATION**

Le conducteur doit au préalable observer son environnement et évaluer ce qu'il peut faire.

FAIRE **DEMI-TOUR**

Vous ne pouvez franchir un terre-plein, un fossé ou tout autre aménagement qu'aux intersections et aux endroits prévus à cette fin. Certains panneaux interdisent les virages en U.

CHANGER **DE VOIE**

Le conducteur doit s'assurer qu'il a le droit de changer de voie à l'endroit désiré et qu'il peut le faire de façon sécuritaire.

POUR CHANGER DE VOIE :

1. Décidez bien à l'avance s'il est nécessaire de changer de voie. Vérifiez les issues.

2. Vérifiez dans les rétroviseurs que l'issue est ouverte et qu'aucun autre véhicule ne va s'y engager.

3. Jetez un coup d'oeil par-dessus l'épaule pour vérifier l'angle mort.

4. Actionnez le clignotant pour signaler votre intention de changer de voie.

5. Revérifiez les rétroviseurs et l'angle mort.

6. Regardez loin devant où vous voulez guider le véhicule et tournez le volant dans la bonne direction.

7. Accélérez doucement et laissez le véhicule se déporter vers l'endroit que vous fixez.

8. Éteignez le clignotant. Vérifiez si les issues sont encore ouvertes. Modifiez votre vitesse au besoin.

DÉPASSER

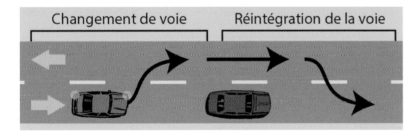

Pour dépasser:

1. Assurez-vous d'abord que le dépassement est réglementaire et qu'il ne présente aucun danger. Il est interdit de franchir les lignes continues jaunes, qu'elles soient simples ou doubles. Ne dépassez pas au sommet d'une côte, à l'approche d'une courbe, à une intersection ou encore quand votre champ de vision n'est pas suffisant.

2. Restez trois secondes derrière le véhicule qui vous précède. Commencez à accélérer dès que vous avez décidé de dépasser. Plus votre vitesse est supérieure à celle du véhicule dépassé, plus le dépassement s'effectuera rapidement.

3. Continuez à accélérer durant tout le dépassement. Ne ralentissez pas avant d'être revenu dans la voie de droite et d'être bien en avant du véhicule dépassé. Mais rappelez-vous qu'il est interdit de dépasser la limite de vitesse, même lors d'un dépassement.

4. Attendez de bien voir tout le véhicule dépassé dans le rétroviseur intérieur avant de commencer à vous rabattre sur la voie de droite.

Note: À vitesse élevée, les changements de voies s'effectuent plus graduellement et prennent donc plus de temps. Vous devez toujours dépasser un autre véhicule par la gauche sauf :

• Si le véhicule qui vous précède effectue un virage à gauche et qu'il est possible de le dépasser par la droite en toute sécurité, sans rouler sur l'accotement.

202

SUR UNE **AUTOROUTE**

Le dépassement peut paraître plus facile sur une autoroute en raison du nombre de voies à sens unique. Il faut toutefois rester attentif. À cause de la vitesse élevée, le conducteur qui désire dépasser doit se montrer particulièrement attentif :

- À la hauteur d'une entrée ou d'une sortie ;

- Dans une courbe ;

- Sur les viaducs et les ponts où les accotements sont réduits ;

- À la voie de gauche lorsqu'elle est glacée ou enneigée.

Une fois le véhicule dépassé, le conducteur doit réintégrer la voie de droite parce que la voie de gauche est réservée au dépassement.

ÊTRE **DÉPASSÉ**

Le conducteur qui se fait dépasser doit collaborer le plus possible avec le conducteur qui le dépasse et circuler à une vitesse normale, au centre de sa voie.

En cas de risque d'accident avec un véhicule qui vient en sens inverse, le conducteur doit savoir évaluer rapidement la situation. De plus, il doit adapter sa réaction dans les deux situations suivantes :

- Lorsque le conducteur du véhicule qui dépasse accélère pour vite retourner dans la voie de droite, il faut ralentir ;

- Lorsque le conducteur du véhicule qui dépasse cesse la manœuvre de dépassement, jugeant qu'il serait plus risqué de continuer que de ralentir, il est préférable d'accélérer un peu. Une accélération en toute sécurité est justifiée puisqu'elle permet à l'autre conducteur de retourner dans la voie de droite et d'éviter une collision ;

ENTRER SUR UNE **AUTOROUTE**

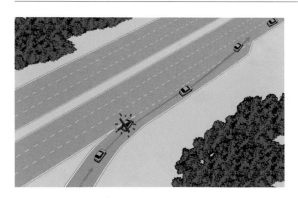

La règle fondamentale consiste à prendre rapidement de la vitesse dans la voie d'accélération jusqu'à ce que vous rouliez à la même vitesse que les véhicules circulant déjà sur l'autoroute.

Vous devez aussi planifier la procédure à suivre pour vous insérer dans la circulation.

1. Depuis la bretelle d'accès, surveillez l'état de la circulation sur l'autoroute et repérez une trouée où il sera possible de vous glisser sans danger.

2. Accélérez aussi vite que nécessaire dans la voie d'accélération.

3. Vérifiez vos miroirs ainsi que l'angle mort.

4. Actionnez le clignotant, revérifiez les miroirs et jetez un coup d'oeil rapide par-dessus l'épaule pour vérifier une dernière fois la circulation, puis continuez votre accélération pour vous engager sur l'autoroute dans la voie appropriée.

CIRCULER SUR UNE AUTOROUTE

Le conducteur doit rester plus vigilant, parce que la vitesse est plus élevée :

• Regarder loin devant soi ;

• Circuler dans l'une des voies de droite ;

• Maintenir une distance sécuritaire ;

• Vérifier l'indicateur de vitesse régulièrement ;

SORTIR D'UNE AUTOROUTE

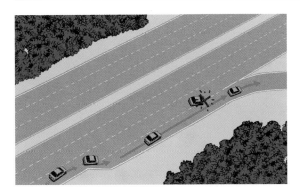

Pour quitter une autoroute, actionnez-le clignotant pour signaler votre intention et déportez-vous dans la voie de décélération. Ralentissez dans la voie de décélération et non pas sur l'autoroute. Surveillez bien votre vitesse, car certaines voies de décélération sont relativement courtes. Méfiez-vous, car en quittant l'autoroute, vous aurez tendance à sous-estimer votre véritable vitesse et à ne pas ralentir suffisamment.

DES EXERCICES D'APPRENTISSAGE

Consulter le site web : Éducation routière
http://educationroutiere.saaq.gouv.qc.ca

ADAPTER SA CONDUITE AUX SITUATIONS PARTICULIÈRES

SUR UN TERRAIN DE STATIONNEMENT

Rouler lentement et prévoir que certains conducteurs ne suivent pas les corridors. Faire des balayages visuels fréquents.

DANS UNE RUE ÉTROITE

Ralentir. Évaluer les distances qui séparent des véhicules venant en sens inverse ou stationner en bordure.

DANS UNE **ZONE SCOLAIRE**

La limite de vitesse est de 50 km/h, parfois 30 km/h si un panneau l'indique. Le conducteur doit respecter la limite de vitesse, les passages pour écoliers et les signaux du brigadier. Il doit porter une attention particulière aux autobus scolaires qui ont leurs feux intermittents rouges allumés.

DANS UN **TUNNEL**

S'assurer que ses phares sont allumés, être prudent à l'entrée et la sortie, car les yeux doivent s'adapter aux changements de luminosité. Garder une distance sécuritaire et prévoir l'effet possible des vents violents à la sortie.

À L'APPROCHE D'UN **PONT**

Anticiper le rétrécissement possible de la route. Cédez le passage aux véhicules déjà engagés qui viennent en sens inverse.

À L'APPROCHE D'UN **PASSAGE À NIVEAU**

RALENTIR – SURVEILLER – ÉCOUTER

S'immobiliser à au moins 5 mètres si les feux rouges de passage à niveau clignotent ou si un train s'en vient.

Les autobus, minibus et les véhicules transportant des matières dangereuses doivent s'arrêter en tout temps. Le conducteur qui suit l'un de ces véhicules doit donc se préparer à arrêter.

PRÈS DES **ÉCHANGEURS**

Les échangeurs permettent de changer de route sans avoir à croiser d'autres véhicules. Près des échangeurs, il faut observer la signalisation qui indique quelle voie emprunter. En général, les entrées et les sorties se font à droite. Il en existe cependant certaines avec entrée ou sortie à gauche.

DANS UN **EMBOUTEILLAGE**

Patience. Collaborez avec les autres conducteurs. Ne circulez pas sur l'accotement, que si cela est indiqué. Certaines stations de radio donnent régulièrement des bulletins de circulation. Il est bon de les écouter avant un déplacement, surtout en période de pointe.

EN ZONE **AGRICOLE**

Attention aux entrées d'exploitation agricole. Des piétons, des véhicules, de la machinerie ou des animaux peuvent surgir. La visibilité peut être réduite à cause des côtes, des courbes ou par la poussière soulevée sur les chemins de gravier.

EN PRÉSENCE D'UN **CHANTIER ROUTIER**

La présence de panneaux orange attirera l'attention du conducteur à l'approche d'un chantier. La limite de vitesse indiquée doit être respectée. Le conducteur doit être particulièrement vigilant du déplacement des travailleurs et de la machinerie. Il importe de bien analyser les modifications à la circulation, surtout si une partie de la chaussée est bloquée ou si elle se fait en alternance ou à contresens.

AUX **CROISEMENTS** DES ROUTES

Trois accidents sur quatre se produisent aux croisements des routes. Vérifier la signalisation : feux de circulation, feux intermittents, panneaux d'arrêt. Respecter les priorités de passage, toujours céder le passage aux véhicules, aux cyclistes et aux piétons déjà engagés dans l'intersection. Être prêt à ce que certains conducteurs ne respectent pas les règles de priorité.

DANS UNE **CÔTE MONTANTE**

Dans les côtes abruptes, on ne peut voir un véhicule venant en sens inverse. C'est pourquoi il faut être attentif et se tenir à droite dans sa voie, au cas où on rencontrerait un véhicule venant en sens inverse au centre de la chaussée.

On doit ralentir avant d'arriver au sommet d'une côte, il peut y avoir des impondérables tels une circulation ralentie, un obstacle sur la voie ou un véhicule sortant d'un stationnement, le soleil ou les phares d'un véhicule.

EN PRÉSENCE D'UNE VOIE **RÉSERVÉE** POUR **VÉHICULES LENTS**

Elles permettent aux véhicules qui circulent plus lentement de se ranger à droite pour laisser les véhicules les dépasser à gauche. À la vue du panneau jaune indiquant la perte d'une voie, le conducteur doit se préparer à réintégrer la voie principale. Une nouvelle signalisation, dans un cas pareil, peut obliger tous les conducteurs à garder la voie de droite sauf pour dépasser.

DES **EXERCICES D'APPRENTISSAGE**

Consulter le site web : Éducation routière
http://educationroutiere.saaq.gouv.qc.ca

LES CONDITIONS DIFFICILES

LA CONDUITE DE NUIT

La conduite de nuit nécessite l'utilisation :

- De feux de croisement si l'on suit ou croise un autre usager ou si l'on roule en ville ;

- De feux de route lorsque la route n'est pas éclairée. Quand on croise ou suit un autre usager, il

faut repasser aux feux de croisement. La nuit par temps clair, sur les routes étroites et sinueuses, les feux de route peuvent être complétés par les feux avant de brouillard ; il faudra aussi les enlever pour croiser ou suivre un autre usager.

Les risques supplémentaires à la tombée de la nuit :

- La baisse de la vigilance ;

- Le point noir lors du passage de la lumière à la pénombre ;

- La prise de conscience des obstacles seulement à leur entrée dans le faisceau des phares ;

- La présence accrue des animaux sauvages ou domestiques errants ;

- Les objets éclairés par les phares qui perdent en partie leurs couleurs ;

- Les mouvements plus difficiles à percevoir ;

- Les objets fixes qui disparaissent dans l'obscurité, ce qui rend difficile l'évaluation des distances ;

- Les obstacles qui risquent d'être aperçus trop tard.

RÉDUIRE SA VITESSE

Le champ de vision du conducteur est réduit, il doit donc réduire sa vitesse. À une vitesse plus basse, le conducteur aura suffisamment de temps pour immobiliser son véhicule quand un objet apparaît dans le faisceau lumineux du véhicule.

AUGMENTER LA DISTANCE AVEC LE VÉHICULE QUI PRÉCÈDE

Le conducteur à plus de difficulté à évaluer les distances entre lui et les autres la nuit. Il est important de prendre cela en considération et d'augmenter la distance de poursuite.

GARDER LE PARE-BRISE PROPRE ET EN BON ÉTAT

Le pare-brise du véhicule devrait toujours être propre. Il est illégal de conduire un véhicule avec un pare-brise fissuré.

CONSERVER UN BON ÉCLAIRAGE

Le conducteur doit s'assurer que les deux phares du véhicule sont propres et en bon état.

ÉVITER DE FIXER LES PHARES DES AUTRES VÉHICULES

Le conducteur peut être temporairement aveuglé. Pour éviter cela :

- Diriger les yeux vers la bordure droite de la route ;

- Ralentir si nécessaire.

ÉVITER D'AVEUGLER LES AUTRES CONDUCTEURS

Le conducteur doit conduire avec les feux de croisement :

- Lorsque le véhicule qui vous dépasse est à vos côtés ;
- Lorsque les phares d'un véhicule venant en sens inverse sont visibles ;
- Lorsqu'il suit ou s'apprête à dépasser un autre véhicule.

L'ÉBLOUISSEMENT

Le soleil et les phares des autres véhicules peuvent éblouir la vision d'un conducteur pendant plusieurs secondes.

LES **GOUTTES DE PLUIE**, LES **CRISTAUX DE NEIGE** ET LE **BROUILLARD**

La vision du conducteur peut être gênée par ces conditions climatiques. Le conducteur devrait utiliser les feux de croisement ou les phares antibrouillards.

L'ÉTAT DU **PARE-BRISE**

Un pare-brise sale augmente la difficulté de bien voir.

L'ÉCLAIRAGE À L'INTÉRIEUR DU VÉHICULE

La nuit, le conducteur devrait éteindre toutes les lumières à l'intérieure du véhicule, à l'exception du tableau de bord.

LES **CONDITIONS CLIMATIQUES**

Si le mauvais temps détériore les conditions routières, le conducteur doit en premier lieu adapter sa vitesse, augmenter sa distance de poursuite et conduire en douceur.

LA PLUIE

Sous une forte pluie, il faut :

- Ralentir, suivre de loin, manœuvrer en douceur ;
- Allumer les phares de croisement ainsi que les feux de position ;
- Assurer une bonne ventilation à l'intérieur afin d'éviter que les vitres s'embuent ;
- Demeurer actif visuellement ;
- S'il s'agit d'un orage violent, mieux vaut s'arrêter dans un endroit sécuritaire et attendre la fin de son passage.

LA BRUME OU LE BROUILLARD

La brume ou le brouillard empêchent de bien voir et d'être vu.

- Ralentissez graduellement et conduisez à une vitesse appropriée compte tenu des conditions ;

- Assurez-vous que tous vos feux sont allumés ;

- Utilisez vos feux de croisement. Les feux de route se reflètent dans les gouttelettes d'humidité du brouillard, ce qui réduit votre visibilité ;

- Si votre véhicule est doté de phares antibrouillard, allumez-les en plus d'utiliser vos feux de croisement, ils pourraient vous sauver la vie ;

- Faites preuve de patience. Évitez de dépasser, de changer de voie et de croiser d'autres véhicules ;

- Suivez les marques sur la chaussée. Servez-vous du bord de la chaussée à droite comme guide plutôt que de la ligne médiane ;

- Laissez une plus grande distance entre votre véhicule et celui qui vous précède afin de pouvoir freiner en toute sécurité ;

- Surveillez les panneaux électroniques d'avertissement ;

- Regardez aussi loin que possible devant vous ;

- Assurez-vous que vos glaces et vos rétroviseurs sont propres. Allumez votre dégivreur et activez vos essuie-glaces pour voir aussi bien que possible ;

- Si le brouillard est trop dense, rangez-vous sur le bord de la route, à un endroit où vous ne nuirez pas à la circulation, et allumez vos feux de détresse.

LES VENTS VIOLENTS OU LE DÉPLACEMENT D'AIR OCCASIONNÉ PAR LE PASSAGE DES VÉHICULES LOURDS

- Se méfier de l'effet de vent ;

- Ralentir et tenir fermement le volant ;

- Serrer un peu plus la droite. Sur une autoroute, circuler sur la voie la plus près de l'accotement ;

- Éviter de dépasser à moins d'une nécessité ;

- Attention aux petits véhicules, aux fourgonnettes, aux motos ou aux véhicules avec des bagages sur le toit ou qui tirent une remorque. Ils sont plus sensibles aux vents latéraux.

LES **SURFACES DANGEREUSES**

LES SURFACES GLISSANTES

Lorsqu'il pleut, l'eau se mêle à l'huile, à la poussière et aux autres matières déposées sur la chaussée. Ce mélange la rend glissante, surtout en début d'averse. Bien que celui-ci s'élimine quelques minutes plus tard, c'est à ce moment que les pneus adhèrent moins bien à la route.

- Ralentir, les limites maximales permises n'étant valables que sous des conditions normales. Suivre de plus loin, la distance de freinage étant plus longue. Éviter les changements brusques de direction. Se rappeler que des pneus larges ou usés augmentent le risque d'aquaplanage.

LA CHAUSSÉE ENDOMMAGÉE

Si le conducteur peut le faire en toute sécurité, il est préférable de contourner un trou profond ou une bosse importante de la chaussée.

- Ralentir avant la surface brisée. Passer lentement à l'endroit endommagé sans freiner. Reprendre la vitesse normale ensuite. Regarder loin en avant et surveiller la signalisation permettant de repérer d'avance ces endroits. Si le conducteur voit le trou ou la bosse à la dernière seconde, freiner le plus possible, relâcher le frein juste avant et bien tenir le volant. Reprendre ensuite une vitesse normale, mais être attentif aux bruits ou aux vibrations anormales qui pourraient s'ensuivre.

LES ROUTES DE TERRE OU DE GRAVIER

Il faut rouler moins vite, car la poussière soulevée par les véhicules diminuant la visibilité. Il faut aussi suivre de loin afin d'éviter les cailloux qui pourraient briser le pare-brise. Il faut beaucoup ralentir à l'approche des piétons ou des cyclistes pour ne pas les blesser par la projection de pierres ou les incommoder par la poussière.

LA **CONDUITE** HIVERNALE

La conduite hivernale exige une bonne capacité d'adaptation aux conditions ambiantes et une grande anticipation. Tout ce qu'il faut savoir sur les préparatifs pour l'hiver et la conduite hivernale.

AVANT CHAQUE DÉPART :

- Assurez-vous que votre voiture est complètement déneigée. Mettez votre balai à neige et votre grattoir à l'épreuve en faisant un tour complet des vitres, des rétroviseurs, du toit, du capot, des phares et de la plaque d'immatriculation.

- Renseignez-vous sur les conditions routières en utilisant le service **Québec 511 Info Transports**.

LA **PRÉPARATION** DE SON VÉHICULE

Le propriétaire du véhicule devrait le faire vérifier par un mécanique automobile pour s'assurer d'une conduite sécuritaire.

LES **PRÉCAUTIONS** D'USAGE

PNEUS D'HIVER

Au Québec, du 15 décembre au 15 mars, la loi oblige qu'un véhicule soit muni de pneus d'hiver.

Les dents d'un pneu, ce sont les rainures de sa bande de roulement. Plus elles sont profondes, meilleure sera la traction. En effet, la sculpture particulière des pneus d'hiver est conçue de façon à empêcher la neige de s'accumuler dans les rainures. La profondeur de celles-ci devrait être d'au moins 4,8 mm.

Le caoutchouc des pneus quatre-saisons perd de son élasticité et de son adhérence entre -8 et -15 °C, alors que le caoutchouc des pneus d'hiver perd de son élasticité à partir de -40 °C, une différence de taille.

Une fois par mois, vérifiez ou faites vérifier la pression des quatre pneus. Une baisse de pression d'aussi peu que 10 % peut rendre la conduite plus hasardeuse.

LE **RÉSERVOIR D'ESSENCE**

Afin d'éviter le gel dans les conduits d'essence, par temps froids, il est conseillé de faire le plein dès que le réservoir atteint la moitié. Ceci diminue le risque de formation de condensation et d'eau à l'intérieur de ce dernier.

BIEN **VOIR**

Bien dégager le véhicule de la neige ou de la glace avant de démarrer. S'assurer que les essuie-glaces fonctionnent bien et qu'il y a assez de lave-glace dans le réservoir.

LES **PHARES** ET LES **FEUX**

Les phares, les feux, les réflecteurs et la plaque du véhicule doivent être bien déneigés. Si nécessaire, s'arrêter régulièrement pour dégager les phares et les feux.

SOUS LES **AILES**

Il est bon d'enlever la neige ou la glace qui s'accumulent sous les ailes. Ces matières peuvent nuire au contrôle de la direction.

LES **FREINS**

En hiver, lorsque la chaussée est recouverte de glace ou de neige, les freins peuvent être moins efficaces. Conduire avec des bottes avec une grosse semelle rend la tâche de freiner encore plus difficile.

LA **MISE EN MOUVEMENT** DU VÉHICULE ET LA **CONDUITE EN DOUCEUR**

Vous pouvez en général démarrer sur la glace ou la neige tassée en accélérant doucement. Si cela ne fonctionne pas ou encore si vous êtes dans une légère descente, essayez de démarrer en seconde.

Si vous êtes bloqué dans la neige, servez-vous de la méthode du « balance-ment ». Avec la transmission en marche avant, accélérez doucement pour avancer un peu. Dès que les roues se mettent à patiner, relâchez immédiatement l'accélérateur et appliquez les freins pour empêcher le véhicule de reculer. Passez en marche arrière, relâchez les freins et accélérez doucement pour reculer. Dès que les roues se mettent à patiner, relâcher immédiatement l'accélérateur, et ainsi de suite en répétant le mouvement de balancement d'avant en arrière, accentuant chaque fois un peu plus le déplacement, jusqu'à ce que vous ayez pris assez d'élan pour vous dégager et vous mettre en mouvement. Assurez-vous que les roues ne tournent plus avant de passer en marche arrière ou en marche avant, afin d'éviter d'endommager la transmission.

Cherchez les endroits où la traction est meilleure : passez là où il y a du sable ou du gravillon ; choisissez la neige plutôt que la glace. Un léger déplacement latéral vous fera souvent passer d'une plaque de glace à une surface enneigée ou sablée où la traction est supérieure. Vous pouvez en général vous déplacer légèrement sans dériver de votre voie de circulation.

LES SURFACES ENNEIGÉES OU GLACÉES

Le conducteur doit réduire sa vitesse, éviter les gestes brusques et suivre de plus loin. Il doit demeurer très attentif dans les courbes, les virages, les intersections et au moment de changer de voie.

• Ralentir progressivement, garder les roues droites et éviter de freiner.

DANS UNE CÔTE QUI MONTE

• Accélérer au bas de la côte. Relâcher lentement l'accélérateur si les roues patinent. Si cela ne fonctionne pas, il faut utiliser la transmission.

   > **Automatique :** passer au 2 pour éviter le changement de rapport et maintenir une pression égale sur l'accélérateur ;

> **Manuelle :** choisir un rapport qui permet de monter la côte sans changer de vitesse. Si ça ne fonctionne pas, il faut reculer de façon sécuritaire, en tenant compte de la circulation.

DANS UNE CÔTE QUI DESCEND

• Ralentir avant d'amorcer la descente, appuyer par intermittence sur le frein pour conserver la même vitesse pendant toute la descente.

LE FREINAGE **ET L'IMMOBILISATION**

Quand la route est enneigée ou glacée, le véhicule va prendre une plus grande distance pour s'arrêter. Le conducteur doit :

- Garder une plus grande distance de poursuite ;

- Relâcher l'accélérateur bien en avance ;

- Freiner en douceur ;

- Si une roue bloque, relâcher le frein légèrement et appuyer de nouveau en douceur ;

- Passer au neutre peut aider à diminuer la distance d'arrêt.

LE FREINAGE D'URGENCE

Pour freiner en situation d'urgence :

- Passez au neutre ;

- Appuyez sur le frein et relâchez à répétition.

LE SYSTÈME DE FREINAGE ANTIBLOCAGE (ABS)

Ne pompez surtout pas les freins ! Le système antiblocage empêche justement les roues de bloquer lors d'un freinage brusque. Le conducteur n'a qu'à pousser fortement la pédale de frein à fond, et ce même s'il ressent une vibration sur la pédale. Les avantages de tels freins sont qu'ils diminuent les risques de tête à queue et vous permettent une meilleure maîtrise du véhicule. Par contre, la distance de freinage sur la glace ou sur la neige est plus longue qu'avec un système de freinage traditionnel. Morale de l'histoire : ne surestimez pas ce type de freins. Et rappelez-vous que l'efficacité du système de freinage dépend de l'état des pneus.

STATIONNER

Opter pour un stationnement qui permet la sortie en marche avant pour assurer une meilleure visibilité au conducteur, surtout en hiver.

L'ENLISEMENT

COMMENT S'EN SORTIR ?

- Dégager un espace devant les roues motrices à l'aide d'une pelle. Placer les roues bien droites et mettre la transmission en position 2. Accélérer très doucement de façon à éviter le patinage des roues. Si besoin est, utiliser des plaques anti-dérapantes, du sable ou du sel sous les roues motrices.

AVEC LES ROUES LIBRES

- Commencez par engager la transmission en marche avant ou arrière, selon le cas ;

- Accélérez lentement pour que les roues patinent le moins possible. Il faut éviter de faire tourner longtemps une roue à vide ;

- Gardez en tête que les constructeurs automobiles recommandent de ne pas dépasser 55 km/h à l'indicateur de vitesse lorsque vous essayez de dégager une voiture en situation d'enlisement ;

- Si cette méthode ne fonctionne pas après de courts essais, essayez la technique du balancement (va-et-vient) ;

- Tournez le volant de façon à aligner les roues avant du véhicule dans la même position que les roues arrière ;

- Engagez ensuite la transmission en marche avant ;

- Poursuivez en accélérant lentement pour éviter de faire patiner les roues ou d'emballer le moteur ;

- Freinez dès que l'automobile cesse d'avancer et engagez la transmission en marche arrière ;

- Accélérez lentement et freinez dès que l'automobile cesse de reculer. Recommencez au besoin ces dernières étapes ;

- Si cela ne fonctionne pas, pelletez pour enlever la neige accumulée près des roues et essayez de nouveau.

TECHNIQUE DE BALANCEMENT

- Gardez les roues droites ;

- Avancez légèrement ;

- Freinez dès que la voiture n'avance plus ;

- Mettez la voiture en marche arrière et reculez légèrement ;

- Freinez dès que la voiture ne recule plus ;

- Répétez comme nécessaire.

LES PLAQUES ANTIDÉRAPANTES

Ces accessoires peuvent vous permettre de sortir de l'enlisement.

1. Pour éviter que les plaques antidérapantes soient projetées, assurez vous que chacune des roues du véhicule touche le sol.

2. Tournez ensuite le volant pour que les roues avant soient dans la même position que les roues arrières.

3. Placez une plaque antidérapante en contact avec chaque roue motrice.

4. Placez les plaques devant pour faire avancer le véhicule ou derrière afin de reculer.

5. Éloignez les personnes du véhicule au cas où une plaque serait projetée.

6. Engagez ensuite la transmission en marche avant ou en marche arrière, selon votre situation d'enlisement.

7. Accélérer ensuite lentement jusqu'à un endroit dégagé et au besoin, recommencez.

8. Pour terminer, débarquez de votre véhicule afin de récupérer les plaques antidérapantes.

214

DANS UNE **TEMPÊTE DE NEIGE**

SURPRIS PAR UNE TEMPÊTE DE NEIGE ?

1. Ne quittez jamais votre véhicule.

2. Restez calme.

3. Baissez légèrement la vitre du côté opposé d'où vient le vent et ouvrez la commande d'air de chauffage afin que l'air frais puisse pénétrer dans le véhicule.

4. Faites tourner le moteur de temps à autre pour vous réchauffer et pour écouter les bulletins d'information à la radio, mais prévenez la panne d'essence.

5. Dégagez l'extrémité du tuyau d'échappement de toute glace et neige.

6. Mettez vos vêtements de secours ou couvrez-vous avec une couverture avant d'avoir froid.

7. Si nécessaire, utilisez des chandelles pour vous tenir au chaud.

8. Attention de ne pas trop vous fatiguer à pelleter ou à pousser le véhicule.

9. Si vous possédez un téléphone cellulaire, faite le 911 pour recevoir de l'aide.

Beaucoup de ceux qui abandonnent leur véhicule pour aller chercher de l'aide périssent lors d'une tempête. Vos chances de ne pas mourir de froid et d'être facilement retrouvé sont bien meilleures si vous restez dans votre véhicule.

À VOUS MAINTENANT

- Site internet : http://educationroutiere.saaq.gouv.qc.ca (Module 6)

- Site internet : http://www.saaq.gouv.qc.ca

- Exercices théoriques

Module 7

La stratégie OEA

- Réaliser les manœuvres de conduite

- Tenir compte des autres usagers de la route

- Anticiper des situations potentiellement à risque

Module 7 **La stratégie OEA**

Supplément aux guides d'apprentissage

L'INTRODUCTION

Le module 7 vise à vous aider à perfectionner votre capacité à reconnaître, à évaluer et à gérer les risques présents ou potentiels de l'environnement routier grâce à l'application de la stratégie Observer – Évaluer – Agir (OEA).

L'intégration de la stratégie OEA

Des études ont démontré que les nouveaux conducteurs semblent avoir de la difficulté à reconnaître rapidement les dangers potentiels ou réels de l'environnement. Selon des chercheurs, une mauvaise évaluation des situations dangereuses peut être associée à des erreurs de conduite, donc à un risque plus élevé d'accident.

La stratégie OEA permet au conducteur d'observer et d'évaluer rapidement ce qui se passe autour de lui. Il peut donc mieux anticiper les situations risquées et réagir en conséquence afin d'adopter un comportement sécuritaire, coopératif et responsable en présence des différents usagers de la route, en particulier les usagers vulnérables.

Observer son environnement
Scruter son environnement (savoir où, comment et quoi regarder)

Évaluer les situations potentiellement à risque
Envisager des solutions possibles et choisir la plus sécuritaire

Agir de manière sécuritaire
Exécuter les manœuvres les plus sécuritaires pour soi et pour autrui

Observer (détecter les indices utiles)

Diverses catégories d'usagers, ayant chacun des caractéristiques, des droits et des obligations qui leur sont propres, utilisent le réseau routier. Afin d'évaluer adéquatement les risques potentiels et réels de l'environnement et d'agir en conséquence, le conducteur doit constamment recueillir l'information provenant de l'environnement grâce aux diverses techniques d'exploration visuelle – balayage visuel, vérification par-dessus l'épaule, vérification dans les rétroviseurs, etc. Une bonne observation permet de détecter les éléments de l'environnement qui peuvent présenter un risque.

***Consultez les pages 44 à 56 du guide* Conduire un véhicule de promenade.**

Le conducteur doit porter une attention particulière aux usagers vulnérables (piétons, cyclistes, motocyclistes, cyclomotoristes, adeptes du patin à roues alignées, etc.) ainsi qu'aux véhicules lourds et d'urgence. Il doit cibler les endroits de l'environnement où il peut y avoir une présence accrue d'autres usagers :

- Les intersections ;
- Les trottoirs, traverses piétonnières, aménagements cyclables ;
- Les zones scolaires, les parcs ;
- Les arrêts d'autobus ;
- Les écoles de conduite (moto et auto) ;
- Les centres commerciaux, centres communautaires, hôpitaux ;
- Les zones de travaux ;
- Les véhicules stationnés (une personne peut sortir d'un véhicule) ;
- Etc.

Il doit aussi porter une attention particulière aux usagers vulnérables :

- En décodant les messages des piétons. Par exemple, à une intersection ou non, un piéton qui regarde des deux côtés de la rue, même s'il n'est pas engagé sur la chaussée, signale qu'il veut la traverser.
- En décodant les messages des cyclistes. Par exemple, les signaux (code gestuel) des cyclistes, un cycliste qui incline son corps pour effectuer un virage, etc.
- En décodant les messages des motocyclistes et des cyclomotoristes. Par exemple, un motocycliste qui regarde par-dessus son épaule ou qui incline son corps s'apprête à effectuer un changement de voie ou un changement de direction.

***Pour les autres risques, consultez la page 156 (Conditions climatiques), 161 (Conditions routières) et 188 (Obstacles sur la route) du guide* Conduire un véhicule de promenade.**

Évaluer

ANTICIPER LE DÉROULEMENT DES SITUATIONS ET LES RISQUES RÉELS OU POTENTIELS

Une fois les éléments de l'environnement repérés et les risques réels et potentiels détectés, le conducteur doit prévoir le déroulement des situations de conduite, soit anticiper. L'anticipation lui permettra de trouver des solutions pour éviter ou réduire les risques afin de faire la manœuvre de conduite la plus appropriée à la situation.

Qu'est-ce que l'anticipation ?

C'est le mouvement de la pensée qui, à partir d'indices visibles dans l'environnement, permet d'émettre des hypothèses sur les sources potentielles de danger. L'anticipation repose sur la capacité d'imaginer à l'avance la situation à venir afin de s'adapter activement à cette situation et non d'attendre qu'elle survienne[2].

Exemple d'éléments de l'environnement à anticiper

- Les changements des feux de circulation. Par exemple, un conducteur est à une bonne distance d'une intersection avec feu de circulation. Le feu est vert depuis un moment, il risque donc de passer au jaune ou au rouge à son approche de l'intersection. Celui-ci peut, à l'avance, relâcher l'accélérateur afin de s'immobiliser en douceur à la ligne d'arrêt.

- Le temps et la distance nécessaires pour effectuer ses manœuvres de conduite et pour que les autres usagers puissent effectuer les leurs. Par exemple, pour dépasser un véhicule lourd, il faut prévoir plus de temps et d'espace que pour dépasser un véhicule de promenade.

- Les arrêts de certains véhicules. Par exemple, un conducteur suit un autobus. Cet autobus risque d'effectuer des arrêts fréquents sur son parcours afin de déposer et de laisser monter des passagers. Le conducteur ne doit pas suivre de trop près l'autobus afin d'être en mesure de freiner de façon graduelle, de porter une attention particulière aux usagers qui en descendent et de leur céder le passage, s'il y a lieu, etc.

TROUVER DES SOLUTIONS ET CHOISIR LA PLUS SÉCURITAIRE

Anticiper les situations de conduite permet au conducteur d'envisager plusieurs solutions et de choisir la plus appropriée au contexte, soit celle qui assure sa sécurité et celle des autres usagers de la route. En présence de plusieurs dangers en même temps, il faut choisir la solution qui assure d'abord la protection des usagers vulnérables.

 Agir

Parmi les comportements à adopter, on peut réduire sa vitesse, augmenter les marges de sécurité (avant, arrière, latérales) tout autour du véhicule, communiquer ses intentions aux autres usagers et modifier la trajectoire de son véhicule – changement de voie, se déplacer vers la gauche ou la droite de la voie, modifier le trajet établi, etc.

2. R. AMALBERTI, « La conduite des systèmes à risques », *Le travail humain*, PUF, Paris, 2001.

COMMUNIQUER AVEC LES AUTRES USAGERS

***Consultez les pages 116 à 120 du guide* Conduire un véhicule de promenade.**

Il est possible de communiquer sa présence et ses intentions aux autres usagers de la route, par exemple en utilisant les clignotants juste au bon moment (ni trop tôt, ni trop tard) afin de ne pas créer de confusion quant à la manœuvre que l'on veut effectuer.

On peut également utiliser les phares et le klaxon pour attirer l'attention des autres usagers à propos d'un risque imminent ou se servir des feux de freinage pour les prévenir des ralentissements ou des arrêts du véhicule, en appuyant sur la pédale de frein suffisamment tôt.

De plus, il est conseillé d'établir, au besoin, un contact visuel avec les autres usagers de la route pour signaler sa présence ou encore de faire un geste de la main ou de la tête pour communiquer ses intentions ou pour remercier un autre usager.

MAINTENIR DES MARGES DE SÉCURITÉ TOUT AUTOUR DU VÉHICULE

***Consultez les pages 120 à 125 du guide* Conduire un véhicule de promenade.**

Marge à l'avant

Lorsque notre véhicule est en mouvement, la règle des deux secondes est un moyen efficace pour s'assurer de conserver des marges sécuritaires à l'avant. De plus, lorsque notre véhicule est immobilisé à une intersection, nous devons aussi laisser un espace suffisant en nous plaçant de façon à voir complètement les roues arrière du véhicule qui nous précède.

Pour augmenter la marge de sécurité à l'avant, il faut ralentir ! Par exemple, lorsque les conditions routières et climatiques sont normales, il est conseillé de garder une marge minimale qui équivaut à deux secondes. Lorsqu'elles sont difficiles ou en présence d'usagers vulnérables, de véhicules lourds ou de véhicules d'urgence, un minimum de trois ou quatre secondes est recommandé.

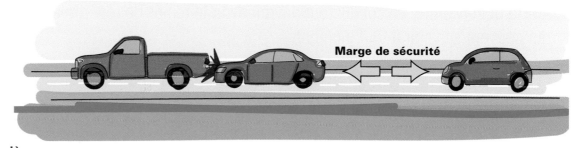

Marge de sécurité

Marge à l'arrière

Il est également conseillé de toujours garder une marge sécuritaire à l'arrière du véhicule. Par exemple, lorsqu'un conducteur nous suit de trop près et qu'un véhicule nous précède, il faut vérifier dans les rétroviseurs si l'espace à l'arrière est égal à celui à l'avant. Si ce n'est pas le cas, il est conseillé d'augmenter la marge à l'avant en diminuant graduellement notre vitesse. Cela pourra amener le conducteur qui nous suit à nous dépasser ou, s'il fallait s'arrêter, il serait plus facile de freiner graduellement, diminuant ainsi les risques d'être heurté par l'arrière.

Marges latérales

Ces marges servent principalement à protéger les usagers vulnérables, par exemple les cyclistes. Une marge minimale de un mètre (largeur équivalant à une portière ouverte) entre son véhicule et les autres usagers est recommandée pour s'assurer d'un espace sécuritaire.

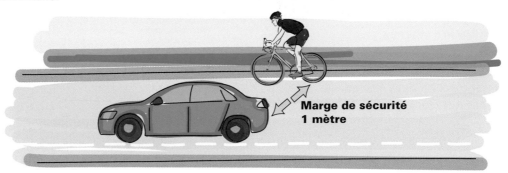

Marge de sécurité 1 mètre

CONTRÔLER LE VÉHICULE (vitesse et direction)

En présence de risques potentiels, les actions à faire peuvent être de ralentir, de relâcher l'accélérateur et de se préparer à freiner, d'immobiliser le véhicule et de laisser passer, d'accélérer pour dépasser tout en respectant les limites de vitesse prescrites, de changer de voie, etc. En contrôlant bien la vitesse et la direction du véhicule, il est plus facile d'anticiper et d'éviter les risques sur la route.

CONCLUSION

Il est possible de prévenir les situations à risque en se donnant suffisamment d'espace et de temps de réaction, et aussi en s'exerçant à utiliser la stratégie OEA. En conduisant à une vitesse raisonnable, en regardant bien à l'avant et en restant alerte et concentré, un conducteur devrait avoir le temps de repérer les risques qui peuvent survenir à tout moment.

Éducation routière
educationroutiere.saaq.gouv.qc.ca

Activité

La stratégie OEA

Tout au long des sorties sur la route et de votre vie de conducteur, il est important d'appliquer la séquence d'exploration OEA (Observer – Évaluer – Agir) pour être en mesure :

- D'anticiper les situations risquées et de réagir en conséquence ;
- D'adopter un comportement sécuritaire, coopératif et responsable en présence des différents usagers de la route, en particulier à l'égard des usagers vulnérables.

TITRE DE L'ACTIVITÉ   ## Détection des risques

TÂCHES À RÉALISER

En équipes de travail (10 minutes)

- Nommez un porte-parole de votre équipe.
- En regardant la photo, imaginez que vous êtes un conducteur et que vous voyez cet environnement.
- Repérez les éléments de l'environnement – autres usagers, conditions climatiques, conditions routières, etc. – qui peuvent représenter un risque pour vous et pour les autres usagers.

En séance plénière (15 minutes)

- Présentez les résultats de vos travaux.

Bilan de l'activité

Qu'est-ce que la stratégie OEA ?

1. C'est **observer** son environnement : scruter son environnement (savoir où, comment et quoi regarder).

2. C'est **évaluer** les situations potentiellement à risque : envisager des solutions possibles et choisir la plus sécuritaire.

3. C'est **agir** de manière sécuritaire : exécuter les manœuvres les plus sécuritaires pour soi et pour autrui.

Ces risques peuvent être variés : risques liés au conducteur – alcool, drogue, fatigue, état émotif, etc. –, à la présence d'autres usagers sur la route – particulièrement en présence d'usagers vulnérables, de véhicules d'urgence et de véhicules lourds –, à l'environnement en général – conditions routières et climatiques, type de route, etc. – et au véhicule – bris mécanique, état des pneus et des freins, etc.

Individuellement

Ce que j'ai appris au cours de cette activité :

_____

_____

_____

_____

_____

_____

_____

_____

Conduite dirigée

Durée : 1 heure
Circuit : Facile
Circulation : Minimale

PARTICULARITÉS

Usagers vulnérables : piétons, cyclistes, motocyclistes, cyclomotoristes, etc.

Céder le passage

LES MANŒUVRES ET LES COMPORTEMENTS

Manœuvres

- Stationner en marche avant
- Perfectionner le contrôle de la marche arrière

Intersections

- Effectuer des virages à des intersections avec feux de circulation
  - Virage à droite
    Virage à gauche
    Virage à droite à un feu rouge
- Perfectionner les virages à des intersections avec ou sans arrêt
  - Virage à un sens unique
  - Virage avec terre-plein, etc.

Action

- Céder le passage

EN TOUT TEMPS, L'APPRENTI CONDUCTEUR DOIT :

- **Respecter le Code de la sécurité routière et le Code criminel**
- **Respecter la signalisation routière**
- **Appliquer les règles de courtoisie**
- **Coopérer avec les usagers de la route, particulièrement avec les usagers vulnérables (partage de la route)**
- **Adopter une conduite sécuritaire, coopérative et responsable**
- **Prendre des décisions conformes à la sécurité routière**

LE MONITEUR DOIT S'ASSURER QUE L'APPRENTI CONDUCTEUR :

Observe

- Explore l'environnement à l'aide du balayage visuel, en vérifiant dans les rétroviseurs et par-dessus l'épaule (angles morts)
- Élargit son champ de vision
- Détecte les endroits propices à la présence d'usagers vulnérables (avec l'aide du moniteur)
  - Zones scolaires, parcs, hôpitaux, etc.
  - Traverses de piétons
- Détecte la présence d'usagers vulnérables sur le réseau routier
  - À mi-parcours, demander à l'apprenti conducteur qu'il nomme les derniers usagers vulnérables qu'il a vus tout en conduisant

Évalue

- Interprète les risques détectés
- Prévoit une issue de secours

Agit

- Positionne le véhicule dans la voie appropriée avant, pendant et après le virage à une intersection
- Adapte sa conduite en fonction des situations de conduite (circulation, types d'usagers en présence, conditions climatiques et routières, etc.)
  - Varie la vitesse
  - Augmente les marges de sécurité (avant, arrière et latérales) autour du véhicule
  - Laisse passer, etc.
- Adopte un comportement sécuritaire, coopératif et responsable

Apprentissage sur la
Route

Conduite dirigée

Durée : 1 heure
Circuit : Facile, zone urbaine
Circulation : Légère

Sortie 4

PARTICULARITÉS

Usagers vulnérables : piétons, cyclistes, motocyclistes, cyclomotoristes, etc.

Familiarisation avec la conduite en zone urbaine

LES MANŒUVRES ET LES COMPORTEMENTS

Actions

- Utiliser les voies appropriées pour circuler
- Effectuer des changements de voie dans diverses situations de conduite
- Maintenir des marges de sécurité (avant, arrière et latérales) autour du véhicule
- Perfectionner les virages aux intersections

EN TOUT TEMPS, L'APPRENTI CONDUCTEUR DOIT :

- **Respecter le Code de la sécurité routière et le Code criminel**
- **Respecter la signalisation routière**
- **Appliquer les règles de courtoisie**
- **Coopérer avec les usagers de la route, particulièrement avec les usagers vulnérables (partage de la route)**
- **Adopter une conduite sécuritaire, coopérative et responsable**
- **Prendre des décisions conformes à la sécurité routière**

LE MONITEUR DOIT S'ASSURER QUE L'APPRENTI CONDUCTEUR :

Observe

- Explore l'environnement à l'aide du balayage visuel, en vérifiant dans les rétroviseurs et par-dessus l'épaule (angles morts)
- Détecte les risques potentiels (avec l'aide du moniteur)

Évalue

- Évalue les possibilités
- Évalue le degré de risque
- Recherche des solutions pour éviter ou réduire les risques

Agit

- Adapte sa conduite en fonction des situations de conduite (circulation, types d'usagers en présence, conditions climatiques et routières, etc.)
  - Varie la vitesse
  - Augmente les marges de sécurité (avant, arrière et latérales) autour du véhicule
  - Change de voie
  - Laisse passer, etc.
- Adopte un comportement sécuritaire, coopératif et responsable

Conduite dirigée

Phase

2

Éducation routière
educationroutiere.saaq.gouv.qc.ca

LA STRATÉGIE OEA
OBSERVER ÉVALUER AGIR

OBSERVER

L'IMPORTANCE DE LA **VISION**

La vision est un atout important sur lequel nous devons capitaliser dans la recherche de la compétence à conduire. Une grande partie de l'information reçue passe par les yeux. Pour conduire, il est donc essentiel d'avoir une bonne vision et de savoir s'en servir efficacement.

Une bonne vision pour assurer sa sécurité et celle des autres :

- Une bonne acuité visuelle permet de distinguer nettement les objets éloignés ;

- La vision binoculaire permet d'évaluer les distances et la vitesse de déplacement pour faire face à certaines situations telles estimer le temps pour virer à gauche avant l'arrivée de l'automobile venant en sens inverse ;

- Un champ visuel d'au moins 120° qui permet de détecter les mouvements sur les côtés ;

- Distinguer les couleurs. Le daltonien se guidera sur les formes de panneaux et sur la disposition des feux de circulation.

QUELQUES CONSEILS :

- Éviter de conduire si sa perception visuelle est affectée par la fatigue ;

- Éviter de conduire la nuit si on est sensible à l'éblouissement ou se procurer des verres teintés ;

- Suivre de plus loin si on a des problèmes à évaluer les distances.

GARDER LES YEUX EN **MOUVEMENT**

Apprendre à lire la route par un balayage visuel :

- Déplacer les yeux en alternant de gauche avant droite et de droite avant gauche ;

- Vérifier les rétroviseurs régulièrement aux 5 à 10 secondes ;

- Éviter de fixer ;

- En plus de bouger les yeux, bougez la tête légèrement pour agrandir l'espace couvert par le regard.

Plus le conducteur roule vite, plus il doit bouger ses yeux rapidement pour compenser la perte de vision sur les côtés. Le balayage visuel permet de capter rapidement les situations à risque comme :

- Un animal qui traverse la route ;

- Des nids de poules ;

- Des mares d'eau ;

- Un amoncellement de neige...etc.

Aussi il est nécessaire de garder une vue d'ensemble, une vision dite à 360°. Le conducteur doit toujours savoir ce qui se passe à l'avant, à l'arrière et sur les côtés de son véhicule.

REGARDER **HAUT ET LOIN**

Tout véhicule se dirige inévitablement là où le conducteur dirige son regard. Pour diriger le véhicule en ligne droite et repérer facilement les dangers, le conducteur doit donc regarder haut et loin vers l'horizon (12 secondes). Cela permet une bonne stabilité en ligne droite et dans les virages. En regardant loin, le conducteur centre mieux son véhicule sur la voie même si les lignes sont effacées ou inexistantes ou si la chaussée est enneigée.

À L'APPROCHE D'UNE **COURBE**

Le conducteur doit regarder vers l'intérieur de la courbe et dès qu'il commence à tourner, il devrait essayer de regarder au loin.

ÉLARGIR SON CHAMP DE VISION

Pour élargir son champ de vision, le conducteur doit non seulement regarder devant lui, mais aussi vérifier ses miroirs et ses angles morts fréquemment. Le champ visuel rétrécit de 20° tous les 15 km/h. En zone achalandée, il est donc nécessaire de réduire votre vitesse pour permettre à vos yeux de mieux repérer les dangers en bordure de la route, sur les trottoirs et même dans les entrées privées.

À L'APPROCHE D'UNE **INTERSECTION**

Balayez du regard les bords de la chaussée pour déceler les piétons ou cyclistes qui veulent traverser.

EN ZONE **URBAINE**

Il faut suivre un modèle d'exploration semblable à celui de la grande route.

Il faut regarder haut et loin, porter votre regard aussi loin que possible, en général à plusieurs rues à l'avance. Vous pourrez ainsi percevoir l'état de la circulation et la séquence des feux de circulation, ainsi que la présence d'obstacles majeurs bien à l'avance.

Vous devez balayer la chaussée plus souvent et plus largement en zone urbaine que sur la grande route.

Évitez de regarder uniquement le véhicule qui vous précède et rouler à une bonne distance de celui-ci afin d'avoir un meilleur champ de vision.

Prêtez une attention particulière à :

- L'état de la chaussée ;

- La signalisation et aux feux de circulation ainsi qu'à leur synchronisation ;

- Aux travaux, aux travailleurs, piétons, cyclistes, qui se faufilent entre les véhicules ;

- Aux véhicules qui ralentissent, changent de voie, tournent ou s'immobilisent sans nécessairement l'annoncer d'avance.

EN **AVANT** ET SUR LES **CÔTÉS**

Le champ visuel comprend :

- La vision périphérique qui permet de repérer les mouvements, les formes et les masses ;

- La vision binoculaire qui permet d'évaluer les distances et la vitesse de déplacement ;

- La vision centrale qui permet de distinguer les détails et les couleurs.

230

EN **ARRIÈRE**

Le conducteur doit non seulement regarder devant lui, mais aussi vérifier ses miroirs et ses angles morts fréquemment.

LES **RÉTROVISEURS**

Les rétroviseurs permettent au conducteur de voir facilement ce qui se passe derrière le véhicule. Il est important de bien les ajuster afin de faciliter la vérification lors de la conduite.

Il faut les consulter souvent et surtout avant de ralentir, de s'immobiliser, de changer de voie, de tourner et d'entrer ou de sortir de la circulation. Il faut aussi vérifier pendant les immobilisations et aux feux de circulation.

LES **ANGLES MORTS**

Les angles morts sont des zones situées de chaque côté à l'arrière du véhicule. Le conducteur ne peut pas voir ces zones, parce que les rétroviseurs ne donnent qu'une vision partielle de l'environnement. Lorsqu'il a une manœuvre à faire nécessitant un déplacement latéral, même peu prononcé, le conducteur doit s'assurer qu'il n'y a personne dans ces zones. L'ajustement des rétroviseurs permet de réduire les angles morts, mais ne les élimine pas totalement.

ÉVALUER

ÉVALUER LE **RISQUE RÉEL** OU **POTENTIEL**

Conduire de façon sécuritaire exige vigilance, attention et repérage. Le conducteur doit être habile à déceler tout ce qui peut constituer un risque pour lui ou les autres usagers de la route. Il doit donc tenir compte de :

- Sa vitesse ;
- La distance qui le sépare des autres ;
- La possibilité de changer de voie, de dépasser, freiner ou accélérer.

Il doit aussi tenir compte de la réaction possible des piétons et des cyclistes en particulier.

Évaluer veut aussi dire que l'on a parfois à faire des choix. Ex. Choisir entre un piéton qui traverse devant le véhicule ou passé dans un trou.

Afin de bien estimer le degré de risque et la gravité du danger, le conducteur doit prendre en considération divers risques comme la collision avec un autre véhicule ou une moto, le risque de blessures et/ou de dommages matériels à son automobile ou à la propriété publique.

En cas de risque de collision, il faut être conscient que la gravité varie selon l'endroit où l'impact peut se produire sur le véhicule. Si possible, choisir des endroits moins résistants ou un angle d'impact qui fera dévier le véhicule au lieu de l'arrêter brusquement. Ex. : Un impact à la portière du conducteur risque de causer plus de blessures qu'un impact à l'aile arrière.

Devant un danger, le conducteur doit choisir les bonnes manœuvres à faire, comme klaxonner, ralentir, freiner ou changer de voie. Il doit ensuite évaluer les conséquences de chaque choix pour déterminer la manœuvre la plus appropriée.

CHOISIR LA **SOLUTION APPROPRIÉE**

Après avoir évalué le risque, le conducteur choisit la solution qui lui semble le plus sécuritaire. Évaluer les conséquences d'une manœuvre est une étape importante pour décider. Son évaluation peut reposer sur les éléments suivants :

- Prévoir le comportement des autres ;
- Collaborer avec eux ;
- Partager la route de façon sécuritaire et prévoir les situations à risque.

AGIR

COMMUNIQUER SA **PRÉSENCE** ET SES **INTENTIONS**

Le conducteur n'est pas seul sur la route. Il doit être bien vu et bien compris par les automobilistes, les piétons, les cyclistes, les conducteurs de véhicules lourds, les motocyclistes et les cyclomotoristes. Il doit être conscient que l'un ou l'autre de ces usagers peut être distrait ou inattentif. Il doit donc utiliser les moyens dont il dispose.

LES **PHARES**

Des études montrent que les accidents sont moins fréquents lorsque les phares demeurent allumés le jour. Il est important d'allumer les phares quand les conditions atmosphériques le requièrent. Vous devez passer aux feux de croisement, c'est-à-dire « baisser les phares », au moins 150 m avant de croiser un autre véhicule et ne pas revenir aux feux de route avant que le véhicule soit passer. Lorsque vous suivez un autre véhicule, vous devez passer aux feux de croisement à au moins 150 m du véhicule ou si vous êtes sur le point d'être dépasser.

L'**APPEL** DE **PHARES**

L'appel des phares avertit le conducteur venant en sens inverse que ses phares nous éblouissent et qu'il doit les baisser ou signale notre présence en certaines circonstances.

LE **CONTACT VISUEL**

Un signe de la tête ou un geste de la main peut contribuer à s'assurer qu'il est bien vu d'un autre usager. Cela n'empêche pas de demeurer attentif, car ce dernier n'a pas nécessairement compris vos intentions.

L'AVERTISSEUR **SONORE** (KLAXON)

Le Klaxon sert à attirer l'attention des autres usagers de notre présence. On doit l'utiliser seulement lorsqu'on est en présence de danger imminent.

LES FEUX DE **CHANGEMENT DE DIRECTION** (CLIGNOTANTS)

On doit les actionner pour communiquer ses intentions :

• Changer de voie ;

• Stationner ;

• Tourner à une intersection.

On doit les actionner au bon moment, ni trop tôt ni trop tard.

LES FEUX DE **FREINAGE**

Ils préviennent les autres usagers d'un ralentissement ou d'un arrêt. Ils s'allument d'une simple pression du pied sur la pédale de frein. Si un conducteur doit s'immobiliser temporairement le long de la route, il est conseillé à celui-ci de continuer d'appuyer sur les freins afin de garder les feux de freinage allumés.

LES **AUTRES FEUX**

On doit s'assurer du bon fonctionnement des feux de position, de recul, et de détresse. Eux aussi transmettent des messages.

GARDER SES DISTANCES À L'AVANT

Le Code de la Sécurité Routière oblige le conducteur à conserver devant lui une distance prudente et raisonnable, en tenant compte de la vitesse, des conditions climatiques, de l'état de la chaussée et de l'état de son véhicule. Par conditions idéales, cette distance se calcule par la règle des deux secondes.

COMMENT CALCULE-T-ON CETTE DISTANCE ?

On choisit un objet fixe sur le bord de la route, un peu plus loin que le véhicule devant nous, comme un panneau, un arbre ou un poteau. Quand le véhicule qui nous précède passe vis-à-vis cet objet, on commence à compter comme ceci : un kilomètre et un, un kilomètre et deux et ainsi de suite. Si le point de repère est atteint avant d'avoir dit un kilomètre et deux, c'est que l'on suit de trop près. Lorsque les conditions climatiques l'exigent ou lorsque le conducteur est fatigué, on devrait garder un intervalle de sécurité plus grand.

GARDER SES DISTANCES À L'ARRIÈRE

Une des raisons qu'on regarde régulièrement dans les rétroviseurs est de reconnaître quand un véhicule nous suit de trop près. Un grand nombre de collisions se produisent souvent pour cette raison. Lorsque cela arrive, il faut augmenter la distance entre nous et celui qui nous précède. Il ne faut pas hésiter à ralentir pour amener le poursuivant à nous dépasser.

À VOUS MAINTENANT

• Site internet : http://educationroutiere.saaq.gouv.qc.ca (Module 7)

• Site internet : http://www.saaq.gouv.qc.ca

• Exercices théoriques

Conduite
semi-dirigée

Module 8
La vitesse

COMPÉTENCES VISÉES

- Reconnaître les caractéristiques personnelles qui peuvent influer sur son comportement de conducteur en devenir

- Déterminer le cadre légal et les règles de courtoisie qui permettent une conduite sécuritaire, coopérative et responsable

- Déterminer les caractéristiques d'une conduite écologique, économique et respectueuse de la sécurité routière (écoconduite)

- Réaliser les manœuvres de conduite

- Tenir compte des autres usagers de la route

Module 8
La vitesse

Supplément aux guides d'apprentissage

INTRODUCTION

Le module 8 a pour objectif d'approfondir le thème de la vitesse au volant. Dans les faits, la vitesse demeure, avec l'alcool, l'une des principales causes d'accident sur les routes. C'est un problème complexe dont les effets sont multiples puisqu'elle a une incidence sur la fréquence et sur la gravité des accidents. En outre, les effets de la vitesse sont souvent difficiles à comprendre pour le conducteur, en particulier pour le conducteur inexpérimenté. Dans ce module, l'apprenti conducteur se familiarisera notamment avec la notion de limite de vitesse, les facteurs qui influent sur le choix de la vitesse, ses multiples effets ainsi qu'avec les sanctions qui s'appliquent lorsqu'il y a infraction.

La vitesse au volant : état de situation

Les intervenants en sécurité routière, comme la Société de l'assurance automobile du Québec, effectuent fréquemment des sondages auprès de la population afin de connaître l'opinion des gens à propos de certains problèmes de sécurité routière. Par exemple, les résultats de ces sondages indiquent que la conduite avec les facultés affaiblies est sanctionnée, depuis la fin des années 1990, par un fort taux de réprobation sociale. Cela signifie qu'une proportion élevée de la population désapprouve, voire condamne, le fait de conduire après avoir consommé de l'alcool. Mais, contrairement à l'alcool au volant, la vitesse ne connaît pas un niveau de désapprobation sociale aussi fort.

En effet, le fait de dépasser les limites de vitesse est un comportement qu'adoptent plusieurs conducteurs, quel que soit leur âge ou leur sexe. Ce phénomène est observé sur tous les types de routes, tant en milieu urbain que sur les voies rapides. De nombreux conducteurs considèrent comme normal de franchir les limites de vitesse, de sorte que cette situation est de plus en plus banalisée, tout comme les risques qui y sont liés. Ces conducteurs ont pris l'habitude de rouler au-dessus des limites permises sans se soucier des forces physiques qui guident leur véhicule, ni des risques associés au fait d'excéder, ne serait-ce qu'un peu, ces limites. Ils se croient maîtres de leur vitesse et prennent donc plus de risques.

Ils ont tendance à faire une mauvaise estimation de leur vitesse et de celle des autres véhicules, à surestimer leur habileté (tout le monde croit avoir les meilleurs réflexes) ainsi que les capacités de leur véhicule, en particulier en cas de virage à vitesse élevée et au moment du freinage puisque la force centrifuge et les distances sécuritaires nécessaires à l'arrêt du véhicule sont souvent des phénomènes physiques méconnus.

En outre, qu'ils respectent les limites de vitesse ou non, plusieurs conducteurs considèrent que leur vitesse personnelle est sécuritaire, mais que c'est la vitesse qu'adoptent les autres qui pose un problème. Enfin, les conducteurs se disent conscients que les hautes vitesses augmentent le risque de perte de maîtrise du véhicule, sauf lorsqu'ils sont eux-mêmes derrière le volant.

Les limites de vitesse

L'utilisation du réseau routier est encadrée par des règles qui imposent, sous peine de sanctions (amendes, points d'inaptitude, suspension de permis ou saisie du véhicule), le respect des limites de vitesse. Loin d'être superflue, la détermination de limites de vitesse est essentielle à la réduction du nombre d'accidents. Les limites en vigueur ont été établies :

- Afin de contrôler les vitesses individuelles et d'inciter les conducteurs à adopter une vitesse sécuritaire, permettant ainsi de réduire les risques que les conducteurs représentent pour eux-mêmes, mais surtout pour les autres, en particulier les usagers les plus vulnérables ;

- Afin de réduire la disparité de vitesse des véhicules ;

- Parce qu'il est difficile pour les conducteurs de prendre conscience des risques que représente pour eux et pour les autres le fait d'adopter une vitesse donnée en certains endroits et sous certaines conditions (routières et climatiques) ;

- Parce que plusieurs conducteurs ont tendance à mal juger ou à sous-estimer les effets de la vitesse sur la probabilité d'accident et sur la gravité des blessures.

Ces limites représentent des contraintes raisonnables qui ont pour objectif d'inciter les conducteurs à adopter la vitesse prescrite et appropriée. Elles sont fixées en fonction de l'environnement dans lequel les véhicules circulent, et ce, dans des conditions de route optimales – beau temps, bonne visibilité, chaussée sèche, trafic fluide, etc. Pour toutes ces raisons, il est primordial de respecter les limites de vitesse.

Les facteurs déterminant le choix de la vitesse

La vitesse qu'un conducteur adopte dans un environnement donné est le résultat d'un choix personnel, fait de façon consciente ou non. Même si, la plupart du temps, les conducteurs ne cherchent pas à s'exposer au risque d'avoir un accident, il y a tout lieu de croire qu'en certaines occasions des conducteurs adoptent volontairement un style de conduite dangereux. On peut regrouper les nombreux facteurs qui peuvent influer sur le choix de la vitesse en trois catégories : le conducteur, l'environnement et le véhicule.

Le premier facteur déterminant dans le choix de la vitesse est le conducteur lui-même. Outre sa propre perception de la vitesse, voire l'importance qu'il lui accorde, l'âge et le sexe du conducteur peuvent influer sur ce choix. Il en va de même pour d'autres facteurs tels la longueur du trajet à effectuer, le niveau de stress ou le sentiment d'urgence ressentis, l'état mental dans lequel se trouve le conducteur, la présence de passagers et l'influence qu'ils peuvent exercer, le fait d'avoir déjà été impliqué dans un accident, le fait d'avoir déjà reçu une ou plusieurs contraventions, la perception du risque d'être intercepté s'il excède les limites de vitesse, etc. Ce sont là des éléments qui ont une incidence sur la décision du conducteur d'aller plus ou moins vite.

Le comportement d'un usager de la route n'est pas indépendant de l'infrastructure routière, de ses aménagements ni de son environnement. Ce sont ces éléments qui amoindrissent plus ou moins sa vigilance et qui conditionnent l'orientation de son attention. De fait, la vitesse adoptée est choisie en fonction de l'environnement routier dans lequel le conducteur évolue. Il ajuste son comportement selon sa perception de la route et d'après la lecture qu'il en fait, consciemment ou pas. Il associe le type d'environnement routier dans son champ visuel à une vitesse qu'il juge raisonnable (confortable et sécuritaire), selon son expérience.

240

La limite légale affichée, le profil de la route (largeur des voies, état du revêtement de la chaussée, etc.), les abords de la route (éclairage, feux de circulation, signalisation, etc.), la présence policière, la visibilité, le moment de la journée, les conditions météorologiques, la proximité du domicile, la densité de la circulation et la présence d'autres usagers de la route, en particulier les piétons et les cyclistes, sont tous des facteurs qui peuvent pousser le conducteur à circuler plus vite que la limite affichée, à la respecter ou encore à rouler à une vitesse inférieure.

Enfin, la vitesse choisie peut être tributaire du véhicule lui-même. Le modèle, la masse, l'âge et la condition du véhicule sont tous des éléments qui peuvent modifier la décision du conducteur.

Les effets de la vitesse

Des lois naturelles relevant de la physique (friction, gravité, énergie cinétique, force centrifuge) sont intrinsèquement liées à la vitesse et doivent être prises en considération en conduite automobile.

La vitesse est parfois la cause directe de l'accident, mais elle en est rarement le seul facteur. Elle y contribue de deux façons : elle aggrave les blessures en cas d'impact et diminue la marge de manœuvre nécessaire pour réagir à des événements soudains et imprévisibles qui sont souvent à l'origine des accidents. En fait, on réalise que, même lorsqu'ils ne sont pas directement en cause, les effets de la vitesse sont présents dans tous les accidents.

Les effets de la vitesse sont souvent difficiles à interpréter pour le conducteur. Plus la vitesse augmente, plus les phénomènes suivants se font sentir.

RÉDUCTION DU CHAMP DE VISION

Plus de 90 % des décisions du conducteur sont basées sur ce qu'il voit. Le cerveau humain peut traiter une quantité importante d'information visuelle et auditive. C'est ce qui permet à l'automobiliste de porter attention à son environnement de conduite et de réagir adéquatement. Or, plus la vitesse du véhicule est élevée, plus le cerveau reçoit d'informations en même temps. Parce qu'il n'est plus capable de traiter autant de données, il est donc forcé d'en éliminer une partie, dont certaines qui peuvent avoir une importance capitale. Il est donc plus difficile, voire impossible, de percevoir certains obstacles qui surgissent sur les côtés. Un automobiliste qui roule à vive allure risque de ne pas apercevoir l'enfant qui s'apprête à traverser la rue ou le véhicule qui surgit à une intersection.

Un conducteur immobilisé ou roulant à vitesse très faible dispose normalement d'un champ de vision d'une largeur d'un peu plus de 150 degrés. À 100 km/h, le champ de vision est pratiquement réduit de moitié. C'est pour cette raison que l'on dit que la vitesse diminue le champ de vision.

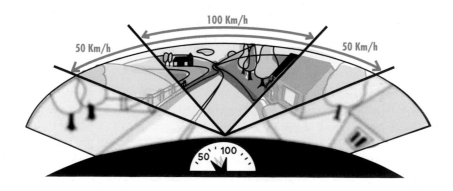

DIMINUTION DE L'ADHÉRENCE DES PNEUS

Un automobiliste roulant à grande vitesse court plus de risques de perdre la maîtrise de son véhicule, notamment dans les courbes à cause de la force centrifuge. À haute vitesse, le véhicule adhère moins à la route et les risques de dérapage sont plus élevés.

En virage, le véhicule subit l'effet de la force centrifuge qui le tire vers l'extérieur. Comme le centre de gravité est situé au-dessus de l'axe des roues sur les véhicules de promenade, ce sont les roues extérieures au virage qui supporteront le maximum de la charge. Puisque cette force dépend de la vitesse, cela peut provoquer une perte de contrôle lorsque la force centrifuge est plus forte que ce que le véhicule peut supporter. Ainsi, savoir prendre un virage, c'est savoir associer ses connaissances techniques et mécaniques et maîtriser sa vitesse.

AUGMENTATION DE LA DISTANCE D'ARRÊT

La distance d'arrêt est la distance minimale que le conducteur sera contraint de parcourir après avoir vu un obstacle, avant l'immobilisation de son véhicule. Elle est proportionnelle au carré de la vitesse et comprend deux éléments. Il y a d'abord la distance dite de réaction, soit celle parcourue pendant le temps que met le conducteur pour apercevoir le danger, le reconnaître comme tel et se mettre à appliquer une pression sur les freins. En général, la durée moyenne du temps de réaction est de 1,3 seconde. Ainsi, plus la vitesse d'un véhicule est élevée, plus la distance parcourue pendant le temps de réaction est longue.

Il y a ensuite la distance de freinage, soit celle pendant laquelle le conducteur appuie sur le frein jusqu'à l'arrêt complet du véhicule. À nouveau, plus la vitesse de départ est élevée, plus la distance qu'il parcourra durant ce temps est longue.

L'augmentation de la distance double entre 30 et 50 km/h et triple entre 50 et 100 km/h. En fait, lorsque la vitesse double, la distance parcourue pendant le temps de réaction double alors que la distance de freinage quadruple.

Ces données sont calculées dans des conditions idéales. Le temps de réaction est notamment fonction de l'état physique et psychologique du conducteur – fatigue, absorption d'alcool, de drogues ou de médicaments. De même, la distance parcourue pendant le temps de freinage sera elle aussi plus longue si les freins ou les pneus sont en mauvais état, si le véhicule est plus lourdement chargé ou si la chaussée est mouillée, enneigée, glacée, etc.

DIMINUTION DE LA CAPACITÉ À EFFECTUER DES MANŒUVRES D'ÉVITEMENT

Lorsqu'un conducteur aperçoit un obstacle devant lui, une autre option que celle de freiner s'offre à lui, soit d'éviter l'obstacle en le contournant par la droite ou par la gauche. Une vitesse plus élevée va diminuer les zones de trajectoires possibles. En comparaison avec un véhicule se déplaçant à une vitesse moindre, l'automobile qui, avant la réaction de son conducteur, circule plus vite, s'est approchée davantage de l'obstacle.

AUGMENTATION DU RISQUE D'AVOIR UN ACCIDENT

La vitesse a un effet sur la fréquence des collisions, c'est-à-dire sur le risque d'avoir un accident. En fait, l'accroissement de la vitesse par rapport à la limite fixée augmente le risque d'accident, et ce, de façon exponentielle. Des recherches ont démontré qu'en milieu urbain le risque d'être impliqué dans un accident double à chaque accroissement de 5 km/h. En milieu rural, le même type d'étude a démontré que le risque est 2 fois plus élevé à 10 km/h de plus que la limite, presque 6 fois plus élevé à 20 km/h de plus et presque 18 fois supérieur à 30 km/h de plus que la limite affichée.

AUGMENTATION DE LA GRAVITÉ DES BLESSURES

Non seulement la vitesse augmente considérablement le risque d'être impliqué dans une collision, mais elle fait également de même pour la gravité des blessures en cas d'impact. La force d'impact résulte de la collision entre deux objets, en l'occurrence entre deux véhicules ou entre un véhicule et un autre objet.

En fait, la force de l'impact augmente de façon exponentielle à mesure que la vitesse augmente. Ainsi, le risque d'être gravement blessé ou tué au moment d'un impact double entre 50 et 70 km/h et quadruple entre 50 et 100 km/h.

En cas d'impact, l'énergie accumulée doit être absorbée par le véhicule ou les objets heurtés, avant l'immobilisation complète du véhicule. Le véhicule décélère brusquement alors que les passagers sont projetés violemment vers le point d'impact. C'est l'énergie dégagée au moment de l'impact qui provoque les blessures.

L'énergie cinétique est égale à 1/2 fois la masse du véhicule multipliée par sa vitesse au carré ($EC = 1/2\ mv^2$). Ce que cette équation exprime, c'est que la violence du choc, ou l'énergie dégagée, est grandement tributaire du poids et surtout de la vitesse du véhicule.

- Un choc à 50 km/h équivaut à une chute dans le vide du haut d'un édifice de 4 étages.

- À 75 km/h, il équivaut à une chute d'un édifice de 8 étages.

- À 100 km/h, on le compare à une chute de 14 étages.

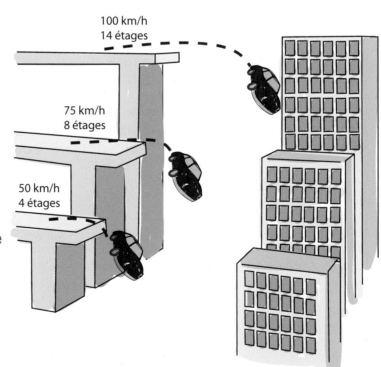

100 km/h
14 étages

75 km/h
8 étages

50 km/h
4 étages

C'est pourquoi, en cas d'impact, il faut choisir, si cela est possible, les objets les moins résistants ou, à tout le moins, tenter de manœuvrer pour que le contact se fasse selon un angle susceptible de dévier le véhicule plutôt que de l'entraîner contre un objet résistant.

Cela rappelle l'importance du port de la ceinture de sécurité, qui évite aux occupants du véhicule de percuter brutalement les parois de l'habitacle. La ceinture permet de distribuer la force du choc sur les parties les plus solides du corps, soit les hanches et les épaules.

Par ailleurs, les effets de la vitesse sur la gravité des blessures des usagers vulnérables de la route, tels les piétons et les cyclistes, sont beaucoup plus importants. Ces usagers sont mal protégés en cas de collision avec un véhicule automobile, et la gravité des blessures augmente ainsi rapidement dans leur cas. La probabilité qu'un piéton soit tué augmente selon la vitesse du véhicule au moment de l'impact. C'est pourquoi, en cas d'accident qui implique un usager vulnérable, seulement quelques kilomètres à l'heure de plus que la limite permise peuvent avoir une grande incidence sur la gravité des blessures qu'il subit.

Compte tenu de ces effets, mieux vaut respecter les limites de vitesse, s'assurer que l'on maintient une vitesse et une distance sécuritaires avec les autres véhicules et porter sa ceinture de sécurité.

Les manquements à la loi et leurs conséquences

En plus d'un accroissement de l'insécurité routière et des accidents, le non-respect des limites de vitesse peut entraîner des sanctions administratives et pénales. Le Code de la sécurité routière prévoit l'imposition d'amendes et l'inscription de points d'inaptitude pour tout conducteur qui dépasse les limites de vitesse prescrites. Il prévoit également ces pénalités pour le conducteur qui n'adapte pas la conduite de son véhicule aux conditions routières.

Autant le montant des amendes que le nombre de points inscrits varient en fonction de l'écart entre la limite de vitesse permise et la vitesse constatée par l'agent de la paix. Au sens de la loi, un conducteur qui excède la limite permise, ne serait-ce que de 1 km/h, commet une infraction au Code de la sécurité routière. Même si l'excès de vitesse paraît peu important, les policiers ont les pouvoirs et disposent des outils nécessaires pour intercepter un conducteur et le sanctionner.

Dans le cas des grands excès de vitesse, des sanctions plus sévères s'appliquent. Les pénalités prévues pour un grand excès de vitesse sont complexes et elles sont parfois plus importantes en fonction de l'endroit où est commise l'infraction. Néanmoins, ce qu'il faut retenir, c'est :

- Que tout grand excès de vitesse entraîne une suspension du permis de conduire pour une durée minimale de 7 jours ;

- Qu'en cas de récidive la suspension du permis est d'au moins 30 jours ;

- Que la récidive peut entraîner la saisie du véhicule ;

- Que, lorsque l'on est déclaré coupable d'un grand excès de vitesse, l'amende ainsi que les points d'inaptitude sont doublés.

Une infraction pour grand excès de vitesse est prise en considération pour une période de 10 ans. Cela signifie que, si vous commettez un ou plusieurs grands excès de vitesse dans les 10 ans suivant une déclaration de culpabilité, des sanctions plus sévères s'appliqueront.

Enfin, le Code de la sécurité routière prévoit aussi des amendes et des points d'inaptitude pour tout conducteur qui conduit de façon agressive, à haute vitesse ou qui commet toute action susceptible de mettre en péril la vie ou la sécurité des personnes. De même, la conduite à très haute vitesse ou agressive, particulièrement si ce comportement engendre des blessures ou des décès, peut également être assimilée à la conduite dangereuse inscrite au Code criminel. En fonction de la gravité du geste commis et de ses conséquences, la peine de prison maximale varie entre 5 et 14 ans.

CONCLUSION

Au Québec comme ailleurs, la vitesse est un important problème du point de vue de la sécurité routière. Ses effets sur la survenue et la gravité des accidents sont multiples et ils peuvent être dévastateurs. Personne n'échappe aux lois de la physique, même un excellent conducteur au volant d'une excellente voiture. C'est pourquoi il est préférable de respecter les limites de vitesse, lesquelles sont cohérentes par rapport au milieu et fixées afin d'assurer la sécurité de tous les usagers.

Éducation routière
educationroutiere.saaq.gouv.qc.ca

Activité

La vitesse au volant

Bon an, mal an, au Québec, plus de 11 000 personnes sont victimes de la vitesse. Cela correspond à plus de 30 personnes chaque jour !

La vitesse est un problème qui concerne tous les conducteurs. De plus, on observe une banalisation du non-respect des limites de vitesse, de la vitesse au volant et de ses conséquences.

TITRE DE L'ACTIVITÉ **La vitesse au volant**

TÂCHES À RÉALISER

En équipes de travail (5 minutes)

- Nommez un porte-parole.
- Discutez des raisons invoquées pour excéder les limites de vitesse. Trouvez-vous ces raisons valables ?
- Trouvez des solutions afin de promouvoir le respect des limites de vitesse.
- Créez un slogan qui sensibilisera les gens au respect des limites de vitesse.

Retour en séance plénière (10 minutes)

- Présentez les résultats de vos travaux.

Bilan de l'activité

Les limites de vitesse ont pour objectif de réduire le nombre et la gravité des accidents sur le réseau routier.

La vitesse est-elle un problème ?

Selon les données du ministère des Transports et de la SAAQ :

- La majorité des conducteurs ne respectent pas les limites de vitesse. On parle d'environ
    - 50 % qui ne les respectent pas en milieu urbain
    - 65 % qui ne les respectent pas sur les routes secondaires
    - 80 % qui ne les respectent pas sur les autoroutes
- Pourtant, 95 % des conducteurs estiment que leur vitesse personnelle est sécuritaire.

Comme souvent en matière de sécurité routière, mais particulièrement dans le cas de la vitesse, ***le problème, ce n'est pas moi, c'est les autres !***

Pourtant, le choix de la vitesse est largement déterminé par les intentions du conducteur. Quelles sont les croyances que le conducteur associe à ce comportement ?

Exemples de croyances :

- Conduire vite = plaisir ;
- Conduire vite = arriver plus rapidement, donc gain de temps ;
- Conduire vite = n'implique pas de danger pour moi ni pour les autres ;
- *Je peux conduire vite, car je suis un bon conducteur* (tendance à surestimer ses propres capacités).

L'impression de temps économisé est très forte chez de nombreuses personnes. On attribue donc à la vitesse une valeur positive : gain de temps, source de récompense, de satisfaction, de liberté, de plaisir, de sensations fortes, de valorisation de soi. Mais, quand on calcule le gain de temps, il est souvent négligeable, en particulier si on prend en considération l'augmentation du risque que suscite l'excès de vitesse.

Individuellement

Ce que j'ai appris au cours de cette activité :

_____

_____

_____

_____

_____

Sur la route prenez le temps de ralentir

- *Pour chaque énoncé, cochez la bonne réponse.*
- *Vérifiez vos réponses.*
- *Faites votre évaluation.*

ÉNONCÉ 1

À 70 km/h, vous parcourez environ 50 mètres, soit la moitié d'un terrain de football, avant de vous arrêter.

☐ Vrai   ☐ Faux

ÉNONCÉ 2

Si chaque conducteur réduisait de 5 km/h sa vitesse moyenne, le nombre de blessés et de décès sur nos routes diminuerait de 15 %, soit l'équivalent de 6 300 victimes.

☐ Vrai   ☐ Faux

ÉNONCÉ 3

Dans une zone de 90 km/h, rouler à 20 km/h de plus que la limite de vitesse permise augmente de 6 fois votre risque d'avoir un accident.

☐ Vrai   ☐ Faux

ÉNONCÉ 4

La vitesse au volant ne concerne que les jeunes conducteurs de 16 à 24 ans.

☐ Vrai   ☐ Faux

ÉNONCÉ 5

Même si vous dépassez les limites de vitesse, étant donné que vous avez un bon véhicule et que vous maîtrisez ce dernier, il ne peut y avoir de risque.

☐ Vrai   ☐ Faux

ÉNONCÉ 6

Rouler à 120 km/h au lieu de 100 km/h augmente la consommation d'essence de 20 %.

☐ Vrai   ☐ Faux

ÉNONCÉ 7

Un impact à 75 km/h équivaut à une chute d'un édifice de 4 étages.

☐ Vrai   ☐ Faux

ÉNONCÉ 8

C'est dans les zones de 50 km/h que se produisent le plus grand nombre d'accidents avec blessés.

☐ Vrai   ☐ Faux

ÉNONCÉ 9

Plus vous roulez vite, plus votre véhicule colle à la route.

☐ Vrai   ☐ Faux

ÉNONCÉ 10

Sur une distance de 15 kilomètres, rouler à 110 km/h, dans une zone de 90 km/h, vous fait gagner 10 minutes.

☐ Vrai   ☐ Faux

RÉPONSES

1. Vrai.

En tenant compte des meilleures conditions routières (chaussée sèche, route droite, etc.) et d'un temps de réaction moyen de 1,3 seconde avant de poser votre pied sur le frein, votre véhicule aura parcouru une distance correspondant à la moitié d'un terrain de football avant de s'immobiliser. À 70 km/h, le temps de réaction et la capacité de freinage d'un véhicule comptent chacun pour 50 % de la distance d'arrêt. Cela signifie qu'avant même d'avoir commencé à freiner, votre véhicule aura parcouru 25 m.

2. Vrai.

Selon certaines études, une diminution de seulement 5 km/h de la vitesse moyenne de la circulation serait suffisante.

3. Vrai.

C'est aussi dans cette zone que se produisent le plus grand nombre d'accidents mortels.

4. Faux.

Selon les statistiques, les conducteurs de tout âge, autant hommes que femmes, sont impliqués dans des accidents liés à la vitesse.

5. Faux.

Même un excellent conducteur, avec un excellent véhicule, n'échappe pas aux lois de la physique.
Quand la vitesse augmente :

- La zone des trajectoires possibles rétrécit ;

- Les habiletés visuelles diminuent ;

- La distance parcourue pendant le temps de réaction et la distance de freinage augmentent ;

- La force centrifuge s'accroît ;

- La violence des chocs est plus grande.

6. Vrai.

Sur les autoroutes, plus vous roulez vite, plus vous brûlez de l'essence. Diminuer votre vitesse permet d'économiser de l'argent et de réduire les émissions de polluants.

7. Faux.

Un choc à 50 km/h équivaut à une chute dans le vide du haut d'un édifice de 4 étages ; à 75 km/h, il équivaut à une chute de 8 étages ; et à 100 km/h, on le compare à une chute de 14 étages. La vitesse augmente de beaucoup la gravité des blessures en cas d'accident. En effet, le risque d'être gravement blessé ou tué au moment d'un impact est d'un peu plus du double entre 50 et 75 km/h et il quadruple entre 50 et 100 km/h.

8. Vrai.
C'est en ville que l'on trouve le plus grand nombre de blessés graves ou légers liés à la vitesse (plus de 50 %), car les possibilités d'accident avec les autres usagers de la route (piétons, cyclistes ou autres véhicules) sont plus nombreuses.

9. Faux.
Rouler trop vite empêche votre véhicule de bien coller à la route et augmente vos risques de dérapage.

10. Faux.
Sur une distance de 15 km, rouler à 110 km/h dans une zone de 90 km/h vous fait gagner seulement 2 minutes. C'est peu ! Et s'il y a plus de circulation ou que des travaux routiers sont en cours, les gains de temps sont nuls.

ÉVALUATION

Entre 8 et 10 bonnes réponses

Bravo ! Vous êtes un conducteur averti. Vous savez qu'il est dangereux de dépasser les limites de vitesse permises sur la route et qu'il y a des avantages à ralentir.

Entre 4 et 7 bonnes réponses

Attention ! Malgré vos connaissances, il vous manque certaines notions importantes concernant les dangers à dépasser les limites de vitesse permises sur la route et les avantages à ralentir.

Trois bonnes réponses et moins

Alerte ! Vous auriez intérêt à mieux connaître les dangers à dépasser les limites de vitesse permises sur la route et les avantages à ralentir.

Apprentissage sur la
Route

Conduite semi-dirigée

Durée : 1 heure
Circuit : Facile
Circulation : Fluide à moyennement dense

PARTICULARITÉS

Réviser les notions apprises au cours de la phase 2

Revenir sur les pratiques et comportements à améliorer

LES MANŒUVRES ET LES COMPORTEMENTS

- Maîtriser l'ensemble des manœuvres et des comportements énumérés dans les sorties 1 à 4

LE MONITEUR DOIT S'ASSURER QUE L'APPRENTI CONDUCTEUR :

- Est en mesure d'effectuer l'ensemble des manœuvres et d'adopter les comportements déjà appris, et ce, de manière semi-dirigée
- Adopte un comportement sécuritaire, coopératif et responsable

CONDUITE AUTONOME

À cette étape de son apprentissage, l'apprenti conducteur devra commencer à :

- Utiliser des repères pour s'orienter sur le réseau routier
  - Exemples de repères : édifices commerciaux, noms de rues, panneaux de signalisation, etc.

EN TOUT TEMPS, L'APPRENTI CONDUCTEUR DOIT :

- **Respecter le Code de la sécurité routière et le Code criminel**
- **Respecter la signalisation routière**
- **Appliquer les règles de courtoisie**
- **Coopérer avec les usagers de la route, particulièrement avec les usagers vulnérables (partage de la route)**
- **Adopter une conduite sécuritaire, coopérative et responsable**
- **Prendre des décisions conformes à la sécurité routière**

Éducation routière
educationroutiere.saaq.gouv.qc.ca

Apprentissage sur la
Route

Sortie 6

Conduite semi-dirigée

Durée : 1 heure
Circuit : Moyen
Circulation : Fluide à moyennement dense

PARTICULARITÉS

Vitesse et conséquences

Usagers vulnérables : piétons, cyclistes, motocyclistes, cyclomotoristes, etc.

Autres usagers (ex. : les portières de voitures qui s'ouvrent)

Comportement sécuritaire, coopératif et responsable

LES MANŒUVRES ET LES COMPORTEMENTS

Stationnement

- Effectuer deux types de stationnements

Conduite urbaine

- Appliquer les notions apprises auparavant, mais dans un environnement plus difficile

EN TOUT TEMPS, L'APPRENTI CONDUCTEUR DOIT :

- **Respecter le Code de la sécurité routière et le Code criminel**
- **Respecter la signalisation routière**
- **Appliquer les règles de courtoisie**
- **Coopérer avec les usagers de la route, particulièrement avec les usagers vulnérables (partage de la route)**
- **Adopter une conduite sécuritaire, coopérative et responsable**
- **Prendre des décisions conformes à la sécurité routière**

Éducation routière
educationroutiere.saaq.gouv.qc.ca

LE MONITEUR DOIT S'ASSURER QUE L'APPRENTI CONDUCTEUR :

Observe

- Explore l'environnement à l'aide du balayage visuel, en vérifiant dans les rétroviseurs et par-dessus l'épaule (angles morts)
- Recherche la meilleure visibilité possible
- Détecte les risques potentiels (avec l'aide du moniteur) en vue d'une conduite autonome

Évalue

- Anticipe les arrêts et les ralentissements de la circulation, les arrêts obligatoires de certains véhicules à une voie ferrée (autobus scolaires et urbains)
  - Ralentit, freine, augmente les marges de sécurité, cède le passage, etc.
- Détecte les risques de l'environnement (distinction entre risques et situations habituelles)
- Recherche des solutions pour éviter ou réduire les risques

Agit

- Adapte sa conduite en fonction des situations de conduite (circulation, types d'usagers en présence, conditions climatiques et routières, etc.)
  - Varie la vitesse
  - Augmente les marges de sécurité autour du véhicule
  - Change de voie
  - Laisse passer, etc.
- Apprend à gérer les imprévus
- Adopte un comportement sécuritaire, coopératif et responsable

Le partage de la route

COMPÉTENCES VISÉES

- Tenir compte des autres usagers de la route

- Adopter une conduite coopérative et courtoise

- Évaluer son comportement au regard du partage de la route

- Anticiper des situations potentiellement à risque

Module 9

Le partage de la route

255

Supplément aux guides d'apprentissage

INTRODUCTION

Le module 9 porte sur le partage de la route avec les autres usagers. On y traite plus particulièrement des usagers vulnérables (piétons, cyclistes, cyclomotoristes, motocyclistes, etc.) en raison de leur fragilité lorsqu'ils se déplacent sur le réseau routier. On y parle également du partage de la route avec les véhicules lourds dont les manœuvres de conduite sont plus complexes que celles d'un véhicule de promenade.

Aide-mémoire sur le partage de la route avec les autres usagers

Un aide-mémoire a été spécialement conçu afin d'aider l'apprenti conducteur à reconnaître les caractéristiques des différentes catégories d'usagers de la route. Il comporte douze fiches présentant chacune une catégorie d'usager : piétons, piétons enfants, piétons avec un handicap visuel, brigadiers scolaires, cyclistes, cyclomotoristes, motocyclistes, aides à la mobilité motorisée, véhicules lourds, autobus scolaires, autobus urbains et véhicules d'urgence. Outre les caractéristiques de chaque catégorie d'usager, ces fiches montrent ce que le conducteur doit observer, évaluer et faire en leur présence (application de la stratégie OEA).

Pour prendre connaisssance des principales caractéristiques des usagers de la route, consultez l'aide-mémoire qui se trouve dans votre *Carnet d'accès à la route* à la page 139 ainsi que sur le site Web *Éducation routière*. Consultez également le module 3.

Pour l'application de la stratégie OEA avec différentes catégories d'usagers, consultez l'aide-mémoire qui se trouve dans votre *Carnet d'accès à la route* à la page 139 ainsi que sur le site Web *Éducation routière*. Consultez également le module 7.

Éducation routière
educationroutiere.saaq.gouv.qc.ca

Phase 3 Conduite semi-dirigée

Activité

Le partage de la route

Cette activité vise dans un premier temps à mieux connaître les autres usagers de la route et à appliquer la stratégie Observer – Évaluer – Agir (OEA). Elle permet également de vous interroger sur les principales caractéristiques des usagers vulnérables, usagers qui sont parfois imprévisibles et qui sont souvent victimes d'accident de la route.

TITRE DE L'ACTIVITÉ	**Improvisation – thème : le partage de la route**

TÂCHES À RÉALISER

En équipes de travail (10 minutes)

Pour l'équipe d'improvisateurs

- Prenez environ 10 minutes pour :
  - Prendre connaissance du carton d'improvisation qui vous a été attribué ;
  - Préparer une improvisation d'une durée maximale de 4 minutes en vous servant du carton d'improvisation ainsi que de *l'Aide-mémoire sur le partage de la route avec les autres usagers*.
- Durant l'improvisation, il faudra prendre en considération :
  - Les caractéristiques des usagers vulnérables ;
  - Les éléments de la stratégie Observer – Évaluer – Agir (OEA) que le conducteur d'un véhicule routier doit adopter en présence de ces usagers.
- Réalisez votre improvisation.

- Désignez un porte-parole dans votre équipe pour le retour en plénière.

- Prenez 10 minutes pour remplir la grille *Aide-mémoire sur le partage de la route avec les autres usagers*, en vous servant de vos connaissances actuelles.

Pendant la mise en situation, bonifiez au besoin votre grille *Aide-mémoire sur le partage de la route avec les autres usagers*.

Catégories d'usagers	Caractéristiques principales	Observer Ce qu'il faut observer	Évaluer Ce à quoi il faut penser	Agir Ce qu'il faut faire
Usagers vulnérables	Ils sont moins bien protégés et plus susceptibles d'être blessés dans une collision.	Leur porter une attention particulière.	Prendre en considération les caractéristiques des usagers.	Adopter une marge de sécurité suffisante.
Piétons				
Piétons enfants				
Personnes âgées et personnes handicapées				

Catégories d'usagers	Caractéristiques principales	Observer Ce qu'il faut observer	Évaluer Ce à quoi il faut penser	Agir Ce qu'il faut faire
Cyclistes				
Cyclomotoristes				
Motocyclistes				
Personnes utilisant une aide à la mobilité motorisée (les AMM comprennent les fauteuils roulants motorisés, les triporteurs et les quadriporteurs)				

Retour en séance plénière (45 minutes)

- Présentez les résultats de vos travaux.

Bilan de l'activité

Les usagers vulnérables

Le conducteur d'un véhicule routier doit partager la route avec de nombreux usagers. Parmi ceux-ci, on trouve les usagers vulnérables. Ces personnes, en raison de leur protection limitée, courent un risque accru quand elles utilisent le réseau routier. Une attention particulière doit être portée à ces usagers de la route, notamment aux enfants, aux personnes âgées et aux personnes ayant un handicap.

Pour que le partage de la route soit fait en harmonie et de façon sécuritaire, le conducteur d'un véhicule routier doit :

- Respecter les limites de vitesse ;
- Céder le passager aux piétons et aux cyclistes qui sont engagés ou sur le point de s'engager dans l'intersection ;
- Éviter de dépasser un cycliste circulant sur la même voie lorsque l'espace ne permet pas de le faire sans danger.

Les véhicules lourds

Divers types de véhicules lourds

Camions, camions-remorques, tracteurs semi-remorques, trains routiers, autocars, autobus urbains, autobus scolaires, sableuses / déneigeuses, véhicules d'urgence (ambulance, pompiers, police)

Caractéristiques principales des véhicules lourds

- Nombreux angles morts.
- Leur poids et leurs dimensions sont nettement supérieurs à ceux d'une automobile.
- Leur distance de freinage est plus longue.

Individuellement

Ce que j'ai appris au cours de cette activité :

_____

_____

_____

_____

Phase 3 Conduite semi-dirigée

Aide-mémoire

sur le partage de la route
avec les autres usagers

Catégories d'usagers

262

Caractéristiques principales

- Ils sont moins visibles.
- Ils sont moins bien protégés et plus susceptibles d'être blessés dans une collision.

Évaluer
Ce à quoi il faut penser

- Repérer les passages pour piétons pour ne pas les bloquer avec votre véhicule.
- Prévoir que les personnes âgées ou handicapées ont besoin de plus de temps pour se déplacer.
- Prévoir que les piétons peuvent changer de direction ou traverser la rue sans regarder au préalable ni indiquer leur intention.
- Tenir compte du fait que le mauvais temps (la pluie ou le froid) rend les piétons plus pressés ou impatients, donc plus à risque.

Observer
Ce qu'il faut observer

- Scruter les trottoirs et les intersections.
- Détecter les lieux propices à la présence de piétons (ex. : proximité d'un centre commercial ou d'un lieu de rencontre pour les personnes âgées).
- Faire preuve d'une observation attentive dans les zones résidentielles et scolaires.
- Porter une attention particulière aux travailleurs dans les zones de travail temporaires.
- Garder l'œil ouvert pour repérer les usagers de la route vulnérables qui surgissent aux intersections et aux endroits où il n'y a pas d'intersection, sur les routes urbaines et rurales.
- Porter une attention particulière aux personnes âgées qui traversent aux intersections.
- Toujours vérifier s'il y a des piétons autour de votre véhicule, surtout avant de faire un virage.

Agir
Ce qu'il faut faire

Vitesse
- Réduire sa vitesse au besoin.
- Conduire lentement et avec vigilance dans les zones résidentielles et scolaires.

Marges de sécurité
- Allouer une marge de sécurité suffisante.

Communication
- Établir un contact visuel et faire un signe de la main ou de la tête si vous laissez passer les piétons.

Partage
- Faire preuve de patience et de courtoisie lorsque les piétons ont besoin de plus de temps pour traverser.
- Céder le passage aux piétons, même s'ils n'ont pas le droit de passage.
- Porter davantage attention aux piétons, en particulier aux intersections où ils sont présents en plus grand nombre.
- Faciliter le déplacement des piétons.

Respect du Code de la sécurité routière (CSR)
- Respecter la signalisation routière et les règles de la circulation.
- Appliquer les règles du céder le passage :
  - En présence de marques sur la chaussée ;
  - Aux intersections ;
  - Quand vous vous insérez dans le trafic à partir d'une entrée ou d'une allée.

Caractéristiques principales

- Ils sont plus petits et, souvent, ne voient pas plus loin que les véhicules stationnés.
- Leur vue et leur ouïe ne sont pas totalement développées avant l'âge de 9 ou 10 ans.
- Ils sont incapables d'évaluer la vitesse d'un véhicule venant vers eux.
- Ils ont du mal à déterminer la provenance des bruits.
- Ils se croient plus habiles qu'ils ne le sont en réalité.
- Ils sont impatients, surtout au moment de traverser une rue.
- Ils sont distraits et impulsifs.
- Ils sont vulnérables à cause de leur spontanéité et de leur insouciance à l'égard du danger.
- Ils n'ont pas l'expérience de la conduite ; ils ne sont donc pas habitués à composer avec la circulation.
- Ils sont habitués à ce que les adultes les surveillent ; ils s'en remettent à eux pour leur sécurité.
- Ils ont de la difficulté à comprendre les situations complexes et ne peuvent être attentifs à plus d'une chose à la fois.
- Ils confondent souvent l'imaginaire et la réalité.
- Ils sont davantage impliqués dans un accident comme piéton que la moyenne des gens.

Lorsqu'ils sont aux abords de l'école, 68 % des enfants traversent la rue sans regarder.

Évaluer
Ce à quoi il faut penser

- Augmenter votre vigilance en présence d'enfants.
- Ne pas surestimer leurs capacités.
- Tenir compte des moments de la journée (heure de la rentrée ou de la sortie des classes).
- Tenir compte des changements de saison (été : davantage d'enfants dans la rue ; hiver : enfants qui s'amusent sur les bancs de neige ; automne : soleil bas en fin de journée).
- Anticiper les réactions des enfants.
- Anticiper que les enfants peuvent traverser la rue ailleurs qu'aux intersections.
- Prévoir que des enfants peuvent surgir entre deux véhicules stationnés ou tenter de traverser sans regarder.
- Tenir compte des facteurs de risque humains en tant que conducteur :
  - Stress (bruit, abondance d'information, signalisation) ;
  - Baisse de vigilance dans un environnement familier.

Observer
Ce qu'il faut observer

- Scruter les trottoirs et les abords de la route dans les zones résidentielles.
- Être vigilant dans les zones scolaires et les aires de jeux.
- Porter une attention particulière aux jeunes enfants qui jouent dans la rue et qui auront à traverser.
- Être attentif aux indices qui annoncent la présence d'un enfant (ex. : un ballon qui surgit sur la route).
- Repérer les zones scolaires (signalisation et limite de vitesse).

Agir
Ce qu'il faut faire

Vitesse
- Réduire sa vitesse.
- Couvrir les freins au besoin.

Marges de sécurité
- Allouer une marge de sécurité suffisante.

Communication
- Établir un contact visuel et faire un signe de la main ou de la tête si vous laissez passer les enfants.

Partage
- Céder le passage aux enfants.
- Faciliter le déplacement des enfants.
- Agir de façon à protéger les enfants.

Respect du CSR
- Respecter la signalisation routière et les règles de la circulation.

Piétons avec un handicap visuel

Caractéristiques principales

- Ils se déplacent avec une canne blanche ou un chien-guide.
- Ils écoutent les bruits ambiants pour prévoir les mouvements de la circulation.
- Il existe des feux de circulation dotés d'un signal sonore pour faciliter le déplacement aux intersections des personnes ayant une déficience visuelle.

 ## Évaluer
Ce à quoi il faut penser

- Tenir compte qu'ils ont besoin de temps pour traverser et pour bien estimer les mouvements de la circulation en fonction des bruits entendus.
- Tenir compte du fait qu'ils ne peuvent ni voir ni éviter les erreurs de conduite.

 ## Observer
Ce qu'il faut observer

- Surveiller leurs déplacements.

 ## Agir
Ce qu'il faut faire

Marges de sécurité
- Allouer une marge de sécurité suffisante pour ne pas les effrayer.

Communication
- Éviter de les distraire ou de les faire sursauter en klaxonnant ou en mettant le volume de la radio à un niveau trop élevé.

Partage
- Faire preuve de patience et de respect.

Caractéristiques principales

- Ils ont un rôle important à jouer : le brigadier adulte fait traverser les écoliers ; le brigadier écolier surveille les autres écoliers pour qu'ils traversent la rue de façon sécuritaire.
- Lorsque la circulation est dirigée par un agent de la paix, un brigadier scolaire ou un signaleur, toute personne doit, malgré une signalisation contraire, obéir à leurs ordres et signaux.

Évaluer
Ce à quoi il faut penser

- Tenir compte du fait que les enfants peuvent être impulsifs et imprévisibles.
- Tenir compte du fait que le brigadier scolaire adulte a le même pouvoir qu'un agent de la paix lorsqu'il régule la circulation.

Observer
Ce qu'il faut observer

- Porter attention aux zones entourant l'école et à la présence des brigadiers (écoliers ou adultes avec dossard aux intersections ou dans les rues aux abords de l'école).

Agir
Ce qu'il faut faire

Marges de sécurité
- Allouer une marge de sécurité suffisante par rapport aux écoliers et au brigadier.

Respect du CSR
- Respecter la signalisation routière et les règles de la circulation.

Partage
- Être patient.

266

Caractéristiques principales

- Ils circulent généralement à droite mais, au besoin, se déplacent dans la voie de gauche pour des raisons de sécurité (éviter des nids-de-poule ou des grilles d'égout).
- Ils peuvent faire des manœuvres brusques à cause des inégalités de la chaussée ou être incommodés par certaines conditions météorologiques, comme le vent.
- Ils ont besoin d'une marge de sécurité tout autour d'eux.
- Ils occupent avec une grande maniabilité l'espace public (trottoirs, voies réservées aux autobus, pistes cyclables, etc.).
- Ils se déplacent à plus faible vitesse qu'un véhicule.
- Ils sont plus mobiles qu'un véhicule et peuvent facilement se faufiler entre les véhicules.
- Ils peuvent faire des fausses manœuvres pour tenter de se sortir de la circulation.

Évaluer
Ce à quoi il faut penser

- Être conscient que les cyclistes ne restent pas toujours à droite de la chaussée.
- Faire attention en présence d'aménagements cyclables et surtout à la fin de ceux-ci, car les cyclistes vont réintégrer la voie.
- Anticiper des mouvements brusques de leur part si la chaussée est endommagée ou s'il y a de forts vents.

Observer
Ce qu'il faut observer

- Surveiller les abords de la route.
- Vérifier par-dessus son épaule (angles morts) et dans les rétroviseurs.
- Faire attention à la noirceur, car les cyclistes sont alors plus difficiles à voir.
- Balayer la route du regard aux intersections.
- Détecter les signaux des cyclistes (code gestuel – mouvements des bras).

Agir
Ce qu'il faut faire

Marges de sécurité
- S'assurer d'avoir assez d'espace pour dépasser un cycliste.
- Emprunter la voie de gauche si la voie est trop étroite pour conserver une distance suffisante avec un cycliste.
- Ne pas talonner un cycliste quand vous le dépassez.
- Laisser au moins 1 mètre de marge latérale (largeur équivalente à une portière ouverte) entre votre véhicule et un cycliste.
- Allouer une marge suffisante à l'avant.

Communication
- Établir un contact visuel si possible... ou au besoin.
- Éviter de klaxonner (le bruit pourrait faire sursauter le cycliste).

Partage
- Céder le passage aux cyclistes :
  - Au moment de quitter une propriété privée pour s'engager sur le chemin public ;
  - Au moment d'un virage à une intersection.
- Avant d'ouvrir la portière d'un véhicule immobilisé, s'assurer de pouvoir le faire sans danger.

Respect du CSR
- Appliquer les règles (circulation et courtoisie).

Caractéristiques principales

- Ils ne bénéficient pas d'une armature externe, de coussins gonflables ou de pare-chocs pour les protéger.
- Ils ont droit à la largeur complète de la voie.
- Ils peuvent faire des manœuvres brusques à cause des inégalités de la chaussée ou des conditions météorologiques (comme les bourrasques de vent).
- Ils ont besoin d'une marge de sécurité tout autour d'eux.
- Ils occupent avec une grande maniabilité l'espace public (leur véhicule est assez petit pour qu'ils se faufilent entre les véhicules).
- Ils se déplacent à plus faible vitesse qu'une moto ou une auto.
- Leurs clignotants sont parfois difficiles à voir.
- Leurs clignotants ne s'éteignent pas nécessairement automatiquement.
- Les excès de vitesse des autres conducteurs et la conduite agressive comme le talonnage présentent davantage de risques pour eux, car leur véhicule est petit et sans habitacle.

Évaluer
Ce à quoi il faut penser

- Anticiper des mouvements brusques de la part des cyclomotoristes si la chaussée est endommagée ou en présence de forts vents.
- Anticiper qu'ils se déplaceront dans la voie lorsqu'ils se préparent à faire un virage.
- Anticiper leur présence aux abords des écoles secondaires.

Observer
Ce qu'il faut observer

- Scruter les intersections et le côté droit de la voie.
- Ne pas oublier de vérifier les angles morts, en particulier avant de changer de voie (un cyclomoteur est assez petit pour être entièrement caché dans un angle mort).
- Repérer les indices que donne le cyclomotoriste. Par exemple, si le cyclomotoriste regarde par-dessus son épaule ou s'il se penche, il est possible qu'il s'apprête à changer de voie ou à tourner.

Agir
Ce qu'il faut faire

Marges de sécurité
- S'assurer d'avoir assez d'espace pour dépasser un cyclomotoriste.
- Emprunter la voie de gauche si la voie est trop étroite pour conserver une distance suffisante avec un cyclomotoriste.
- Ne pas talonner un cyclomotoriste quand vous le suivez ou le dépassez.
- Laisser au moins 1 mètre de distance latérale (largeur équivalente à une portière ouverte) entre votre véhicule et un cyclomoteur.
- Allouer une marge suffisante à l'avant.

Communication
- Établir un contact visuel si possible... ou au besoin.
- Éviter de klaxonner (le bruit pourrait faire sursauter le cyclomotoriste).

Respect du CSR
- Appliquer les règles (circulation et courtoisie).

268

Caractéristiques principales

- Ils ne bénéficient pas d'une armature externe, de coussins gonflables ou de pare-chocs pour les protéger.
- Ils ont droit à la largeur complète de la voie.
- Ils peuvent faire des manœuvres brusques à cause des inégalités de la chaussée ou des conditions météorologiques (comme les bourrasques de vent).
- Ils ont besoin d'une marge de sécurité tout autour d'eux.
- Ils occupent avec une grande maniabilité l'espace public (leur véhicule est assez petit pour qu'ils se faufilent entre les véhicules).
- Leurs clignotants sont parfois difficiles à voir.
- Leurs clignotants ne s'éteignent pas nécessairement automatiquement.
- Les excès de vitesse des autres conducteurs et la conduite agressive comme le talonnage présentent davantage de risques pour eux, car leur véhicule est petit et sans habitacle.

Évaluer
Ce à quoi il faut penser

- Être vigilant lors d'un virage à gauche devant une moto dont les clignotants sont en fonction. Il est difficile d'estimer la vitesse d'une moto et ses clignotants peuvent rester allumés involontairement, car ils ne s'arrêtent pas automatiquement.
- Vous assurer qu'un motocycliste a bel et bien l'intention de tourner avant d'amorcer une manœuvre.
- Si vous suivez un motocycliste, anticiper qu'il peut freiner très rapidement et sur une très courte distance.
- Tenir compte du fait qu'il est difficile d'évaluer la distance et la vitesse d'une moto.

Observer
Ce qu'il faut observer

- Repérer les indices que donne le motocycliste. Par exemple, si le motocycliste regarde par-dessus son épaule ou s'il se penche, il est possible qu'il s'apprête à changer de voie ou à tourner.
- Scruter les intersections.
- Ne pas oublier de vérifier les angles morts, en particulier avant de changer de voie. Une moto est assez petite pour être entièrement cachée dans un angle mort.

Agir
Ce qu'il faut faire

Partage
- Ne jamais dépasser un motocycliste en partageant la même voie.
- Ne pas talonner un motocycliste quand vous le suivez ou le dépassez.

Marges de sécurité
- Allouer une marge de sécurité suffisante (avant, arrière, latérales) autour du véhicule.
- Allouer une marge quand vous dépassez un motocycliste.

Communication
- Établir un contact visuel.

Aide-mémoire
sur le partage de la route avec les autres usagers

Aides à la mobilité motorisée (AMM)[3]

Caractéristiques principales

- Les aides à la mobilité motorisées sont peu visibles la nuit (elles ne possèdent pas toujours de phares avant ou arrière ou de fanion).
- Elles sont peu bruyantes, donc on ne les entend pas venir.
- Leurs usagers peuvent adopter des comportements imprévisibles ou téméraires.
- Leurs usagers sont vulnérables parce qu'ils n'ont aucune protection ; le risque de blessure est élevé en cas d'accident.

Évaluer
Ce à quoi il faut penser

- Anticiper que ces usagers puissent présenter des comportements imprévisibles.
- Anticiper qu'ils puissent passer du trottoir à la chaussée ou vice-versa sans indiquer leur intention.

Observer
Ce qu'il faut observer

- Redoubler de vigilance.

Agir
Ce qu'il faut faire

Marges de sécurité
- Allouer une marge de sécurité latérale minimale de 1 mètre (largeur équivalente à une portière ouverte).

Partage
- Être vigilant quand vous dépassez une AMM.

---

3. AMM : Aide à la mobilité motorisée (comprend le tripoteur, le quadriporteur et le fauteuil roulant motorisé). La circulation de ces appareils de transport motorisé est tolérée sur le réseau routier mais elle n'est pas encore réglementée.

270

Caractéristiques principales

- Ils ont à faire des arrêts fréquents pour faire monter ou descendre des écoliers.
- Se référer aux caractéristiques des piétons enfants.

Le plus grand risque pour la sécurité des enfants se trouve à l'extérieur de l'autobus et provient soit de l'autobus lui-même, soit de la circulation environnante.

Évaluer
Ce à quoi il faut penser

- Anticiper les heures où les autobus seront présents sur votre trajet et prévoir un autre trajet si les arrêts vous impatientent.
- Anticiper la présence d'enfants aux abords de l'autobus scolaire.
- Se préparer à arrêter lorsque l'autobus scolaire activera ses quatre feux jaunes d'avertissement alternatifs ou, à défaut, ses feux de détresse[4].

Observer
Ce qu'il faut observer

- Surveiller les feux jaunes alternatifs, les feux rouges intermittents et le panneau d'arrêt de l'autobus scolaire.
- Surveiller les enfants.
- Surveiller l'environnement :
  - Zones scolaires (signalisation distincte) ;
  - Limites de vitesse (peuvent différer si on circule en période scolaire) ;
  - Présence de parcs, d'écoles, de corridors scolaires.

Agir
Ce qu'il faut faire

Vitesse
- Ralentir.

Respect du CSR
- Respecter la signalisation routière et les règles de la circulation.
- Lorsque les feux rouges intermittents ou le panneau d'arrêt de l'autobus scolaire sont activés, arrêter complètement son véhicule à plus de 5 mètres de l'autobus scolaire.

---

4. Règle : Cet arrêt n'est pas obligatoire lorsque l'on croise un autobus circulant sur une chaussée séparée par un terre-plein.

Caractéristiques principales

- Ils ont de nombreux angles morts.
- Leurs distances de freinage sont plus longues en raison de leur poids et de leurs dimensions.
- Ils peuvent occasionner pour les véhicules autour d'eux de fortes turbulences qui peuvent nuire à la maîtrise du véhicule.
- Il est risqué de les dépasser en cas d'intempéries ou lorsque la visibilité est réduite.
- Les véhicules lourds identifiés transportant des matières dangereuses doivent s'arrêter aux passages à niveau.
- Lorsqu'ils sont chargés, ils sont très lents à repartir après un arrêt, à un feu ou à une intersection ; par contre, une fois leur vitesse reprise, ils circulent aussi vite que n'importe quel autre véhicule.
- Ils doivent ralentir avant d'arriver à une longue descente, sinon ils n'auront pas assez de distance de freinage pour ralentir suffisamment jusqu'au bas de cette descente.
- Les trains routiers sont particulièrement lents étant donné la pesanteur de leurs deux remorques et ils doivent s'y prendre très longtemps d'avance pour s'arrêter.
- S'il fait mauvais, ils peuvent produire des éclaboussements considérables (boue, neige et débris) qui peuvent tomber sur le parc brise du véhicule qui les suit et obstruer temporairement la vue du conducteur.
- Il peut arriver qu'ils se stationnent en pleine rue.
- Après à une immobilisation dans une côte montante, ils peuvent reculer sur une plus grande distance qu'un véhicule pour redémarrer.

Évaluer
Ce à quoi il faut penser

- Estimer l'emplacement des angles morts et les éviter dans la mesure du possible. Sinon, y rester le moins de temps possible.
- Tenter d'éviter les déportements attribuables aux turbulences en augmentant les marges de sécurité.
- S'il pleut ou s'il neige, ou si le toit de la remorque du véhicule lourd que vous suivez est enneigé ou mal déglacé, augmenter la vitesse des essuie-glaces.
- Planifier de mettre vos clignotants à l'avance pour indiquer vos virages si un véhicule lourd vous suit.
- Aux voies ferrées, anticiper les arrêts des autobus (scolaires, urbains et longues distances) et des véhicules lourds transportant des matières dangereuses.

Suite →

Observer
Ce qu'il faut observer

- Surveiller le rétroviseur gauche du véhicule lourd lorsque vous êtes dans la voie voisine. Les conducteurs de véhicules lourds se servent de leurs rétroviseurs pour vérifier leurs angles morts. Si vous ne pouvez voir le conducteur du véhicule lourd dans son rétroviseur, il ne peut voir votre véhicule.
- Décoder les signaux équivoques du véhicule (ex. : clignotement à droite, puis déplacement dans la voie de gauche pour tourner à droite).

272

Agir
Ce qu'il faut faire

Marges de sécurité

- Allouer une marge de sécurité de 3 à 4 secondes entre votre véhicule et le véhicule lourd.

- Faire de la place aux véhicules lourds pour qu'ils puissent effectuer les virages.

- Rester dans la partie gauche de la voie pour qu'un conducteur de véhicule lourd puisse vous voir dans son rétroviseur.

- Maintenir une marge sécuritaire lorsque vous êtes arrêté derrière un véhicule lourd, car celui-ci pourrait reculer lorsque le conducteur relâchera les freins.

- Toujours dépasser un véhicule lourd par la gauche, accélérer, dans les limites permises, pour être le plus tôt possible dans le champ de vision du conducteur et ne réintégrer la voie de droite que lorsque vous voyez complètement le véhicule lourd (le tracteur et la remorque) dans votre rétroviseur intérieur. Si vous ne le voyez pas dans votre rétroviseur intérieur, vous risquez d'être dans son angle mort.

Communication

- Si un véhicule lourd vous suit, communiquer à l'avance vos intentions d'effectuer un virage, de ralentir ou de vous arrêter afin de lui laisser suffisamment de temps pour freiner.

Partage

- À une intersection, éviter de dépasser un véhicule lourd par la droite.

- Lorsque vous approchez d'un véhicule lourd ou que vous venez de le dépasser, éloignez-vous en afin de ne pas ressentir les effets de la pression d'air qu'il crée lorsqu'il roule à grande vitesse.

- Éviter la turbulence provoquée par un véhicule lourd.

- Ne jamais vous placer derrière un véhicule lourd qui fait marche arrière, car vous pourriez vous trouver dans un de ses angles morts et être heurté par ce véhicule.

- Être courtois et aider un véhicule lourd à s'insérer dans la circulation.

- Pour dépasser un train routier, prévoir un temps supplémentaire parce qu'il y a deux remorques à dépasser.

Vitesse

- Savoir adapter votre vitesse, dans le respect des limites de vitesse prescrites, en présence d'un véhicule lourd, particulièrement en zone montagneuse.

- Adapter votre vitesse sur les petites routes (ou les routes montagneuses), car le véhicule lourd prend plus d'espace que la largeur des lignes et il doit prévoir l'espace nécessaire afin que la remorque ne passe pas sur la bordure de la route.

Respect du CSR

- Respecter la signalisation routière et les règles de la circulation.

Caractéristiques principales

- Ils ont la priorité pour réintégrer la voie publique (réglementé).
- Ils ont à faire des arrêts régulièrement.

Évaluer
Ce à quoi il faut penser

- Anticiper la présence de piétons lorsqu'un autobus s'arrête à proximité.
- Anticiper que l'autobus va réintégrer la voie.

Observer
Ce qu'il faut observer

- Surveiller les autobus qui doivent s'arrêter.

Agir
Ce qu'il faut faire

Marges de sécurité
- Céder le passage aux autobus lorsqu'ils manifestent l'intention de réintégrer la voie.

Respect du CSR
- Respecter la signalisation routière et les règles de la circulation.

274

Caractéristiques principales

- Ils ont la priorité quand leurs gyrophares sont en fonction (réglementé).
- Ils incluent les véhicules des services de police et d'incendie et les ambulances.

Évaluer
Ce à quoi il faut penser

- Anticiper que les véhicules d'urgence peuvent griller un feu rouge ou ne pas faire un arrêt obligatoire.
- Libérer la voie dans laquelle circule un véhicule d'urgence.
- Créer un corridor de sécurité lorsqu'un véhicule est immobilisé sur un chemin public.

Observer
Ce qu'il faut observer

- Écouter les sirènes pour localiser un véhicule d'urgence.
- Chercher les gyrophares en regardant au besoin dans ses rétroviseurs.
- Vérifier si le véhicule immobilisé effectue une intervention.

Agir
Ce qu'il faut faire

Partage
- Si vous voyez clignoter les feux d'un véhicule de secours ou si vous entendez sa sirène, peu importe la direction d'où il vient, vous devez immédiatement ralentir, libérer de façon sécuritaire la voie sur laquelle circule le véhicule d'urgence et vous arrêter si nécessaire.
- Ne pas s'arrêter sur l'accotement des autoroutes, car les véhicules de secours peuvent utiliser l'accotement lorsque toutes les voies de l'autoroute sont bloquées. S'assurer que la voie est libre avant de réintégrer la circulation, car il est possible que plus d'un véhicule de secours réponde à un même appel.

Vitesse
- Ne jamais essayer d'aller plus vite qu'un véhicule de secours.
- Ne pas freiner brusquement devant un véhicule d'urgence.

Marge de sécurité
- Ne pas suivre de trop près un véhicule de secours répondant à une urgence.

Communication
- Signaler pour laisser savoir que vous avez vu le véhicule d'urgence et que vous vous rangez sur le côté.

Corridor de sécurité
- Ralentir et s'éloigner le plus possible du véhicule immobilisé après vous être assuré de pouvoir le faire sans danger. Au besoin, immobiliser le véhicule.

Conduite semi-dirigée

Durée : 1 heure
Circuit : Moyen
Circulation : Fluide à moyennement dense (limites de vitesse variées)

Sortie 7

PARTICULARITÉS

Risques potentiels ou réels en milieu rural : animaux, variation de la vitesse, etc.

Véhicules d'urgence

Comportement sécuritaire, coopératif et responsable

LES MANŒUVRES ET LES COMPORTEMENTS

Conduite en milieu rural – route secondaire et principale

- Adapter les techniques d'exploration visuelle à la conduite en milieu rural
- Adapter les manœuvres et comportements appris à la conduite en milieu rural

LE MONITEUR DOIT S'ASSURER QUE L'APPRENTI CONDUCTEUR :

Observe

- Reconnaît un comportement sécuritaire, coopératif et responsable chez un autre usager
- Explore l'environnement à l'aide du balayage visuel, en vérifiant dans les rétroviseurs et par-dessus l'épaule (angles morts)
- Détecte les risques potentiels et réels

Évalue

- Évalue les possibilités
- Évalue le degré de risque
- Recherche des solutions pour éviter ou réduire les risques

Agit

- Adapte sa conduite en fonction des situations de conduite (circulation, types d'usagers en présence, conditions climatiques et routières, etc.)
    - Varie la vitesse
    - Augmente les marges de sécurité (avant, arrière et latérales) autour du véhicule
    - Change de voie
    - Laisse passer, etc.
- Adopte un comportement sécuritaire, coopératif et responsable

Éducation routière
educationroutiere.saaq.gouv.qc.ca

Conduite semi-dirigée

Phase

3

Apprentissage sur la
Route

Sortie 7

Conduite semi-dirigée

Phase 3

CONDUITE AUTONOME

Demander à l'apprenti conducteur, pendant les cinq prochaines minutes, d'effectuer certaines manœuvres de façon autonome (sans l'aide du moniteur)

- Manœuvre de virage
    - L'apprenti conducteur détermine où et comment exécuter le virage
    - Il effectue la manœuvre de virage de façon autonome
- Manœuvre d'immobilisation à une intersection
    - L'apprenti conducteur s'immobilise à une distance suffisante du véhicule qui le précède de façon à voir complètement les roues arrière de ce véhicule
    - L'apprenti conducteur s'immobilise au lieu d'arrêt prescrit par le Code de la sécurité routière (avant la ligne d'arrêt ou le passage pour piétons)
- L'apprenti conducteur devra s'assurer :
    - Que les manœuvres sont permises ;
    - Que les manœuvres sont sécuritaires ;
    - Que les manœuvres peuvent se faire sans nuire à un autre usager (ne coupe pas le chemin à un autre usager, laisse l'espace et le temps nécessaires aux autres usagers pour circuler, etc.) ;
    - De signaler ses intentions en utilisant les clignotants et les feux de freinage de façon appropriée, etc.

Au cours des sorties suivantes, l'apprenti conducteur devrait effectuer ces manœuvres de façon autonome.

**EN TOUT TEMPS,
L'APPRENTI CONDUCTEUR DOIT :**

- **Respecter le Code de la sécurité routière et le Code criminel**
- **Respecter la signalisation routière**
- **Appliquer les règles de courtoisie**
- **Coopérer avec les usagers de la route, particulièrement avec les usagers vulnérables (partage de la route)**
- **Adopter une conduite sécuritaire, coopérative et responsable**
- **Prendre des décisions conformes à la sécurité routière**

Éducation routière
educationroutiere.saaq.gouv.qc.ca

Conduite semi-dirigée

Durée : 1 heure
Circuit : Moyen
Circulation : Fluide à moyennement dense

PARTICULARITÉS

Véhicules lourds : actions en leur présence et angles morts

Courtoisie à l'égard des autres véhicules, des véhicules lourds et des véhicules d'urgence

Comportement sécuritaire, coopératif et responsable

LES MANŒUVRES ET LES COMPORTEMENTS

Autoroute

- Adapter les techniques d'exploration visuelle à la conduite sur autoroute
- Adapter les manœuvres et comportements appris à la conduite sur autoroute

EN TOUT TEMPS, L'APPRENTI CONDUCTEUR DOIT :

- **Respecter le Code de la sécurité routière et le Code criminel**
- **Respecter la signalisation routière**
- **Appliquer les règles de courtoisie**
- **Coopérer avec les usagers de la route, particulièrement avec les usagers vulnérables (partage de la route)**
- **Adopter une conduite sécuritaire, coopérative et responsable**
- **Prendre des décisions conformes à la sécurité routière**

LE MONITEUR DOIT S'ASSURER QUE L'APPRENTI CONDUCTEUR :

Observe

- Explore l'environnement à l'aide du balayage visuel, en vérifiant dans les rétroviseurs et par-dessus l'épaule (angles morts)
- Détecte les risques potentiels et réels

Évalue

- Évalue les possibilités
- Évalue le degré de risque
- Recherche des solutions pour éviter ou réduire les risques

Agit

- Adapte sa conduite en fonction des situations de conduite (circulation, présence d'autres usagers, conditions climatiques et routières, etc.)
  - Varie la vitesse
  - Augmente les marges de sécurité (avant, arrière et latérales) autour du véhicule
  - Change de voie
- Prend plusieurs décisions rapidement
- Adopte un comportement sécuritaire, coopératif et responsable

Éducation routière
educationroutiere.saaq.gouv.qc.ca

Sortie 8

Conduite semi-dirigée

Phase

3

L'alcool et les drogues

COMPÉTENCES VISÉES

- Déterminer les facteurs qui augmentent le risque en situation de conduite

- Déterminer le cadre légal et les règles de courtoisie qui permettent une conduite sécuritaire, coopérative et responsable

- Décider de conduire ou de ne pas conduire

- Conduire de façon responsable

Module 10

L'alcool et les drogues

Supplément aux guides d'apprentissage

INTRODUCTION

Le module 10 vise à faire connaître les effets de l'alcool, des drogues et des médicaments sur la conduite automobile ainsi que les conséquences de la conduite avec les facultés affaiblies. En effet, même lorsque l'on est un conducteur expérimenté, la conduite d'un véhicule demeure une activité qui exige une attention constante. Le conducteur qui prend le volant alors que ses capacités sont affaiblies par l'alcool, les drogues ou les médicaments commet une infraction et risque d'être impliqué dans un accident de la route.

Les données les plus récentes montrent que :

- L'alcool au volant est toujours l'une des principales causes d'accidents au Québec. Ainsi, de 2006 à 2010, les accidents dus à l'alcool ont causé en moyenne annuellement 185 décès, 430 blessés graves et 2 140 blessés légers.

- Les conducteurs de 16 à 24 ans représentaient seulement 10 % de tous les titulaires de permis de conduire en 2010, mais ils ont commis 32 % des infractions dues à l'alcool. Ils comptaient aussi pour 24 % des conducteurs impliqués dans les accidents avec dommages corporels.

- En présence d'alcool, les jeunes sont plus vulnérables que les personnes plus âgées à la fois à cause de leur manque d'habitude de consommation et de leur inexpérience de la conduite.

Décider de conduire ou de ne pas conduire

Le message de la Société de l'assurance automobile du Québec est clair : *Lorsqu'on boit, on ne conduit pas.* Ce message vaut tout aussi bien pour les drogues et certains types de médicaments. Il existe plusieurs solutions de rechange à la conduite automobile lorsque l'on a consommé de l'alcool ou des drogues :

- On dort sur place, chez des amis, etc.

- On prend un taxi ou on utilise un service de raccompagnement.

- On monte avec un conducteur sobre (conducteur désigné).

- On utilise le transport en commun.

Lorsque l'on sait que l'on va participer à une activité où il y aura consommation d'alcool ou de drogues, il faut planifier ses déplacements à l'avance car, lorsqu'on a commencé à consommer, notre capacité de jugement est diminuée et on ne prend plus des décisions responsables.

L'alcool

LES EFFETS DE L'ALCOOL SUR LA CONDUITE

L'alcool agit rapidement sur le système nerveux central et il a un effet sur tous les sens et sur les mouvements. Il a également comme conséquence de diminuer les tensions et les inhibitions (effet euphorisant de l'alcool). Les effets de l'alcool sont progressifs et ils commencent dès la première consommation. Sous l'effet de l'alcool, le temps de réaction, la concentration, la capacité de résoudre des problèmes complexes, la capacité d'anticipation et la mémoire sont modifiés.

La consommation de boissons énergétiques en même temps que l'alcool est une pratique déconseillée ; l'effet de ce type de boisson est de stimuler, mais l'alcool demeure quand même dans le sang et il modifie toujours les facultés du conducteur.

Pour deux personnes, un même taux d'alcoolémie peut se traduire par des effets très différents, car il faut tenir compte de la tolérance personnelle à l'alcool, de l'état de fatigue, de l'état mental, etc. L'état psychologique de l'individu peut favoriser l'augmentation des effets de l'alcool. Une personne stressée, attristée ou fatiguée risque d'être plus touchée à la suite de la consommation de quelques verres.

Souvent, se poser la question « Suis-je en mesure de conduire ? » est déjà un indice que la réponse est non.

LA QUANTITÉ D'ALCOOL CONSOMMÉE

Les spiritueux, les vins et les bières n'ont pas la même concentration en alcool. La plupart des bières contiennent 5 % d'alcool, tandis que les vins en renferment environ 12 % et les spiritueux 40 %. Nous pouvons donc penser que la consommation d'une bière plutôt qu'une autre boisson alcoolisée aura moins d'effet sur nous.

Pourtant, si l'on respecte les mesures standards pour chaque type de boisson, une bière régulière équivaut à un verre de vin, d'apéritif ou de spiritueux. Alors, qu'il s'agisse de spiritueux, de vin ou de bière, ce n'est pas tant la concentration en alcool qui compte que le nombre de verres consommés.

Équivalence de teneur en alcool

Une consommation −

- 341 ml (12 oz) de bière alcoolisée (5 %)
- 142 ml (5 oz) de vin de table (7 % à 14 %)
- 43 ml (1,5 oz) de spiritueux (40 %)

LA RAPIDITÉ DE LA CONSOMMATION

L'ingestion rapide d'alcool accélère son passage dans le sang. Ainsi, vider son verre cul sec fera plus d'effet que de siroter lentement une bière ! Plus le passage de l'alcool dans le sang est rapide, plus le taux d'alcoolémie augmente rapidement, et plus la personne est en état d'ivresse.

LE FAIT D'AVOIR MANGÉ OU NON

Lorsque l'estomac est vide, l'assimilation de l'alcool se fait sans obstacle et les effets sont rapides. Le fait de manger après avoir consommé ne change rien. L'alcool est déjà présent dans le sang et il est trop tard. Lorsque l'alcool est pris en mangeant, le processus d'assimilation est plus long et l'alcool arrive dans le sang plus lentement. Toutefois, cela n'empêche pas le processus d'intoxication de se produire, cela ne fait que le ralentir.

L'ÉLIMINATION DE L'ALCOOL

L'élimination de l'alcool dans l'organisme est faite en grande partie par le foie (à 90 %). Le foie est un organe qui travaille à un rythme précis, qui ne peut être accéléré. Il est donc inutile de danser, de boire du café ou des boissons énergétiques, ou autres, le travail du foie ne se fera pas plus rapidement.

Seul le temps est efficace. Le rythme d'élimination de l'alcool par le foie est d'environ 15 mg à l'heure. Cette vitesse est une moyenne ; elle peut varier selon les individus et leur état de santé. L'élimination de l'alcool se produit plus lentement que son absorption. Le rythme de 15 mg à l'heure pour l'élimination de l'alcool correspond à environ une consommation à l'heure.

Peut-on mesurer efficacement son taux d'alcoolémie à l'aide des alcootests publics ?

Divers outils existent sur le marché pour mesurer le taux d'alcoolémie : alcootests muraux, alcootests portatifs, alcotubes et languettes de papier. Malgré le résultat qu'ils peuvent indiquer, cela ne garantit pas pour autant que la personne est en mesure de conduire de façon sécuritaire.

En effet, il faut savoir que la capacité de conduire peut être réduite par l'alcool même lorsque le taux d'alcoolémie est au-dessous de la limite légale, soit 0,08 ou même de 0,05. Par exemple, avec un taux d'alcoolémie de 0,05, un conducteur court un risque 2 fois plus élevé d'avoir un accident mortel qu'une personne sobre. Certaines études indiquent un risque encore plus élevé. À titre d'exemple, une étude de la Société de l'assurance automobile du Québec (2004) révèle que le risque d'accident mortel lorsque l'alcoolémie se situe entre 0,05 et 0,08 est de 4,5 fois plus élevé que si le conducteur est totalement sobre.

De plus, selon l'individu, le taux réel d'alcoolémie (taux maximal) est atteint en moyenne 60 minutes après la dernière consommation. Cela veut dire que le taux d'alcoolémie du conducteur, lorsqu'il prend son véhicule ou pendant le trajet, ne correspond pas toujours à celui qui a été mesuré plus tôt.

Aussi, les drogues, certains médicaments de même que le stress et la fatigue sont quelques-uns des éléments qui, sans modifier directement le taux d'alcoolémie, peuvent altérer la capacité de conduire et même amplifier les effets de l'alcool. Le mélange alcool/drogues est particulièrement dangereux et il augmente de façon importante le risque d'accident.

Les drogues

LES EFFETS DES DROGUES SUR LA CONDUITE

Les effets des drogues sur la conduite varient beaucoup selon le type de produit consommé, selon l'individu qui l'a consommé et le contexte dans lequel il l'a consommé. Il est important de détruire le mythe selon lequel certaines drogues améliorent la conduite.

Ainsi, le risque d'être impliqué dans un accident mortel pour le conducteur qui a consommé du cannabis, de la cocaïne ou des benzodiazépines (tranquillisants) est de deux à cinq fois plus élevé que s'il est sobre.

Selon le type de drogue consommé, les effets sur la conduite d'un véhicule routier peuvent aller de la somnolence (tranquillisant) à l'adoption de comportements à risque comme la vitesse excessive et l'agressivité au volant (cocaïne, *ecstasy*). Voir le tableau ci-contre concernant les effets des diverses drogues sur la conduite.

Les effets des drogues sur la conduite automobile[5]

Type de drogue	Effets sur la conduite
TRANQUILLISANTS ET SOMNIFÈRES Barbiturique Benzodiazépine GHB (drogue du viol)	• Somnolence • Vertiges • Perte de la vision périphérique • Augmentation du temps de réaction • Perte de connaissance
OPIACÉS Morphine Héroïne Méthadone	• Diminution des capacités physiques et mentales nécessaires à la conduite automobile • Conduite lente • Perte de coordination • Perte de contrôle du véhicule • Augmentation du temps de réaction • Somnolence • Vision trouble
SOLVANT Colle Aérosols (*poppers*)	• Diminution des habiletés psychomotrices et cognitives • Diminution de la perception visuelle • Incapacité à se concentrer • Diminution de la rapidité des mouvements • Augmentation du temps de réaction
COCAÏNE, AMPHÉTAMINES *Speed* Méthamphétamine *Crystal meth* MDMA *(Ectasy)*	• Comportements à haut risque comme la vitesse excessive, le virage devant d'autres véhicules, l'agressivité • Faux sentiment de confiance • Somnolence, état dépressif, inattention (après la phase euphorique) • Perte de coordination • Dilatation des pupilles, ce qui a pour conséquence de diminuer l'adaptation à une lumière vive
CANNABIS Haschich Résine Marijuana	• Difficulté à se concentrer, à rester attentif à l'environnement routier • Risque de moins bien percevoir l'environnement • Perte de coordination • Difficulté à maintenir une trajectoire en ligne droite • Difficulté à rouler à une vitesse constante et à évaluer les distances • Temps de réaction augmenté, réflexes ralentis et conduite hésitante • Risque de ne pas pouvoir faire face à l'imprévu
HALLUCINOGÈNES LSD Mescaline Champignon magique Kétamine	• Hallucinations • Problèmes de coordination • Perte du sens de la réalité • Vision déformée • Diminution importante des habiletés psychomotrices et cognitives

5. Sources :
   Mohamed BEN AMAR, « Cannabis : Pharmacologie du cannabis et synthèse des analyses des principaux comités d'experts », *Drogues, santé et société*, volume 2, numéro 2, 2004.
   NHTSA, *Drugs and Human Performance Fact Sheets*, 2004.
   SFA/ISPA, *Alcool, drogues illégales, médicaments et circulation routière*, 2004.

LE CANNABIS

Le cannabis est de loin la substance illicite la plus consommée au Québec et au Canada. De plus, c'est la drogue la plus répandue chez les jeunes. Pour ce qui est de la perception des risques associés à la conduite sous l'influence du cannabis, plusieurs facteurs contribuent au fait que ceux-ci sont souvent sous-estimés.

Tout d'abord, les conducteurs sous l'influence du cannabis sont habituellement plus conscients de leur intoxication que les conducteurs dont la capacité de conduite est affaiblie par l'alcool. Ils adoptent donc moins de comportements à risque – vitesse, dépassements, faibles distances entre les véhicules, etc. Comme ils sont moins téméraires, il est plus difficile pour eux de réaliser l'effet réel du cannabis sur la conduite d'un véhicule routier. En outre, le faible degré de sensibilisation du public à cette problématique contribue au fait que les gens éprouvent de la difficulté à percevoir les risques courus. Enfin, soulignons une certaine banalisation du produit étant donné le haut taux de consommation observé.

Plusieurs croient que le cannabis va les aider à conduire plus prudemment, en réduisant le stress lié à la conduite. Or, cette drogue diminue la concentration, la perception de l'environnement routier, la coordination, la capacité à maintenir une trajectoire en ligne droite et à évaluer les distances. Le temps de réaction est également plus lent. Dans ces conditions, il devient difficile de faire face aux situations imprévues qui sont fréquentes sur le réseau routier.

On ne peut parler de seuil sécuritaire pour la consommation de drogues, car l'effet d'une drogue dépend non seulement du type de produit consommé (quantité, qualité, etc.), mais aussi de l'interaction de plusieurs facteurs comme les caractéristiques de l'individu (sexe, poids, taille, état de santé, état d'esprit, etc.) et le contexte de la consommation (lieu, moment de la journée, relations avec les autres, etc.).

Il faut aussi prendre conscience que plusieurs jeunes conducteurs désignés peuvent avoir tendance à consommer du cannabis et non de l'alcool. Évidemment, ce comportement est dangereux et non sécuritaire.

Il est faux de croire que les policiers ne peuvent pas détecter la drogue au volant. Depuis 2008, ils ont le droit d'exiger (au même titre que l'alcootest) que le conducteur se soumette à des épreuves de coordination des mouvements ou à une évaluation par un expert en reconnaissance de drogues.

Les médicaments

LES EFFETS DES MÉDICAMENTS SUR LA CONDUITE

Certains médicaments peuvent aussi affaiblir la capacité de conduire en provoquant des troubles de la vigilance, de l'attention, de la vision, du comportement ou une perturbation de l'équilibre. Même lorsqu'il s'agit de médicaments en vente libre, il est important de consulter les professionnels de la santé (médecins, pharmaciens) afin de connaître les effets de ces médicaments sur la conduite. De plus, il faut toujours lire attentivement les indications sur les contenants des médicaments, qu'ils soient prescrits par le médecin ou en vente libre.

Classes de médicaments pouvant altérer la capacité de conduire	
Neuroleptiques	Anxiolytiques
Hypnotiques et sédatifs	Antidépresseurs
Analgésiques	Antiépileptiques
Antiparkinsoniens	Anesthésiques
Médicaments contre le diabète	Antihistaminiques systémiques
Médicaments contre le rhume et la toux	Antiémétiques et antinauséeux
Médicaments ophtalmologiques	

Les conséquences de la conduite avec les facultés affaiblies

Les conséquences de la conduite avec les facultés affaiblies sont à la fois légales, financières et sociales.

CONSÉQUENCES LÉGALES

Consulter les pages 36 à 45 du Guide de la route *pour compléter l'information.*

Le Code criminel (article 253) sanctionne le fait de conduire ou d'avoir la garde ou le contrôle d'un véhicule à moteur dans les cas suivants :

- Lorsque la capacité de conduire est affaiblie par l'effet de l'alcool ou d'une drogue (article 253 a) ;

- Si la personne qui conduit a consommé une quantité d'alcool qui dépasse 80 mg par 100 ml de sang (0,08) (article 253 b).

Un conducteur peut donc être accusé même si son alcoolémie ne dépasse pas 80 mg par 100 ml de sang (253 a). Si le policier observe un comportement laissant croire à l'affaiblissement de la capacité de conduire, il pourra demander au conducteur de se soumettre à un test avec l'appareil de détection de l'alcool ou à des épreuves de coordination des mouvements – trois tests symptomatiques administrés sur le bord de la route : test de la démarche, test de l'équilibre et nystagmus en regard horizontal. Si ses soupçons sont confirmés, il peut procéder à l'arrestation et amener la personne au poste de police pour la poursuite de son enquête.

Au poste de police, l'agent de la paix pourra faire passer un alcootest qui révèlera l'alcoolémie exacte, ou soumettre le contrevenant à un examen par un expert en reconnaissance de drogues qui lui fera subir un test en douze étapes permettant de déterminer la catégorie de drogue en cause.

Il est à noter qu'au sens du Code criminel les drogues incluent les drogues illicites (cannabis, cocaïne, etc.) et licites ou légales (médicaments en vente libre ou sous ordonnance). Ainsi, conduire avec les facultés affaiblies par l'alcool, les drogues illégales ou par les médicaments peut mener à des accusations en vertu du Code criminel et du Code de la sécurité routière (CSR).

Notion de garde et de contrôle d'un véhicule à moteur

Le fait d'avoir la garde ou le contrôle d'un véhicule à moteur avec une capacité de conduite affaiblie ou un taux d'alcoolémie supérieur à la limite légale constitue une infraction criminelle.

Le Code criminel précise aussi que la personne prenant place derrière le volant est présumée exercer la garde et le contrôle d'un véhicule. Par ailleurs, le simple fait d'être présent dans un véhicule à moteur (par exemple être endormi sur la banquette arrière de la voiture) et d'avoir accès à la clé de contact peut déterminer si la personne en assume la garde ou le contrôle. Le fardeau de la preuve repose sur le contrevenant. Il doit démontrer qu'il ne pouvait pas conduire ou qu'il n'en avait pas l'intention. La prudence s'impose donc : lorsqu'on a les facultés affaiblies, il vaut mieux rester loin de son véhicule.

En général, la déclaration de culpabilité à l'une de ces infractions au Code criminel entraîne des conséquences : amende, interdiction de conduire, casier judiciaire et parfois la prison. Le CSR prévoit quant à lui des sanctions immédiates – c'est-à-dire qu'elles s'appliquent le jour même de l'arrestation, donc avant le procès et avant la déclaration de culpabilité. Par exemple, le conducteur dont l'alcootest indique une alcoolémie supérieure à 80 mg voit son permis suspendu immédiatement pour 90 jours. Et si l'alcoolémie est supérieure à 160 mg, le véhicule est saisi immédiatement pour 30 jours.

Si la personne est reconnue coupable, une autre sanction du CSR s'ajoute à celles prévues au Code criminel, soit la révocation du permis. Après la durée minimale de révocation du permis, la personne doit avoir rempli certaines conditions avant de pouvoir obtenir de nouveau un permis de conduire – subir une évaluation de son comportement à l'égard de la conduite et de l'alcool ou des drogues (évaluation sommaire) et suivre la session Alcofrein dans certains cas. Si l'évaluation est défavorable, le conducteur devra se soumettre à une seconde évaluation (évaluation complète). De plus, après la période de révocation du permis, le conducteur devra conduire pendant au moins un an avec un véhicule équipé d'un dispositif détecteur d'alcool (antidémarreur).

Enfin, il est important que le conducteur comprenne qu'un refus de fournir un échantillon d'haleine ou de sang, ou de se soumettre aux épreuves de coordination des mouvements ou à une évaluation par un expert en reconnaissance de drogues, est une infraction criminelle qui entraîne également les conséquences les plus sévères prévues au CSR.

Le zéro alcool pour les nouveaux conducteurs

Il est interdit à tout titulaire d'un permis d'apprenti conducteur ou d'un permis probatoire de conduire après avoir consommé de l'alcool. En cas d'infraction à la règle du zéro alcool, les sanctions administratives suivantes s'appliquent :

- Suspension immédiate du permis pour 90 jours ;
- S'il est déclaré coupable : amende de 300 $ à 600 $ plus les frais ;
- Inscription au dossier de conduite de 4 points d'inaptitude ;
- Révocation du permis pour 3 mois supplémentaires.

Le conducteur soumis à la règle du zéro alcool a intérêt à donner un échantillon d'haleine si un policier l'ordonne, car un refus d'obtempérer à cet ordre constitue une infraction criminelle (casier judiciaire) tandis que, si l'appareil de détection d'alcool révèle que le nouveau conducteur a de l'alcool dans son sang, sous la limite légale de 0,08, les sanctions ne seront qu'administratives.

CONSÉQUENCES FINANCIÈRES

Une première condamnation coûte au minimum 1 700 $ (amende + frais connexes). D'autres frais variables doivent être ajoutés : avocat pour la défense au procès, augmentation considérable des primes d'assurance privées pour le véhicule, etc.

CONSÉQUENCES SOCIALES

Les conséquences personnelles et familiales liées à une première condamnation pour conduite avec les facultés affaiblies sont nombreuses et lourdes à assumer. Pensons ici, notamment, aux conséquences de l'interdiction de conduire sur la vie professionnelle et familiale du contrevenant ainsi qu'aux contraintes quotidiennes que doit vivre la personne qui, si elle souhaite conduire, doit le faire avec un véhicule muni d'un dispositif détecteur d'alcool (antidémarreur).

De plus, certains emplois ou domaines d'emploi (fonctionnaire fédéral, banque, assurances, sécurité, enseignement, santé, etc.) peuvent impliquer une recherche d'antécédents judiciaires. En outre, à la suite d'une condamnation en vertu du Code criminel, certaines compagnies d'assurance peuvent refuser d'assurer quelqu'un qui possède un casier judiciaire. Enfin, les déplacements hors Canada pourront être plus difficiles, notamment aux États-Unis où les douaniers ont accès à une base de données canadienne sur les condamnations criminelles.

CONCLUSION

Conduire avec les facultés affaiblies demeure toujours l'une des principales causes de décès sur les routes. Comme on l'a vu dans ce module, les conséquences sont multiples. Certaines personnes devront vivre avec le fait d'avoir blessé ou tué quelqu'un et passer le reste de leur vie habitées par un fort sentiment de culpabilité. On peut facilement imaginer l'escalade des conséquences de cette situation sur leur vie personnelle et sur celle de leurs proches.

Selon les témoignages recueillis auprès de proches des victimes, le plus difficile à accepter après un accident où l'alcool ou les drogues étaient en cause est le fait que cette tragédie aurait pu être évitée si le conducteur ou la conductrice en faute avait été plus responsable. Pour l'entourage des victimes, savoir que la personne qui a causé la mort de leur proche conduisait alors que ses facultés étaient affaiblies par l'alcool ou les drogues est extrêmement douloureux.

Éducation routière
educationroutiere.saaq.gouv.qc.ca

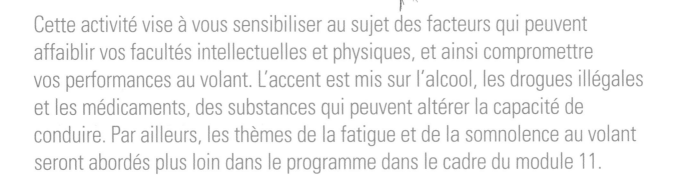

Activité

L'alcool et les drogues

Facultés affaiblies ? Ne conduisez pas !

Cette activité vise à vous sensibiliser au sujet des facteurs qui peuvent affaiblir vos facultés intellectuelles et physiques, et ainsi compromettre vos performances au volant. L'accent est mis sur l'alcool, les drogues illégales et les médicaments, des substances qui peuvent altérer la capacité de conduire. Par ailleurs, les thèmes de la fatigue et de la somnolence au volant seront abordés plus loin dans le programme dans le cadre du module 11.

Cette activité aborde également les conséquences physiques, psychologiques, financières, sociales, familiales et légales de la conduite avec les facultés affaiblies par l'alcool et les drogues.

TITRE DE L'ACTIVITÉ ## Les conséquences pour soi et pour les autres

TÂCHES À RÉALISER

En équipes de travail (10 minutes)

- Désignez un porte-parole pour le retour en séance plénière.
- Selon vos connaissances actuelles, faites une liste détaillée des conséquences de la conduite avec les facultés affaiblies par l'alcool ou les drogues.

Retour en séance plénière (20 minutes)

- Présentez les résultats de vos travaux.

Individuellement

Ce que j'ai appris au cours de cette activité :

_____

_____

_____

_____

_____

_____

_____

_____

_____

Solutions de rechange à la conduite avec les facultés affaiblies

Solutions de rechange pour soi

- S'abstenir de consommer de l'alcool, des drogues et des médicaments.
- Prendre des boissons non alcoolisées.
- Ne jamais consommer lorsqu'on prend des médicaments.
- Utiliser les transports en commun.
- Prendre un taxi.
- Faire appel à un service de raccompagnement tel que l'Opération Nez rouge.
- Avoir recours à un conducteur désigné sobre.
- Demander à quelqu'un de venir vous chercher.
- Dormir sur place.
- Si l'on consomme de l'alcool, contrôler rigoureusement la quantité et le rythme de consommation. Pour ce faire :
  - Refuser des consommations qui vous sont offertes ;
  - Éviter les mélanges ;
  - S'assurer de la quantité d'alcool qui est versée dans son verre (utilisation d'un bouchon doseur) ;
  - Trouver un endroit à proximité de soi pour y déposer son verre ;
  - Consommer peu et lentement ;
  - Espacer les consommations ;
  - Manger en même temps que l'on consomme.
- Ne jamais monter avec un conducteur dont les facultés sont affaiblies.

Solutions de rechange pour autrui

Dans les endroits publics

- Proposer une solution de rechange à l'utilisation du véhicule : taxi, transport en commun, service de raccompagnement, conducteur désigné sobre.
- Conserver les clés du véhicule de la personne dont les facultés sont affaiblies.
- Demeurer sur place le temps que la personne élimine l'alcool consommé.

Quand on reçoit à la maison

- Avant de commencer à consommer, inciter ses invités à choisir un conducteur désigné et voir à ce que des boissons non alcoolisées soient offertes à cette personne.
- Avoir toujours de l'eau à table afin que les invités puissent alterner avec leur consommation d'alcool.
- Pendant la soirée, contrôler le service des boissons alcoolisées au lieu de laisser les invités se servir eux-mêmes.
- Refuser de servir de l'alcool à toute personne dont les facultés sont affaiblies.
- Limiter sa propre consommation pour être en mesure de juger de l'état de ses invités.
- Être vigilant et s'assurer que ceux qui désirent boire des boissons non alcoolisées puissent le faire à tout moment sans difficulté.
- Arrêter de servir des boissons alcoolisées au moins une heure avant la fin de la soirée et offrir de l'eau, du café, du thé ou des jus de fruits.
- Se rappeler que certains invités ont besoin de plus de temps pour éliminer l'alcool.
- Si on est sobre, raccompagner son invité ou lui offrir l'hospitalité.

Retenir surtout que, peu importe les moyens d'intervention choisis, les invités sont après coup reconnaissants envers les gens qui les ont empêchés de risquer leur vie et celle des autres alors qu'ils avaient les facultés affaiblies.

Responsabilités de l'hôte

Lorsqu'on demande un permis d'alcool pour une réception dans une salle ou lorsqu'on reçoit des invités à la maison et qu'il y a consommation d'alcool, il faut savoir que l'hôte a des responsabilités sur les plans social et légal.

L'hôte qui demande un permis d'alcool

Sur le plan légal, la Loi sur les infractions en matière de boissons alcooliques, la Loi sur les permis d'alcool et le Code civil du Québec prévoient des sanctions, dont des amendes, pour le titulaire d'un permis d'alcool qui n'adopte pas un comportement responsable envers ses invités ou ses clients qui ont surconsommé.

L'hôte qui reçoit à la maison

La Loi n'impose pas à l'hôte privé une obligation ou un devoir d'agir susceptible d'engendrer une accusation de négligence criminelle.

Cependant, en matière de droit civil, il n'est pas exclu que l'hôte privé qui, étant au fait de l'état d'incapacité de conduire de son invité, n'intervient d'aucune façon pour le dissuader de prendre le volant ou l'incite même à le faire puisse être tenu responsable, en tout ou en partie, des dommages occasionnés si un accident est causé par cet invité. Compte tenu des dispositions actuelles de la Loi (*no fault*), sa responsabilité devrait toutefois se limiter à la réparation du préjudice matériel subi par la victime.

294

Évaluer vos connaissances

- *Encerclez la ou les réponses de votre choix.*

1 Une personne a moins de risques d'avoir la capacité de conduire affaiblie si elle consomme :

a. De la bière.

b. Du vin.

c. Du gin.

d. Une boisson de type *cooler*.

e. Aucune de ces réponses.

2 Une bonne façon de réduire le taux d'alcool dans le sang consiste à :

a. Boire du café.

b. Prendre un bon repas.

c. Attendre que le foie fasse son travail.

d. Prendre une douche froide.

e. Danser, faire du sport, transpirer.

3 La capacité de conduire peut être affaiblie à partir d'un taux d'alcoolémie de :

a. 0,02.

b. 0,05.

c. 0,08.

4 Lesquels des effets suivants sont attribuables à la consommation de cannabis ?

a. Difficulté à se concentrer, à rester attentif à l'environnement routier.

b. Temps de réaction plus lent, réflexes ralentis et conduite hésitante.

c. Difficulté à maintenir une trajectoire en ligne droite.

d. Adoption de comportements à haut risque, comme celui de conduire trop vite.

e. Risque de ne pas pouvoir faire face à l'imprévu.

5 À combien peut s'élever la facture pour une première infraction criminelle pour conduite avec les facultés affaiblies ?

a. Minimum de 700 $.

b. Minimum de 1 700 $.

c. Minimum de 2 700 $.

6 Dans quelles circonstances une personne peut-elle être reconnue coupable de conduite avec les facultés affaiblies ?

a. Lorsque son taux d'alcool dans le sang est supérieur à 80 mg par 100 ml de sang (0,08).

b. Lorsque sa capacité de conduire est affaiblie par l'alcool, les drogues ou par les médicaments.

c. Si elle refuse de fournir un échantillon d'haleine à une policière ou un policier qui le lui ordonne.

d. Toutes ces réponses sont bonnes.

7 Nommer deux solutions de rechange à la conduite avec les facultés affaiblies.

A) _____

_____

_____

_____

B) _____

_____

_____

_____

RÉPONSES

1. e. Aucune de ces réponses

Les 50 ml d'alcool dans un mélange de jus de fruits exotiques demeurent 50 ml d'alcool ! Les cocktails et les boissons au vin (*coolers*) ne sont pas toujours aussi légers qu'ils en ont l'air… Leurs effets peuvent surprendre !

2. c. Attendre que le foie fasse son travail

Aucun moyen «miracle» ne peut accélérer l'élimination de l'alcool par l'organisme, que ce soit l'exercice ou tout autre moyen. Seul le temps est efficace. Le foie élimine à lui seul 90 % de l'alcool consommé. En effet, le foie travaille à un rythme régulier; quelle que soit la concentration d'alcool dans le sang, il élimine en moyenne 15 mg à l'heure, soit l'équivalent d'une bière, d'un verre de vin ou d'un verre de spiritueux.

3. a. 0,02

Les effets de l'alcool sont progressifs et commencent dès la première consommation. Avec seulement 20 mg d'alcool par 100 ml de sang (0,02), le comportement change; à 50 mg (0,05), les effets sur la conduite d'un véhicule sont déjà significatifs.

Taux d'alcoolémie	Effets sur la conduite
0,02	• Réduction des fonctions visuelles (dépistage rapide d'un objet qui se déplace) • Diminution de la capacité à exécuter deux tâches en même temps (par exemple maintenir son véhicule en ligne droite et surveiller l'environnement)
0,05	• Coordination réduite • Habileté réduite à dépister les objets en mouvement • Difficulté de direction • Réponse réduite aux situations d'urgence (par exemple l'apparition subite d'un piéton)
0,08	• Difficulté de concentration • Perte de la mémoire à court terme • Problème de contrôle de la vitesse • Capacité de traitement de l'information diminuée (détection des signaux, recherche visuelle) • Perception altérée

4. a., b., c. et e.

Les conducteurs sous l'influence du cannabis sont habituellement plus conscients de leur intoxication que les conducteurs dont la capacité de conduite est affaiblie par l'alcool. Ils adoptent donc moins de comportements à risque – vitesse, dépassements, distances entre les véhicules, etc. Comme ils sont moins téméraires, il est plus difficile pour eux de réaliser l'impact réel du cannabis sur la conduite d'un véhicule routier. Pourtant, plusieurs études ont démontré que la consommation de cannabis (peu importe la quantité) affecte la capacité de conduire.

Principaux effets du cannabis sur la conduite d'un véhicule routier

- Difficulté de se concentrer et d'être attentif à l'environnement routier
- Perception réduite de l'environnement
- Coordination affectée
- Difficulté à maintenir une trajectoire en ligne droite
- Temps de réaction augmenté, réflexes ralentis et conduite hésitante
- Risque de ne pas pouvoir faire face à l'imprévu

5. b. Minimum de 1 700 $

En plus des inconvénients non chiffrables liés à un dossier criminel, le minimum à débourser pour le contrevenant s'élève à 1 700 $ et peut atteindre dans certains cas plus de 5 000 $. À cela peuvent aussi s'ajouter des frais variables – avocat, augmentation de la prime d'assurance automobile privée, frais liés à un déplacement au États-Unis en raison du dossier criminel. Pour une deuxième infraction, les frais varient de 7 200 $ à 7 900 $ et pour une troisième infraction ou plus, les frais s'élèvent à plus de 11 000 $.

6. d. Toutes ces réponses sont bonnes.

7. Suggestions de réponses

- S'abstenir de consommer de l'alcool, des drogues et des médicaments si on a l'intention de prendre le volant

- Utiliser les transports en commun

- Prendre un taxi

- Faire appel à un service de raccompagnement

- Avoir recours à un conducteur désigné

- Contrôler la quantité et le rythme de ses consommations

- Laisser passer le temps nécessaire à l'élimination de l'alcool

Conduite semi-dirigée

Durée : 1 heure
Circuit : Moyen
Circulation : Fluide

PARTICULARITÉS

Courtoisie : règles et comportement
Comportements à adopter en présence de différents usagers

LES MANŒUVRES ET LES COMPORTEMENTS

Conduite urbaine

- Perfectionner la conduite (manœuvres et comportements) en milieu urbain

Stationnement

- Effectuer les stationnements non encore appris
- Perfectionner l'ensemble des manœuvres de stationnement

LE MONITEUR DOIT S'ASSURER QUE L'APPRENTI CONDUCTEUR :

Observe

- Explore l'environnement à l'aide du balayage visuel, en vérifiant dans les rétroviseurs et par-dessus l'épaule (angles morts)
- Reconnaît l'influence des actions des autres usagers sur soi
- Détecte les risques potentiels et réels
- Perçoit les conflits potentiels

Évalue

- Évalue les possibilités
- Évalue le degré de risque
- Recherche des solutions pour éviter ou réduire les risques

Agit

- Adapte sa conduite en fonction des situations de conduite (circulation, types d'usagers en présence, conditions climatiques et routières, etc.)
  - Varie la vitesse
  - Augmente les marges de sécurité (avant, arrière et latérales) autour du véhicule
  - Change de voie
  - Laisse passer, etc.
- Adopte un comportement sécuritaire, coopératif et responsable
- Évite les conflits potentiels
  - Évite les comportements nerveux et provocateurs

Éducation routière
educationroutiere.saaq.gouv.qc.ca

Sortie 9

Conduite semi-dirigée

Phase

3

Apprentissage sur la
Route

Sortie 9

CONDUITE AUTONOME

Demander à l'apprenti conducteur, au cours des cinq prochaines minutes, d'effectuer un changement de voie de façon autonome (sans l'aide du moniteur)

- Manœuvre de changement de voie
  - L'apprenti conducteur détermine où et comment exécuter le changement de voie
  - Il effectue la manœuvre de changement de voie de façon autonome
- L'apprenti conducteur devra s'assurer :
  - Que la manœuvre est permise ;
  - Que la manœuvre est sécuritaire ;
  - Que la manœuvre peut se faire sans nuire à un autre usager (ne coupe pas le chemin à un autre usager, laisse l'espace et le temps nécessaires aux autres usagers pour circuler, etc.).
- Il devra signaler ses intentions en utilisant les clignotants de façon appropriée, etc.

Au cours des sorties suivantes, l'apprenti conducteur devrait effectuer cette manœuvre de façon autonome.

**EN TOUT TEMPS,
L'APPRENTI CONDUCTEUR DOIT :**

- **Respecter le Code de la sécurité routière
  et le Code criminel**
- **Respecter la signalisation routière**
- **Appliquer les règles de courtoisie**
- **Coopérer avec les usagers de la route,
  particulièrement avec les usagers vulnérables
  (partage de la route)**
- **Adopter une conduite sécuritaire, coopérative
  et responsable**
- **Prendre des décisions conformes à la sécurité
  routière**

Conduite semi-dirgiée

Phase 3

Éducation routière
educationroutiere.saaq.gouv.qc.ca

Conduite semi-dirigée

Évaluation pratique formative II

Durée : 1 heure
Circuit : Moyen
Circulation : Fluide et de densité moyenne

PARTICULARITÉS

Revenir sur les pratiques et comportements à améliorer

LES MANŒUVRES ET LES COMPORTEMENTS

- Maîtriser l'ensemble des manœuvres et des comportements énumérés dans les sorties 1 à 9
- Effectuer des manœuvres de façon autonome
  - Stationnements
  - Changements de voie
  - Virages, etc.

EN TOUT TEMPS, L'APPRENTI CONDUCTEUR DOIT :

- **Respecter le Code de la sécurité routière et le Code criminel**
- **Respecter la signalisation routière**
- **Appliquer les règles de courtoisie**
- **Coopérer avec les usagers de la route, particulièrement avec les usagers vulnérables (partage de la route)**
- **Adopter une conduite sécuritaire, coopérative et responsable**
- **Prendre des décisions conformes à la sécurité routière**

LE MONITEUR DOIT S'ASSURER QUE L'APPRENTI CONDUCTEUR :

- Est en mesure d'effectuer l'ensemble des manœuvres et d'adopter les comportements déjà appris, et ce, de manière semi-dirigée à autonome

CONDUITE AUTONOME

Demander à l'apprenti conducteur, au cours des cinq prochaines minutes, d'effectuer une manœuvre de stationnement
de façon autonome (sans l'aide du moniteur)

- Manœuvre de stationnement
  - L'apprenti conducteur cherche lui-même une place pour garer le véhicule dans un espace de stationnement et il exécute la manœuvre de façon autonome.
  - L'apprenti conducteur cherche lui-même une place pour garer le véhicule dans la rue d'un quartier et il exécute la manœuvre de façon autonome.

Au cours des sorties suivantes, l'apprenti conducteur devrait effectuer cette manœuvre de façon autonome.

Éducation routière
educationroutiere.saaq.gouv.qc.ca

CONDUIRE SANS AVOIR CONSOMMÉ
D'ALCOOL NI DE DROGUE

« LES AMIS **NE LAISSENT PAS LEURS AMIS** CONDUIRE SOUS L'INFLUENCE »

Conduite
semi-dirigée à autonome

La fatigue et les distractions

COMPÉTENCES VISÉES

- Déterminer les facteurs qui augmentent le risque en situation de conduite

- Déterminer le cadre légal et les règles de courtoisie qui permettent une conduite sécuritaire, coopérative et responsable

- Décider de conduire ou de ne pas conduire

- Se diriger de façon autonome sur le réseau

- Conduire de façon responsable

Activité : la fatigue au volant :

① vu les 4 amis ont un permis, laisse le
trajet en alternances pour pas les conducteurs
se fatigue ; bien reposer ; pause (2H)

② moins concentrer, les yeux cline, s'endort.

③ café, musique, pause.

④ Tout le monde.

_____

physique
intellectuelle

La fatigue et les distractions

Module 11

310

Supplément aux guides d'apprentissage

INTRODUCTION

Le module 11 vise à vous sensibiliser à deux autres causes d'accident de la route, soit la fatigue et les distractions au volant.

Au Québec, la fatigue est la troisième cause de décès après l'alcool et la vitesse sur nos routes. Quant aux distractions, le problème a été mis en évidence surtout à cause de la prolifération des cellulaires et de leur usage accru par les automobilistes. Les autres sources de distraction ayant fait l'objet de peu d'études, il est difficile d'établir le risque qu'elles représentent. C'est pourquoi la seconde partie de ce module traite principalement du cellulaire.

La fatigue au volant

Tous les groupes d'âge sont représentés dans les accidents liés à la fatigue au volant, mais les conducteurs de moins de 30 ans sont particulièrement à risque. Entre 16 et 19 ans, les jeunes ont besoin en moyenne de 9 heures de sommeil par nuit. Ils ont besoin de plus de sommeil parce qu'ils vivent une période de croissance physique, intellectuelle et affective accélérée. Des changements importants à leur horloge biologique font en sorte que le cycle veille-sommeil est décalé de quelques heures, de sorte que la plupart des jeunes adultes ne sont pas prêts physiologiquement à s'endormir avant 23 heures. Les heures de sommeil de nuit se trouvent donc souvent réduites.

D'autres facteurs interviennent sur leur état de fatigue. Leur mode de vie est un facteur de risque : à combiner études, travail, loisirs et sorties, ils cumulent une dette de sommeil qui affaiblit leur capacité de conduire. De plus, ils se trouvent souvent sur les routes aux heures les plus critiques aux accidents liés à la fatigue, soit la nuit, entre minuit et 6 heures. Leur vulnérabilité aux accidents est encore augmentée quand ils consomment de l'alcool ou des drogues.

Un sondage réalisé par la Société de l'assurance automobile du Québec en janvier 2009 confirme la méconnaissance des dangers liés à la fatigue, puisque seulement 9 % des conducteurs québécois voient la fatigue comme une cause d'accident de la route. Notons que 44 % des jeunes âgés de 16 à 24 ans croient que le fait d'être fatigué n'a pas d'effet sur leur manière de conduire.

Pourtant, il y a un lien entre la fatigue et les erreurs qui mènent à un accident. La fatigue diminue la vigilance, fausse le jugement, altère la mémoire et peut même réduire le champ de vision du conducteur. La fatigue augmente naturellement les risques de somnolence et d'endormissement au volant.

FACTEURS QUI DIMINUENT LA CAPACITÉ DE CONDUIRE

Liés au conducteur

On a tous une horloge circadienne* qui gère la température du corps, la sécrétion hormonale, les fréquences cardiaques, la tension artérielle et la digestion, mais aussi le cycle du sommeil. Ce cycle se répète environ toutes les 24 heures, et il est tributaire de facteurs extérieurs tels la lumière et l'obscurité.

Le cycle du sommeil fluctue au cours de la journée. Ainsi, on ressent une première baisse de la vigilance et une somnolence accrue entre 13 h et 15 h et une seconde la nuit entre minuit et l'aube. Cette dernière est toutefois beaucoup plus marquée. Quelle que soit l'activité de la personne, la fatigue se manifeste durant ces points creux du cycle.

Il faut également tenir compte de l'état de santé physique et mentale du conducteur, de la quantité et de la qualité de son sommeil, du temps d'éveil et du stress vécu. Tous ces facteurs peuvent contribuer à la fatigue.

Liés au calendrier de travail

On fait référence ici au moment de la journée où la personne doit travailler, à la durée de la période travaillée, aux horaires rotatifs, à la charge de travail et au manque de périodes de repos, etc.

Liés à l'environnement

Les conditions routières, les conditions climatiques, la disponibilité des aires de repos, la monotonie des routes empruntées, le bruit, la chaleur et les vibrations ainsi que l'ergonomie du véhicule sont autant de facteurs qui peuvent nuire à une conduite vigilante.

ACTIONS À FAIRE DÈS LES PREMIERS SYMPTÔMES DE FATIGUE

Lorsque la fatigue se fait sentir, la seule façon de réagir est de s'arrêter dans un endroit sécuritaire pour faire une pause et se dégourdir ou pour faire une sieste d'une quinzaine de minutes. Une pause permet d'améliorer sa vigilance pour une courte période, tandis qu'une sieste aide à récupérer et permet de se sentir reposé plus longtemps. Une sieste ne peut pas remplacer une bonne nuit de sommeil, mais en cas de grande fatigue, elle permet de poursuivre sa route en sécurité quelques heures. On peut s'arrêter dans le stationnement d'une halte routière, d'une aire de service près de la route, d'un commerce, d'une église, bref dans tout endroit accessible, sauf sur l'accotement. En plus d'être interdit sur une autoroute, le stationnement sur l'accotement n'est pas sécuritaire, puisqu'il y a un risque de collision avec les autres véhicules.

Il est aussi possible de s'arrêter dans un village-relais qui offre tous les services nécessaires aux voyageurs.

Le seul moyen pour éliminer la fatigue est de dormir. Boire un café, ouvrir la fenêtre ou monter le volume de la radio ne sont pas de véritables solutions, puisque leur effet sera temporaire, s'il y en a un.

* circadienne : qui suit un rythme de 24 heures.

Les distractions au volant

Il existe une multitude de facteurs qui peuvent nuire à notre concentration lorsque nous conduisons un véhicule. Il faut donc être conscient des nombreuses sources de distractions auxquelles nous ne pouvons pas échapper mais que nous pouvons gérer.

Des stimuli extérieurs à notre véhicule (affiches publicitaires, restaurants) ou des passagers qui nous parlent sont autant de facteurs qui peuvent nuire à notre concentration. Même si nous pensons être en pleine possession de nos moyens, les imprévus et les stimuli peuvent toujours surgir et diminuer notre temps de réaction.

LE CELLULAIRE, UNE SOURCE DE DISTRACTION NON NÉGLIGEABLE

La loi ayant changé depuis 2008 au sujet de l'utilisation du cellulaire au volant, ne pas tenir compte du contenu des pages 217 à 218 du guide *Conduire un véhicule de promenade* (édition 2005).

De nombreuses études établissent que l'utilisation du cellulaire au volant est une source importante de distractions cognitives et visuelles, qui augmente le risque d'être impliqué dans un accident de la route ou de commettre une infraction au Code de la sécurité routière.

La première règle concernant le cellulaire est : ne l'utilisez pas lorsque vous conduisez ! Lorsque vous êtes au volant, éteignez votre cellulaire et laissez la messagerie vocale prendre l'appel pour vous ou laissez un passager prendre l'appel à votre place. L'option main libre n'est pas plus sécuritaire que lorsque l'appareil est tenu en main. En effet, les études établissent que l'un et l'autre nuisent à la conduite. Ce n'est pas tant le maniement de l'appareil qui pose un problème, mais bien la conversation téléphonique elle-même car le cellulaire est une source de distraction davantage mentale que physique. La distraction liée à une conversation au cellulaire demeure, même si on a les deux mains sur le volant.

L'utilisation du cellulaire au volant altère l'attention allouée à la conduite et détériore la performance du conducteur de plusieurs façons :

- La perception visuelle est réduite (diminution du champ visuel et fixité du regard) ;

- Les aptitudes à éviter les obstacles sont réduites ;

- La capacité de détecter des stimuli internes et externes au véhicule diminue ;

- Le temps de réaction au freinage dans une situation critique augmente ;

- Le temps d'adaptation permettant de maintenir une distance sécuritaire entre les véhicules augmente ;

- Il devient plus difficile de conduire en ligne droite et de maintenir le véhicule au centre de la voie.

LES TEXTOS

Texter au volant est tout aussi dangereux que parler au cellulaire. Cela augmente le risque d'accident, puisque le conducteur quitte la route des yeux de 4 à 6 secondes. À une vitesse de 90km/h, c'est comme traverser un terrain de football les yeux fermés.

INTERDICTION CONCERNANT LE CELLULAIRE TENU EN MAIN

Depuis le 1er avril 2008, il est interdit, en conduisant un véhicule, d'utiliser tout appareil ayant une fonction téléphonique et tenu en main. La loi vise tous les appareils munis d'une fonction téléphonique, activée ou non, et pouvant utiliser un réseau téléphonique, tels :

- Les téléphones cellulaires classiques ;
- Les terminaux mobiles de poche (BlackBerry) ;
- Les téléphones cellulaires offerts avec une fonction émetteur-récepteur (walkie-talkie) ;
- Les appareils qui affichent les courriels et qui permettent de naviguer sur Internet.

Le seul fait de tenir en main un tel appareil tout en conduisant, peu importe l'utilisation qui en est faite, est une infraction qui entraîne :

- Une amende de 115 $ à 154 $;
- Trois points d'inaptitude.

« Appareil tenu en main » s'entend d'un appareil que l'on prend entièrement dans sa main pour effectuer un appel.

Un conducteur qui immobilise son véhicule pour respecter une signalisation ou une entrave à la circulation continue de conduire son véhicule. Ainsi, la personne qui attend à un feu rouge ou dans un bouchon de circulation est considérée comme conduisant son véhicule et elle ne peut donc pas utiliser un cellulaire tenu en main.

Cependant, un conducteur qui immobilise son véhicule légalement et en toute sécurité sur le bord de la route pour utiliser son cellulaire ne conduit plus, même si le moteur du véhicule tourne encore.

CONCLUSION

Conduire est une tâche d'apparence facile mais qui, en réalité, est fort complexe. Elle exige qu'en tout temps vous soyez alerte et bien reposé. Un conducteur doit demeurer attentif, les mains sur le volant, les yeux sur la route. Cependant, il lui est probablement impossible de faire complètement abstraction de la foule de distractions susceptibles de nuire à sa concentration. Il doit donc être pleinement conscient de l'influence que les distractions ont sur sa conduite, apprendre à les gérer, voire à les éliminer, de façon à limiter leurs conséquences et ainsi diminuer les risques d'accident.

Éducation routière
educationroutiere.saaq.gouv.qc.ca

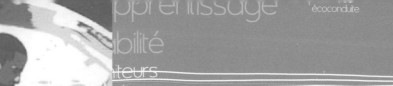

Activité

La fatigue au volant

Les conséquences de la fatigue nuisent grandement à la performance au volant. Un conducteur n'a pas besoin de tomber endormi derrière le volant pour que la fatigue altère ses capacités. La connaissance et la maîtrise des effets de la fatigue peuvent prévenir les accidents de la route et sauver des vies.

La tâche de conduire est complexe et elle requiert toute l'attention du conducteur : sa vue, son ouïe et son jugement sont constamment sollicités. En tant que nouveau conducteur, vous pouvez être encore plus vulnérable aux distractions.

TITRE DE L'ACTIVITÉ

La fatigue au volant

En équipes de travail (15 minutes)

- Désignez un porte-parole pour le retour en séance plénière.
- Selon vos connaissances actuelles, répondez aux questions suivantes :
  1. Vous vous rendez en Floride avec des amis. Pour limiter la fatigue et faire un voyage le plus sécuritaire possible, quelle est la meilleure stratégie à adopter ?
  2. Pouvez-vous préciser les premiers signes de fatigue au volant ?
  3. Indiquez les meilleurs moyens pour rester éveillé au volant.
  4. Selon vous, quelle est la catégorie de conducteurs la plus touchée par la fatigue au volant ? Dites pourquoi.

Retour en séance plénière (40 minutes)

- Chaque porte-parole présente ses réponses aux questions.

Individuellement

Ce que j'ai appris au cours de cette activité :

_____

_____

_____

_____

_____

Testez vos connaissances

316

Fatigue au volant

1 Au Canada, la fatigue, la somnolence et l'endormissement au volant seraient en cause dans :

a.   5 % des accidents de la route   c.   23 % des accidents de la route

b.   12 % des accidents de la route

2 Vrai ou faux : La fatigue est la cause la plus fréquemment invoquée dans les cas d'accidents impliquant un véhicule lourd.

☐ Vrai   ☐ Faux

3 La fatigue au volant est un problème qui touche :

a.   Les conducteurs professionnels   c.   Tous les conducteurs

b.   Les jeunes conducteurs

4 Vrai ou faux : Au volant, la fatigue et la somnolence sont aussi dangereuses que l'alcool.

☐ Vrai   ☐ Faux

5 Les jeunes conducteurs de moins de 25 ans ont besoin :

a.   De moins de sommeil que les personnes plus âgées

b.   De plus de sommeil que les personnes plus âgées

c.   De la même quantité de sommeil que les personnes plus âgées

6 La plupart des gens ont besoin d'une nuit de sommeil de sept à huit heures. Une nuit écourtée entraîne une dette de sommeil. Votre capacité de conduire commence à se détériorer si vous avez accumulé une dette de sommeil de :

a.   2 heures   c.   8 heures

b.   5 heures

7 Vrai ou faux : Prendre un café très fort est le meilleur moyen de contrer les effets de la fatigue au volant.

☐ Vrai   ☐ Faux

8 Lorsque vous êtes fatigué, comment croyez-vous que la consommation d'un verre ou deux d'alcool affectera votre capacité de conduire ?

a.   Pas du tout   c.   Grandement

b.   Légèrement

9 Vrai ou faux : Lorsque vous êtes fatigué, il est facile pour vous d'évaluer votre état de fatigue et de lutter contre la somnolence et l'endormissement.

☐ Vrai   ☐ Faux

10 Lorsque vous êtes fatigué, vous devez considérer ces facteurs comme pouvant aggraver votre état de fatigue :

a. Le moment de la journée

b. Le temps d'éveil

c. La présence d'un trouble du sommeil

d. Toutes ces réponses

11 Vrai ou faux : Vous pouvez emmagasiner du sommeil pendant la fin de semaine.

☐ Vrai   ☐ Faux

12 Selon vous, durant quelle période de la journée le risque de vous endormir au volant est-il le plus élevé ?

a. La nuit entre 2 h et 6 h

b. L'avant-midi entre 8 h et 12 h

c. L'après-midi entre 13 h et 15 h

13 Les épisodes de somnolence au volant sont plus fréquents :

a. Autant le jour que la nuit

b. Le jour

c. La nuit

14 Vrai ou faux : Il y a plus de risques de s'endormir au volant sur un trajet monotone comme une autoroute.

☐ Vrai   ☐ Faux

15 Vrai ou faux : La fatigue diminue les réflexes et augmente le temps de réaction.

☐ Vrai   ☐ Faux

16 Vous êtes sur la route et les premiers signes de la fatigue se font sentir :

a. Vous augmentez la vitesse pour arriver plus vite à votre destination

b. Vous arrêtez le plus tôt possible pour vous reposer

c. Vous prenez une boisson énergisante

RÉPONSES

1. c. 23 % des accidents de la route

2. Vrai

3. c. Tous les conducteurs

4. Vrai

5. b. De plus de sommeil que les personnes plus âgées

6. a. 2 heures

7. Faux

8. c. Grandement

9. Faux

10. d. Toutes ces réponses

11. Faux

12. a. La nuit entre 2 h et 6 h et c. L'après-midi entre 13 h et 15 h

13. c. La nuit

14. Vrai

15. Vrai

16. b. Vous arrêtez le plus tôt possible pour vous reposer

Reconnaître les signes avant-coureurs de la fatigue au volant

	Oui	Non
Bâillez-vous fréquemment?		
Avez-vous des picotements dans les yeux?		
Vos paupières se ferment-elles involontairement?		
Avez-vous des périodes de microsommeil qui durent de trois à quatre secondes?		
Avez-vous de la difficulté à vous concentrer, à demeurer vigilant?		
Avez-vous de la difficulté à maintenir une vitesse et une trajectoire constantes?		
Vos réactions sont-elles plus lentes?		
Avez-vous des pertes de mémoire? (Ex.: Vous n'avez aucun souvenir des derniers kilomètres parcourus.)		
Avez-vous des hallucinations, particulièrement en présence de brouillard ou sur des routes monotones? (Ex.: Vous percevez faussement la présence d'un animal sur la route.)		

Apprentissage sur la
Route

Conduite semi-dirigée à autonome

Durée : 1 heure
Circuit : Moyen à difficile
Circulation : Fluide à moyennement dense

PARTICULARITÉS

Sensibilisation à ces comportements à risque : alcool, drogues, médicaments

Distractions

Comportement sécuritaire, coopératif et responsable

À mi-parcours, demander à l'apprenti conducteur de brancher le système de ventilation ou de chauffage tout en conduisant

- Vérifier s'il est en mesure d'effectuer des tâches connexes (par exemple brancher le système de ventilation ou de chauffage) sans que sa conduite en soit affectée (par exemple pas de changement brusque dans la trajectoire)

LES MANŒUVRES ET LES COMPORTEMENTS

- Perfectionner la conduite (manœuvres et comportements) de façon autonome
- Éliminer ou atténuer le plus grand nombre possible de distractions

LE MONITEUR DOIT S'ASSURER QUE L'APPRENTI CONDUCTEUR :

Observe

- Explore l'environnement à l'aide du balayage visuel, en vérifiant dans les rétroviseurs et par-dessus l'épaule (angles morts)
- Repère les distractions présentes à l'intérieur et à l'extérieur du véhicule
- Détecte les risques potentiels

Évalue

- Recherche des solutions pour éviter ou réduire les risques

Agit

- Adapte sa conduite en fonction des situations de conduite (circulation, types d'usagers en présence, conditions climatiques et routières, etc.)
  - Varie la vitesse
  - Augmente les marges de sécurité (avant, arrière et latérales) autour du véhicule
  - Change de voie
  - Laisse passer, etc.
- Adopte un comportement sécuritaire, coopératif et responsable
- Dirige son attention sur la conduite
- Élimine ou atténue le plus grand nombre possible de distractions

Éducation routière
educationroutiere.saaq.gouv.qc.ca

Sortie 11

Conduite semi-dirigée à autonome

Phase

4

Sortie 11

CONDUITE AUTONOME

- Donner à l'apprenti conducteur une série d'indications afin qu'il puisse se rendre à l'endroit choisi, comme vous le ferriez, par exemple, pour un touriste.
- À partir de ces indications, l'apprenti conducteur devra se rendre à destination.
- Vérifier s'il est en mesure de se diriger de façon autonome. Au cours de la réunion-bilan, revenir sur les notions suivantes :
    - Est-ce que l'apprenti conducteur est en mesure de respecter le CSR et la signalisation routière en même temps qu'il s'oriente sur le réseau routier ?
    - Est-ce qu'il accorde une attention particulière aux autres usagers, notamment aux usagers vulnérables, ou est-il trop occupé à se rappeler les indications ?
    - Est-ce que la conduite de l'apprenti conducteur est sûre ou est-il hésitant quant au chemin à prendre ?

**EN TOUT TEMPS,
L'APPRENTI CONDUCTEUR DOIT :**

- **Respecter le Code de la sécurité routière et le Code criminel**
- **Respecter la signalisation routière**
- **Appliquer les règles de courtoisie**
- **Coopérer avec les usagers de la route, particulièrement avec les usagers vulnérables (partage de la route)**
- **Adopter une conduite sécuritaire, coopérative et responsable**
- **Prendre des décisions conformes à la sécurité routière**

Conduite semi-dirigée à autonome

Phase 4

Éducation routière
educationroutiere.saaq.gouv.qc.ca

Module 12

L'écoconduite

COMPÉTENCES VISÉES

- Déterminer les caractéristiques d'une conduite écologique, économique et respectueuse de la sécurité routière (écoconduite)

- Préparer le véhicule pour son déplacement

- Réaliser les manœuvres de conduite

- Adopter une conduite écologique, économique et sécuritaire (écoconduite)

- Décider de conduire ou de ne pas conduire

Activité : entretien du véhicule

chaque jour	chaque Mois	chaque 6 Mois	chaque année
• pneu	• pression air-pneu	• changement huile	• Antècwill
• vèrification visuelle.	• remplir lave-glace.	• filtre à air.	• vèrification système de Refroidissement
• niveau essence.	• phare.	• essuie-glace	• nettoyer injections.
• témoin lumineux	• niveau huile	• freins	• suivre les recommandations du fabrication.
• plaque visible		• changement de pneu.	• Tuyaux d'échappement et silencieux.
• véhicule bien dèneigé.			

Module 12

L'écoconduite

Supplément aux guides d'apprentissage

INTRODUCTION

Dans le module 1, qui porte sur le véhicule, les principes de l'écoconduite ainsi que ses avantages ont été présentés. Le module 12 traite plutôt de la façon d'appliquer l'écoconduite dans son quotidien, soit au moment de l'achat d'un véhicule, du choix du mode de transport, de la planification d'un déplacement et de la réalisation des manœuvres de conduite d'un véhicule de promenade.

Les personnes qui désirent des renseignements supplémentaires sur l'écoconduite et sur l'efficacité énergétique en général peuvent consulter le site Internet de l'Agence de l'efficacité énergétique du Québec à l'adresse www.aee.gouv.qc.ca.

L'achat du véhicule

L'achat d'un premier véhicule représente souvent une étape importante dans la vie d'un nouveau conducteur. Afin de choisir le véhicule reflétant ses besoins réels, le conducteur doit considérer certains aspects : le taux de consommation de carburant, la masse et le poids du véhicule, la cylindrée de son moteur, sa transmission et ses options.

- Le taux de consommation de carburant – Il existe des outils comme le *Guide de consommation de carburant* (offert gratuitement sur le site Internet de Ressources naturelles Canada), qui permettent une comparaison efficace de la consommation de carburant entre deux véhicules. Choisir le véhicule ayant le taux de consommation le plus bas permet, de façon générale, d'économiser du carburant. Un véhicule doté d'une technologie hybride est plus efficace et sa consommation de carburant est moindre.

- La masse et le poids – De façon générale, plus un véhicule est gros et lourd, plus il consomme du carburant.

- La cylindrée – De façon générale, un petit moteur tend à moins consommer qu'un moteur à forte cylindrée.

- La transmission – Un véhicule muni d'une boîte de vitesse manuelle amène une consommation un peu moins élevée qu'un véhicule muni d'une boîte automatique.

- Les options – L'usage des quatre roues motrices et du climatiseur augmente la consommation de carburant.

Le choix du mode de transport

POUR DES TRAJETS COURTS

Avant de prendre le volant, le conducteur doit se demander s'il est possible d'effectuer le déplacement sans utiliser un véhicule routier, surtout si la distance à parcourir est courte et que les transports en commun sont accessibles. Il existe divers modes de transport qui remplacent l'utilisation du véhicule : transports collectifs, covoiturage, marche, vélo, etc. Décider de ne pas prendre le volant est souvent le meilleur choix du point de vue de l'efficacité énergétique, de l'environnement et de la sécurité routière.

POUR DES TRAJETS LONGS

Pour de longues distances, le conducteur a aussi la possibilité de recourir aux transports collectifs comme le train ou l'autocar, qui polluent moins de façon globale et qui permettent au conducteur de se détendre durant le trajet ou de faire une activité, car il n'a pas à se soucier de l'environnement routier. De plus, lorsqu'un conducteur voyage seul, le transport en commun peut être moins coûteux que l'utilisation d'un véhicule routier.

La planification du déplacement

Planifier son déplacement favorise un style de conduite plus calme, ce qui a une incidence sur l'efficacité énergétique, sur l'environnement et sur la sécurité routière. Pour faire une bonne planification, le conducteur doit déterminer à quel moment il doit conduire, sa destination, le trajet pour s'y rendre et quels seront les passagers à bord du véhicule.

PRÉPARER LE DÉPLACEMENT

Afin de limiter les sources de stress et ainsi de porter toute son attention sur la route, le conducteur peut mettre en application certaines stratégies avant de prendre le volant. Ces stratégies sont les suivantes :

- Surestimer la durée du déplacement et planifier des pauses toutes les deux heures (pour de longs trajets). Le conducteur aura l'impression de partir à l'avance, il sera donc plus détendu pour conduire – moins d'excès de vitesse, de freinages brusques, d'accélérations rapides, etc. De surcroît, le conducteur limitera sa consommation d'essence en adoptant un style de conduite plus calme.

- Éviter les heures où la circulation est dense pour effectuer le déplacement. Cela limite les interactions avec les autres usagers et le risque d'être impliqué dans un accident.

- Regrouper les déplacements plutôt que de faire plusieurs déplacements courts, pour réduire le kilométrage et économiser du carburant.

- Consulter une source d'information afin de connaître les conditions routières (ex. : travaux, embouteillages) et climatiques (brouillard, tempête de neige, etc.) et éviter ainsi de se mettre en situation de conduite difficile.

- Se renseigner à l'avance sur les particularités d'un trajet lorsqu'on le fait pour la première fois (ex. : l'accès au centre-ville, les aires de stationnement, les rues piétonnes, etc.) afin d'éviter les détours. Se donner des repères afin de s'orienter plus facilement au retour.

- Prévoir ce qu'il faut pour le bien-être des passagers, particulièrement s'il y a des enfants à bord, qui risquent de perturber la conduite.

- Vérifier l'état général du véhicule avant un long trajet, pour éviter des ennuis mécaniques sur la route.

Le conducteur peut déterminer divers trajets pour se rendre à destination et choisir le plus sûr :

- En évaluant les caractéristiques de chaque trajet. Par exemple, les endroits où il y a possibilité d'une présence accrue d'usagers vulnérables (parcs, zones commerciales), les intersections avec virage à gauche protégé, etc. Le conducteur doit autant que possible privilégier le trajet qui comporte le moins de risques, même s'il n'est pas toujours le plus court.

- En tenant compte du moment. Par exemple, éviter les zones scolaires aux heures de sortie des classes.

- En écoutant la radio, notamment une chaîne diffusant de l'information routière, afin de connaître les difficultés ponctuelles d'un trajet (embouteillages, accidents, travaux, etc.) et de pouvoir ainsi choisir un autre parcours.

Pour planifier le déplacement, il existe de plus en plus de bonnes sources d'information routière (ex. : cartes routières, GPS, *Google Maps*, service de l'état des routes) que le conducteur peut consulter.

Être « écoconducteur » sur la route

LA CHARGE DU VÉHICULE

Tout objet sur le véhicule (tel que le porte-bagages sur le toit ou le support à vélo) augmente la résistance du véhicule à l'air. Même lorsqu'il est vide, le porte-bagages peut ralentir le véhicule, rendre la conduite difficile et augmenter la consommation de carburant. Il est préférable d'enlever les charges inutiles sur le véhicule avant de prendre le volant.

LA VITESSE DU VÉHICULE

Circuler à une vitesse égale ou moindre que la limite de vitesse permise permet d'économiser du carburant et de se déplacer de manière plus sécuritaire sur le réseau routier. Plus précisément, réduire sa vitesse de 100 km/h à 90 km/h permet de consommer jusqu'à 10 % de moins d'essence. Par contre, circuler à 120 km/h au lieu de 100 km/h entraîne une consommation de carburant 20 % plus élevée et une production inutile de CO_2.

Certaines manœuvres d'écoconduite liées à la vitesse du véhicule peuvent être effectuées. Ces manœuvres sont :

- Accélérer et décélérer graduellement.

- Éviter les freinages brusques. Préparer d'avance l'immobilisation du véhicule, afin de l'effectuer en douceur.

- Diminuer la vitesse entre les panneaux d'arrêt ou les feux de circulation qui se succèdent. Ainsi, les décélérations du véhicule seront plus faibles.

- Rouler à une vitesse stable, conforme aux limites affichées et adaptée aux conditions routières.

Il est avantageux de conduire calmement, car les gains de temps liés à un style de conduite agressif (vitesse élevée, arrêts brusques, démarrages rapides, etc.) sont minimes comparativement aux gains en matière d'efficacité énergétique, d'environnement et de sécurité routière liés à une conduite plus calme. Plus précisément, un style de conduite agressif augmente la consommation de carburant jusqu'à 39 %, et ce, pour gagner seulement 2,5 minutes pour chaque heure passée sur la route.

L'ANTICIPATION DES SITUATIONS DE CONDUITE

Tel que nous l'avons vu dans le module 7 (stratégie OEA) portant sur l'anticipation des situations de conduite, ses bienfaits ne se limitent pas à la sécurité routière. Le conducteur peut également effectuer des économies de carburant en anticipant les ralentissements et les arrêts de la circulation, les changements de feux de circulation et la présence de différents panneaux de signalisation (ex. : panneau d'arrêt, perte d'une voie) et limiter ainsi les freinages et les décélérations brusques tout en conservant des marges de sécurité autour de son véhicule.

LA MARCHE AU RALENTI (LAISSER TOURNER INUTILEMENT LE MOTEUR)

La marche au ralenti gaspille le carburant et ne réchauffe pas le moteur, la transmission, les lubrifiants d'essieu, les pneus ou les autres composants du véhicule. En fait, il est préférable de laisser tourner le moteur du véhicule pendant au maximum 30 secondes (temps suffisant pour lubrifier adéquatement le moteur) et ensuite de rouler sans accélérer rapidement sur les cinq premiers kilomètres ou jusqu'à ce que l'indicateur de température commence à s'élever, et ce, à condition que les vitres soient dégivrées. L'utilisation d'un chauffe-moteur deux heures avant l'utilisation du véhicule est également appropriée ; cependant, il ne faut pas le laisser branché toute la nuit, car cela entraîne une consommation inutile d'électricité.

De plus, laisser tourner le moteur longtemps lorsque le véhicule est immobilisé est une source de pollution, et un moteur qui tourne trop souvent au ralenti peut s'user plus vite. Lorsque le moteur tourne sous le niveau de température où il est le plus performant, la combustion de l'essence est incomplète. Certains résidus d'essence redeviennent liquides et se collent aux parois des cylindres, ce qui peut occasionner des frais d'entretien plus élevés à long terme. Il faut se rappeler que le moteur se réchauffe beaucoup plus vite lorsque le véhicule roule. Il vaut mieux arrêter le moteur de votre véhicule si vous devez attendre plus de 60 secondes, par exemple dans une aire de stationnement, lorsque vous attendez un passager, etc.

Conflits potentiels entre les techniques d'écoconduite et la conduite sécuritaire

Bien que l'écoconduite puisse contribuer à diminuer les risques d'accidents, elle peut à certains moments engendrer un conflit avec la sécurité routière – par exemple, un conducteur qui ne s'arrête pas complètement à une intersection avec panneaux d'arrêt afin d'économiser du carburant. Ces économies sont minimes comparativement aux risques d'accident pour le conducteur et pour les autres usagers. En effet, le conducteur qui ne fait pas un arrêt complet, en plus de commettre une infraction, ne dispose pas de suffisamment de temps pour bien explorer l'environnement et pour modifier sa conduite en cas d'imprévu. De plus, il envoie un message confus aux autres usagers. La prudence doit toujours primer sur l'économie de carburant.

CONCLUSION

Un conducteur au comportement sécuritaire et responsable peut décider d'entrée de jeu de ne pas conduire pour privilégier un autre mode de transport. Décider de ne pas prendre le volant est souvent le meilleur choix pour l'efficacité énergétique, pour l'environnement et pour la sécurité routière.

Éducation routière
educationroutiere.saaq.gouv.qc.ca

Aide-mémoire

Écoconduite	
Je conserve des marges de sécurité tout autour de mon véhicule.	X
J'anticipe mieux la circulation et les mouvements des véhicules.	X
Je respecte les limites de vitesse.	X
Je diminue le nombre et l'ampleur de mes accélérations.	X
J'ajuste la pression de mes pneus mensuellement.	X
Au moment de l'achat de mon véhicule, j'inclurai la cote de consommation dans l'analyse des véhicules de la catégorie qui répond à mes besoins.	X
Je décélère graduellement.	X
Lorsque cela est possible, je place la charge à transporter dans le coffre arrière du véhicule au lieu de la mettre dans un porte-bagages sur le toit.	X
J'enlève les objets inutiles de mon véhicule avant chaque déplacement.	X
J'utilise le régulateur de vitesse sur la grande route.	X
J'anticipe les feux de circulation afin de réduire le nombre de mes arrêts (ainsi que mes accélérations, par la même occasion).	X
En ville, je roule avec l'air climatisé fermé et les fenêtres ouvertes.	X
Sur la grande route, je roule avec l'air climatisé et je garde les fenêtres fermées.	X

Source : Agence de l'efficacité énergétique du Québec.

Conduite avec
un observateur - partie 1

Être le conducteur

Durée : 1 heure
Circuit : Moyen à difficile
Circulation : Forte densité

PARTICULARITÉS

La sortie 12 et la sortie 13 sont combinées pour en faire une sortie de deux heures.

À tour de rôle, les deux apprentis conducteurs qui sont dans la voiture sont l'observateur et le conducteur.

LES MANŒUVRES ET LES COMPORTEMENTS

- Perfectionner la conduite (manœuvres et comportements) en vue d'être autonome sur le réseau routier

CONDUITE AUTONOME

- Avant de partir, aviser l'apprenti conducteur qu'il devra effectuer la sortie sur route de façon autonome
  - Il devra se rendre à une destination précise (ex. : hôtel de ville, bibliothèque municipale) avec un minimum d'indications de la part du moniteur

EN TOUT TEMPS, L'APPRENTI CONDUCTEUR DOIT :

- **Respecter le Code de la sécurité routière et le Code criminel**
- **Respecter la signalisation routière**
- **Appliquer les règles de courtoisie**
- **Coopérer avec les usagers de la route, particulièrement avec les usagers vulnérables (partage de la route)**
- **Adopter une conduite sécuritaire, coopérative et responsable**
- **Prendre des décisions conformes à la sécurité routière**

LE MONITEUR DOIT S'ASSURER QUE L'APPRENTI CONDUCTEUR :

Observe

- Explore l'environnement à l'aide du balayage visuel, en vérifiant dans les rétroviseurs et par-dessus l'épaule (angles morts)
- Détecte les risques potentiels

Évalue

- Recherche des solutions pour éviter ou réduire les risques

Agit

- Adapte sa conduite en fonction des situations de conduite (circulation, types d'usagers en présence, conditions climatiques et routières, etc.)
  - Varie la vitesse
  - Augmente les marges de sécurité (avant, arrière et latérales) autour du véhicule
  - Change de voie
  - Laisse passer, etc.
- Adopte un comportement sécuritaire, coopératif et responsable

Éducation routière
educationroutiere.saaq.gouv.qc.ca

Sortie 12

Conduite semi-dirigée à autonome

Phase

4

Conduite avec
un observateur - partie 2

Être l'observateur

Durée : 1 heure
Circuit : Varié
Circulation : Variée

PARTICULARITÉS

La sortie 12 et la sortie 13 sont combinées pour en faire une sortie de deux heures.

À tour de rôle, les deux apprentis conducteurs qui sont dans la voiture sont l'observateur et le conducteur.

TRAVAIL DE L'OBSERVATEUR

l'observateur

Analyse la conduite de l'apprenti conducteur

- Détermine ses forces et les points à améliorer
- Justifie ses observations
- Propose des solutions pour aider l'apprenti conducteur à adopter une conduite plus sécuritaire, coopérative et responsable

Observe l'environnement

- Reconnaît les risques potentiels et réels de l'environnement
- Détermine les actions que doit faire l'apprenti conducteur considérant ces risques
- Trouve des solutions permettant une conduite sécuritaire, coopérative et responsable

EN TOUT TEMPS,
L'APPRENTI CONDUCTEUR DOIT :

- **Respecter le Code de la sécurité routière et le Code criminel**
- **Respecter la signalisation routière**
- **Appliquer les règles de courtoisie**
- **Coopérer avec les usagers de la route, particulièrement avec les usagers vulnérables (partage de la route)**
- **Adopter une conduite sécuritaire, coopérative et responsable**
- **Prendre des décisions conformes à la sécurité routière**

Éducation routière
educationroutiere.saaq.gouv.qc.ca

Sortie 13

Conduite semi-dirigée à autonome

Phase

4

Écoconduite

Durée : 1 heure
Circuit : Varié
Circulation : Variée

PARTICULARITÉS

Manœuvres et principes d'écoconduite

Principes d'écoconduite

- Planification du trajet : penser à d'autres formes de transport, s'accorder du temps, etc.
- Utilisation du climatiseur
- Charge sur le véhicule (ex. : porte-bagages)
- Entretien du véhicule
- Vérification des pneus (état et pression)
- Choix du trajet (types de route, présence de panneaux d'arrêt ou de feux de circulation, etc.)
- Temps de marche du moteur au ralenti
- Etc.

LES MANŒUVRES ET LES COMPORTEMENTS

Vitesse (manœuvres de l'écoconduite)

- Accélérer et décélérer graduellement
- Éviter les freinages brusques
- Diminuer la vitesse entre les arrêts du véhicule (ex. : entre deux panneaux d'arrêt)
- Rouler à une vitesse stable, réglementaire et adaptée à l'environnement

Anticipation (manœuvres de l'écoconduite)

- Anticiper les changements de vitesse de la circulation
  - Regarder loin devant
  - Réagir rapidement et en douceur au ralentissement des véhicules devant
- Anticiper les arrêts obligatoires
- Anticiper les changements de feux de circulation
- Conserver des marges de sécurité tout autour du véhicule
- Perfectionner la conduite

LE MONITEUR DOIT S'ASSURER QUE L'APPRENTI CONDUCTEUR :

Observe

- Explore l'environnement à l'aide du balayage visuel, en vérifiant dans les rétroviseurs et par-dessus l'épaule (angles morts)
- Détecte les risques potentiels

Évalue

- Recherche des solutions pour éviter ou réduire les risques

Agit

- Adapte sa conduite en fonction des situations de conduite (circulation, types d'usagers en présence, conditions climatiques et routières, etc.)
  - Varie la vitesse
  - Augmente les marges de sécurité (avant, arrière et latérales) autour du véhicule
  - Change de voie
  - Laisse passer, etc.
- Adopte un comportement sécuritaire, coopératif et responsable

Sortie 14

Conduite semi-dirigée à autonome

Phase 4

Éducation routière
educationroutiere.saaq.gouv.qc.ca

Sortie 14

Conduite semi-dirigée à autonome

Phase 4

CONDUITE AUTONOME

- Avant de partir, aviser l'apprenti conducteur qu'il devra effectuer une partie de la sortie sur la route de façon autonome (sans l'aide du moniteur)

Section dirigée de la sortie

- Demander à l'apprenti conducteur de rouler pendant quelques kilomètres. Sur le trajet, vous allez croiser des endroits particuliers (école, centre commercial, hôpital, hôtel de ville, etc.)
- Demander à l'apprenti conducteur de reconnaître des repères qu'il pourra utiliser dans la section autonome du parcours (référence : sortie sur route n° 5)

Section autonome de la sortie

- À un moment de la sortie sur la route, aviser l'apprenti conducteur que la prochaine partie de cette sortie se fera de façon autonome
- Demander à l'apprenti conducteur qu'il vous amène à un endroit particulier (autre que l'école de conduite) que vous avez croisé au moment de la section dirigée de la sortie
- Vérifier si l'apprenti conducteur est en mesure de se diriger de façon autonome. Effectuer un retour sur ces notions au moment du débriefing :
  - Est-ce que l'apprenti conducteur est en mesure de respecter le CSR et la signalisation routière en même temps qu'il s'oriente sur le réseau ?
  - Est-ce que son attention est portée seulement sur ses repères ou est-ce qu'il accorde, en même temps, une attention particulière aux autres usagers, notamment aux usagers vulnérables ?
  - Est-ce que la conduite de l'apprenti conducteur est sûre ou est-ce qu'il semble hésiter quant au chemin à prendre ?

**EN TOUT TEMPS,
L'APPRENTI CONDUCTEUR DOIT :**

- Respecter le Code de la sécurité routière et le Code criminel
- Respecter la signalisation routière
- Appliquer les règles de courtoisie
- Coopérer avec les usagers de la route, particulièrement avec les usagers vulnérables (partage de la route)
- Adopter une conduite sécuritaire, coopérative et responsable
- Prendre des décisions conformes à la sécurité routière

Éducation routière
educationroutiere.saaq.gouv.qc.ca

Sortie synthèse

Durée : 1 heure
Circuit : Varié
Circulation : Variée

PARTICULARITÉS

Dernière sortie prévue à l'apprentissage pratique

La sortie devrait se faire de la façon la plus autonome possible (ex. : demander à l'apprenti conducteur qu'il vous amène à une destination précise)

Si possible, varier les zones où circuler (zones scolaires, zones urbaines, autoroute, zone rurale)

LES MANŒUVRES ET LES COMPORTEMENTS

Départ

- Préparer le déplacement
  (véhicule et position de conduite)

Contrôle du véhicule

- Contrôler la direction, la vitesse et l'immobilisation du véhicule

Manœuvres de façon autonome

- Effectuer des manœuvres de conduite de façon autonome
  - Conduite en ligne droite
  - Immobilisation et virages aux intersections
  - Courbes
  - Marche arrière
  - Différents types de stationnements
  - Changements de voie dans diverses situations de conduite
  - Dépassement dans diverses situations de conduite

Actions de conduite de façon autonome

- Communiquer avec les autres usagers
  - Utilisation des clignotants
  - Utilisation du feu de freinage
  - Utilisation du klaxon et des phares
- Maintenir des marges de sécurité
  (avant, arrière et latérales) tout autour du véhicule
- Anticiper les situations de conduite
  - Évaluer les priorités de passage
  - Prévoir les changements de feux de circulation
  - Anticiper les arrêts et les ralentissements de la circulation et les arrêts liés à certains véhicules
- Effectuer des actions de conduite
  - Positionner le véhicule (virage, voie appropriée pour circuler dans la voie)
  - Céder le passage aux usagers vulnérables
  - Respecter les priorités de passage
  - Etc.

Sortie 15

Conduite semi-dirigée à autonome

Phase 4

Sortie 15

Conduite semi-dirigée à autonome

Phase 4

LE MONITEUR DOIT S'ASSURER QUE L'APPRENTI CONDUCTEUR :

Observe

- Explore l'environnement à l'aide du balayage visuel, en vérifiant dans les rétroviseurs et par-dessus l'épaule (angles morts)
- Détecte les risques potentiels et réels
  - Les endroits propices à la présence d'usagers
  - La présence d'autres usagers (particulièrement la présence d'usagers vulnérables)
  - Les arrêts
  - Etc.

Évalue

- Évalue les possibilités
- Évalue le degré de risque
- Recherche des solutions pour éviter ou réduire les risques

Agit

- Adapte sa conduite en fonction des situations de conduite (circulation, présence d'autres usagers, conditions climatiques et routières, etc.)
  - Varie la vitesse
  - Augmente les marges de sécurité (avant, arrière et latérales) autour du véhicule
  - Change de voie
- Prend plusieurs décisions rapidement
- Adopte un comportement sécuritaire, coopératif et responsable

EN TOUT TEMPS, L'APPRENTI CONDUCTEUR DOIT :

- **Respecter le Code de la sécurité routière et le Code criminel**
- **Respecter la signalisation routière**
- **Appliquer les règles de courtoisie**
- **Coopérer avec les usagers de la route, particulièrement avec les usagers vulnérables (partage de la route)**
- **Adopter une conduite sécuritaire, coopérative et responsable**
- **Prendre des décisions conformes à la sécurité routière**

LES SITUATIONS
D'URGENCE

LES **SITUATIONS** D'URGENCE

Tous conducteurs auront à faire face à une situation d'urgence un jour. La situation demandera qu'il fasse appel à toutes ces connaissances pour s'en sortir. Le conducteur se doit de connaître les techniques nécessaires.

PROBLÈMES **MÉCANIQUES**

Il existe des stratégies pour faire face aux situations d'urgence. Bien connaître son véhicule, c'est indispensable pour conduire en sécurité. En dessous du capot se cachent parfois des astuces pour une conduite plus adaptée. Même si vous n'avez pas le chromosome du mécanicien, des astuces et des informations simples vont vous permettre de contrôler au mieux votre voiture en cas de situation d'urgence.

L'ÉCLATEMENT D'UN PNEU :

- Ne pas freiner ;
- Tenir fermement le volant et forcer le véhicule à rouler en ligne droite ;
- Actionner les feux de détresse ;
- Ralentir ;
- Choisir la sortie qui offre le plus de sécurité ;
- Changer de voie, quitter la chaussée et immobiliser le véhicule à l'abri de la circulation pour installer la roue de secours.

L'ACCÉLÉRATEUR RESTE COINCÉ :

- Tenter de le libérer ;
- Passer au neutre ;
- Couper le contact ;
- Appuyer à fond sur le frein.

LE CAPOT SE SOULÈVE :

- Immobiliser le véhicule dans un endroit sécuritaire ;
- Ouvrir le capot complètement et le refermer fermement ;
- S'il se soulève complètement au point de s'écraser sur le toit ou de fracasser le pare-brise :
- Regarder par la fente sous le capot ou sur le côté en sortant la tête par la fenêtre ;
- Utiliser les rétroviseurs ;
- Freiner doucement et se ranger à l'abri de la circulation.

ESSUIE-GLACES CESSENT DE FONCTIONNER :

- Activer les feux de détresse ;
- Réduire la vitesse ;
- Quitter la route et immobiliser le véhicule dans un endroit sécuritaire.

• LES FREINS NE RÉPONDENT PLUS :

- Pomper les freins pour tenter de rétablir la pression ;

- Rétrograder en se servant de la compression du moteur ;

- Pomper le frein de stationnement en le maintenant déverrouillé (Tenir le bouton enfoncé) ;

- Communiquer avec phares et klaxon ;

- Faire frotter le véhicule sur une clôture ou une bordure ;

- Utiliser un obstacle mou tels la neige, la boue ou un buisson.

PANNE DE LA DIRECTION :

- Activer les feux de détresse ;

- Passer au point mort (N) ;

- Tenir le volant avec fermeté ;

- Freiner et se diriger vers le bord de la route et s'immobiliser.

LE TUYAU D'ÉCHAPPEMENT SE DÉTACHE :

- Diminuer la vitesse ;

- Diriger lentement le véhicule vers le bord de la route. Asphaltée de préférence afin d'éviter que le tuyau ne pique dans le sol et endommage la voiture ;

- Enlever complètement la partie endommagée ou l'attacher solidement. (Attention!...chaud) ;

- Faire réparer le plus tôt possible.

LES PHARES S'ÉTEIGNENT :

- Actionner les feux de détresse ;

- Tenter de rallumer les phares à plusieurs reprises ;

- Freiner doucement pour réduire la vitesse ;

- Quitter la chaussée le plus possible par la droite ;

- Signaler la présence par des fusées lumineuses, des torches électriques ou des réflecteurs.

LES **OBSTACLES**

LES ANIMAUX

Quoique les collisions avec des animaux puissent survenir à toute période de l'année, c'est en été et en automne qu'elles atteignent un sommet. La majorité des collisions graves se produit au coucher du soleil et à l'aube lorsque la visibilité est réduite. Il est toutefois important de se rappeler que les animaux peuvent être très actifs le jour.

Les orignaux et les chevreuils peuvent entraîner des blessures graves qui peuvent parfois être mortelles. L'impact avec un véhicule de promenade est tel que le corps de l'animal peut heurter le pare-brise et la partie avant du toit et occasionner des dommages considérables et des blessures graves, parfois même mortelles.

DANS UN SECTEUR À RISQUE

La vigilance est le premier et le meilleur moyen de défense, surveillez les panneaux dans les régions à risque.

EN PRÉSENCE D'ANIMAUX SUR LA ROUTE

Si l'animal est sur votre chemin, freinez énergiquement sans effectuer de manœuvre brusque afin de l'éviter. Donnez de petits coups de klaxon consécutifs pour faire fuir l'animal. Si vous pouvez ralentir sans perdre la maîtrise de votre véhicule, essayez de contourner l'animal sans quitter la route.

Les petits animaux peuvent aussi causer un accident. Ils peuvent surprendre le conducteur et lui faire perdre la maîtrise de son volant.

LES OBSTACLES SUR LA CHAUSSÉE

Si un objet ou un obstacle encombre la chaussée, le conducteur doit évaluer rapidement la situation et décider s'il doit franchir ou contourner l'obstacle.

Pour contourner l'obstacle, le conducteur doit :

- Freiner le plus possible ;

- Déterminer s'il est possible de contourner l'obstacle ;

- Repérer un endroit où diriger le véhicule ;

- Relâcher les freins et éviter le blocage des roues ;

- Diriger le véhicule dans la trajectoire choisie.

LES **MANŒUVRES** COMPLEXES

FREINER D'URGENCE

Le freinage d'urgence, aussi appelé « freinage au seuil », est une technique reconnue pour son efficacité, mais qui demande de la pratique. Cette technique s'utilise uniquement avec un véhicule sans freins antiblocage (ABS).

Le conducteur doit :

- Appuyez sur la pédale de frein très fort ;

- Relâchez la pression légèrement sur la pédale de frein afin que les roues ne bloquent pas.

Si vous en avez le choix, la meilleure méthode face à une situation d'urgence est une combinaison de freinage et de braquage. Freinez d'abord puis, pendant que vous ralentissez et reprenez le contrôle, décidez où vous voulez guider le véhicule.

SE DÉPLACER SUR L'ACCOTEMENT AVEC DEUX ROUES

Lorsque le conducteur est dans une situation où deux roues du véhicule se retrouvent sur l'accotement, il doit réagir vite.

- Tenir avec fermeté le volant ;
- Ramener le véhicule en parallèle avec la chaussée, c'est-à-dire en ligne droite ;
- Relâcher lentement l'accélérateur ;
- Laisser ralentir le véhicule sans freiner ;
- Tourner le volant vers le centre de la route en regardant au loin ;
- Accélérer pour reprendre une vitesse normale.

MAÎTRISER UN DÉRAPAGE

Le seul contact entre votre voiture et la route se fait par les pneus, et c'est la friction entre les pneus et la chaussée qui vous permet de démarrer, d'arrêter et de maîtriser la voiture. Sur une chaussée mouillée ou glissante, cette friction est grandement réduite.

Cela se produit lorsque le conducteur :

- Conduit à une vitesse excessive ;
- Accélère trop vite ;
- Freine brusquement ou excessivement ;
- Tourne le volant trop brusquement.

EN CAS DE DÉRAPAGE DE L'AVANT OU DE L'ARRIÈRE DU VÉHICULE

Pour corriger un dérapage des roues arrière, lâchez le frein et l'accélérateur, et tournez le volant dans le sens du dérapage.

Pour corriger un dérapage des quatre roues, lâchez le frein, rappliquez-le doucement et augmentez la pression lentement pour éviter de bloquer les roues à nouveau.

SYSTÈME DE FREINAGE ANTIBLOCAGE (ABS)

La plupart des nouveaux véhicules sont munis d'un système de freinage antiblocage, qui permet à un conducteur de tourner le volant en freinant.

VÉHICULES À TRACTION AVANT

Les conducteurs expérimentés de véhicules à traction avant peuvent constater qu'une légère accélération aidera à maîtriser un dérapage des roues arrière. S'il y a dérapage des roues avant, enlevez votre pied de l'accélérateur. L'effet de freinage du moteur peut ralentir le véhicule au point où la traction avant est rétablie. Si le dérapage continue, débrayez ou passez au neutre. Les roues qui tournent librement peuvent mieux rétablir la traction.

Pour éviter de déraper, par exemple lorsqu'il pleut, il faut ralentir dès les premières minutes d'une averse, car les résidus accumulés rendent la chaussée glissante. La vitesse excessive et les manœuvres brusques sont aussi des causes de dérapage.

Les constructeurs automobiles indiquent, dans le manuel du propriétaire, qu'il ne faut pas utiliser le régulateur de vitesse lorsque la chaussée est glissante, ce qui inclut les cas de chaussée mouillée. La raison en est fort simple : sur l'eau, le véhicule peut faire de l'aquaplanage et si le régulateur est en fonction, les roues motrices vont se mettre à accélérer alors qu'il leur faudrait plutôt ralentir. Le patinage ainsi provoqué peut engendrer une perte de contrôle, avec les conséquences que cela implique.

MAÎTRISER L'AQUAPLANAGE

Bien des conducteurs ne se rendent pas compte que les routes risquent d'être particulièrement glissantes juste après qu'il commence à pleuvoir ou à bruiner. Les quelques premières gouttes de pluie dégagent la graisse et les saletés accumulées sur la chaussée. Cette combinaison de graisse et de saletés se mélange aux gouttes de pluie et la route se couvre rapidement d'une pellicule glissante.

L'aquaplanage est un phénomène qui se produit sur une chaussée mouillée. À mesure que la vitesse augmente, les pneus commencent à rouler sur une pellicule d'eau. Dans une voiture ordinaire, l'aquaplanage partiel commence à environ 55 km/h, au point où les pneus peuvent flotter sur l'eau.

La meilleure chose à faire est d'enlever le pied de l'accélérateur et de laisser la voiture ralentir. Si vous dérapez lors d'un aquaplanage partiel, vous devriez réussir à maîtriser le véhicule.

Afin d'éviter l'aquaplanage, il est très utile d'avoir de bons pneus avec des rainures profondes. Les rainures permettent à l'eau sous les pneus de s'échapper et tendent à prévenir un aquaplanage complet à une vitesse normale.

TRAVERSER UNE MARE D'EAU

Le conducteur doit être prudent à l'approche d'une accumulation d'eau sur la route. On ne s'imagine pas que l'eau peut être profonde ou qu'elle dissimule un trou. Il est préférable de :

- Ralentir avant d'arriver à l'eau ;

- Rouler lentement dans l'eau ;

- Assécher les freins une fois de l'autre côté de l'eau, appuyer légèrement sur la pédale de l'accélérateur et de frein en même temps en utilisant les deux pieds.

LES SITUATIONS **IMPRÉVISIBLES**

UN INCENDIE SE DÉCLARE DANS LE VÉHICULE

- Activer les feux de détresse ;

- Choisir une voie de sortie sécuritaire et quitter la circulation ;

- Immobiliser le véhicule loin des autres véhicules et des immeubles ;

- Arrêter le moteur ;

- S'éloigner à au moins 30 mètres du véhicule.

UN RISQUE DE COLLISION FRONTALE

Il faut éviter par tous les moyens la collision frontale :

- Faire un appel de phares ;

- Klaxonner, éviter de se diriger vers la voie à contresens ;

- Freiner le plus possible et serrer à droite ;

- Regarder là où vous désirez diriger votre véhicule ;

- Si l'accotement de droite semble suffisamment large, s'y engager, mais ne tenter pas de revenir sur la chaussée avant d'avoir considérablement ralenti votre véhicule.

UN INSECTE DANS LE VÉHICULE

- Baisser la fenêtre et toutes les fenêtres si elles sont à ouverture électrique ;

- Si l'insecte ne sort pas, se ranger au bord de la route et le chasser.

UN VÉHICULE EN CONTACT AVEC DES FILS ÉLECTRIQUES

- Demeurer à l'intérieur, le caoutchouc des pneus servant d'isolant ;

- Activer les feux de détresse ;

- Arrêter le moteur ;

- Demander de l'aide de techniciens qualifiés ;

- Demander à toute personne d'éviter de s'approcher du véhicule.

UN VÉHICULE IMMERGÉ

Il flottera un certain temps, puis calera peu à peu :

- Détacher les ceintures de sécurité ;

- Ouvrir une fenêtre avant d'être submergé ;

- Sortir du véhicule pendant qu'il flotte encore ;

- S'éloigner immédiatement du véhicule pour éviter d'être aspiré par le remous lorsqu'il s'enfonce.

EN CAS DE PANNE

Agir en pensant à sa sécurité et à celle des autres :

- Actionner les feux de détresse ;

- Ralentir son véhicule progressivement ;

- Demeurer dans le véhicule en attendant l'arrivée des secours ;

- En cas de risque de collision, quittez le véhicule et dirigez-vous vers un endroit sécuritaire ;

- Sur un pont ou sur une autoroute, demeurer dans le véhicule.

348

EN CAS DE PANNE SUR UNE VOIE FERRÉE

Il est extrêmement dangereux de s'arrêter sur une voie ferrée. Ayez la sagesse de ne pas vous arrêter sur une voie ferrée si votre véhicule donne des signes de défaillance ou s'il n'y a pas d'espace suffisant de l'autre côté pour la franchir en toute sécurité.

S'IL N'Y PAS DE TRAIN

Essayer de déplacer le véhicule avec l'aide d'autres personnes.

S'IL EST IMPOSSIBLE DE DÉPLACER LE VÉHICULE

Communiquer avec un service de dépannage rapidement.

PRÉVENIR LA PANNE

Le conducteur doit être attentif au moindre changement inhabituel de son véhicule :

- Bruit inhabituel ;

- Liquide sur la chaussée autour du véhicule ;

- Témoin lumineux du tableau de bord allumé ;

- Comportements dans la conduite qui sont anormaux.

EN CAS D'**ACCIDENT**

Le conducteur impliqué dans un accident doit :

- Demeurer sur les lieux de l'accident ou y retourner immédiatement après ;

- Fournir l'aide nécessaire à toute personne qui a subi un dommage ;

- Faire appel à un agent de la paix si une personne a été blessée ;

- Fournir à l'agent de la paix ou à la personne qui a subi un dommage, les renseignements d'identification (nom, adresse et numéro de permis du conducteur, nom et adresse du propriétaire, numéro de plaque d'immatriculation et attestation du véhicule impliqué).

S'il n'y a aucun blessé, il n'est pas nécessaire d'appeler un agent de la paix, mais le conducteur doit fournir un rapport d'accident à sa compagnie d'assurance qui, elle, se chargera d'aviser la SAAQ.

PROTÉGER LES VICTIMES – APPELER LES SECOURS – PORTER ASSISTANCE

Si vous êtes arrivé le premier sur la scène d'un accident, c'est un devoir moral de porter secours dans la mesure de vos compétences. La loi demande à chaque citoyen de porter secours à une autre personne dont la vie est en péril. Cette obligation existe, par exemple, pour tout conducteur qui est impliqué dans un accident routier, mais aussi pour toute personne témoin d'une situation où une intervention urgente est nécessaire.

Il faut appeler les secours.

Vous n'avez pas l'obligation de porter assistance à autrui à tout prix. En effet, vous pouvez vous abstenir de porter assistance à quelqu'un lorsqu'une intervention pose un risque pour votre propre vie ou pour la vie d'autres personnes ou pour tout autre motif raisonnable.

Situations
particulières

Conduite dans l'obscurité

PARTICULARITÉS

Lorsque la situation se présente, jumeler cette fiche à la sortie sur la route prévue dans la formation de l'apprenti conducteur.

Conduite dans l'obscurité

- Être particulièrement attentif aux autres usagers de la route
- Rester alerte
- Conduire à une vitesse sécuritaire

LES MANŒUVRES ET LES COMPORTEMENTS

Stratégies

- Adopter des stratégies propres à la conduite dans l'obscurité
  - Réduire sa vitesse
  - Augmenter la marge de sécurité entre son véhicule et celui qui le précède
  - Garder le pare-brise propre et en bon état
  - Conserver un bon éclairage
  - Éviter de fixer les phares des autres véhicules
  - Éviter d'aveugler les autres conducteurs
  - Régler les rétroviseurs en position de conduite de nuit
- Utiliser de façon appropriée les feux de route et les feux de croisement

LE MONITEUR DOIT S'ASSURER QUE L'APPRENTI CONDUCTEUR :

Observe

- Adapte ses techniques d'exploration visuelle à la conduite dans l'obscurité
  - Vérifications par les rétroviseurs
  - Balayage visuel :
    - Ne fixe pas
    - Garde les yeux en mouvement
    - Porte le regard loin
    - Élargit son champ de vision
    - Maintient une vision périphérique
  - Vérifications par-dessus l'épaule (angles morts)
- Est particulièrement attentif à l'environnement
- Évite d'être ébloui par les phares des autres véhicules

Évalue

- Évalue l'environnement
- Est conscient que l'évaluation des distances est plus difficile

Agit

- Adapte son comportement à la conduite dans l'obscurité
  - Réduit la vitesse
  - Augmente les marges de sécurité autour du véhicule
- Utilise de façon appropriée les feux de route et les feux de croisement

Éducation routière
educationroutiere.saaq.gouv.qc.ca

Conduite hivernale

PARTICULARITÉS

Lorsque la situation se présente, jumeler cette fiche à la sortie sur la route prévue dans la formation de l'apprenti conducteur.

Risques de la conduite hivernale : chaussée glacée ou enneigée, visibilité réduite, etc.

Risques liés à une chaussée glacée : perte de contrôle, enlisement, etc.

Conduite hivernale
- Être particulièrement attentif aux autres usagers de la route
- Rester alerte
- Conduire à une vitesse sécuritaire

LES MANŒUVRES ET LES COMPORTEMENTS

Stratégies

- Adopter des stratégies propres à la conduite hivernale
  - Réduire sa vitesse
  - Augmenter la marge de sécurité entre son véhicule et celui qui le précède
  - Manœuvrer le véhicule en douceur, surtout le volant et la pédale de frein
  - Effectuer un balayage visuel de la route plus souvent et de manière attentive
  - Au besoin, utiliser comme guide les feux des véhicules qui précèdent
  - Maintenir les essuie-glaces en bonne condition
  - Regarder devant soi et planifier ses manœuvres
  - S'il neige, utiliser les feux de croisement

LE MONITEUR DOIT S'ASSURER QUE L'APPRENTI CONDUCTEUR :

Observe

- Adapte ses techniques d'exploration visuelle à la conduite hivernale
  - Vérifications par les rétroviseurs
  - Balayage visuel plus fréquent :
    - Ne fixe pas
    - Garde les yeux en mouvement
    - Porte le regard loin
    - Élargit son champ de vision
    - Maintient une vision périphérique
  - Vérifications par-dessus l'épaule (angles morts)
- Est particulièrement attentif à l'environnement

Évalue

- Évalue l'environnement
- Évalue l'effet de l'état de la chaussée sur la conduite
- Évalue l'effet des conditions climatiques sur la conduite
- Planifie les manœuvres bien à l'avance pour avoir suffisamment de temps de réaction
- Anticipe le risque de perdre le contrôle du véhicule ou le risque d'enlisement

Agit

- Adapte son comportement à la conduite hivernale
  - Réduit la vitesse
  - Augmente les marges de sécurité autour du véhicule
- Manœuvre le véhicule en douceur, surtout le volant et la pédale de frein

 Éducation routière
educationroutiere.saaq.gouv.qc.ca

Conduite sous la pluie

PARTICULARITÉS

Lorsque la situation se présente, jumeler cette fiche à la sortie sur la route prévue dans la formation de l'apprenti conducteur.

Conduite sous la pluie
- Être particulièrement attentif aux autres usagers de la route
- Rester alerte
- Conduire à une vitesse sécuritaire

Risques liés à la conduite sous la pluie : aquaplanage, perte de contrôle, etc.

LES MANŒUVRES ET LES COMPORTEMENTS

Stratégies

- Adopter des stratégies propres à la conduite lorsqu'il pleut
    - Réduire sa vitesse
    - Augmenter la marge de sécurité entre son véhicule et celui qui le précède
    - Manœuvrer le véhicule en douceur
    - Allumer les feux de croisement, même le jour
    - Effectuer un balayage visuel de la route plus souvent et de manière attentive
    - Au besoin, utiliser comme guide les feux des véhicules qui précèdent
    - Maintenir les essuie-glaces en bonne condition
    - Regarder devant soi et planifier ses manœuvres

LE MONITEUR DOIT S'ASSURER QUE L'APPRENTI CONDUCTEUR :

Observe

- Adapte ses techniques d'exploration visuelle à la conduite sous la pluie
    - Vérifications par les rétroviseurs
    - Balayage visuel plus fréquent.
        - Ne fixe pas
        - Garde les yeux en mouvement
        - Porte le regard loin
        - Élargit son champ de vision
        - Maintient une vision périphérique
    - Vérifications par-dessus l'épaule (angles morts)
- Est particulièrement attentif à l'environnement

Évalue

- Évalue l'environnement
- Planifie les manœuvres bien à l'avance pour avoir suffisamment de temps de réaction
- Anticipe les risques d'aquaplanage

Agit

- Adapte son comportement à la conduite sous la pluie
    - Réduit la vitesse
    - Augmente les marges de sécurité autour du véhicule

Éducation routière
educationroutiere.saaq.gouv.qc.ca

Manœuvre de dépassement

PARTICULARITÉS

Lorsque la situation se présente, jumeler cette fiche à la sortie sur la route prévue dans la formation de l'apprenti conducteur.

Effectuer des dépassements dans différentes zones de conduite :
- Zones urbaines
- Zones rurales
- Autoroutes
- Etc.

LES MANŒUVRES ET LES COMPORTEMENTS

Stratégies

- Adopter des stratégies propres aux dépassements
  - S'assurer que la manœuvre est légale
  - S'assurer que la manœuvre peut se faire de façon sécuritaire
  - S'assurer que la manœuvre peut se faire dans le respect des limites maximales de vitesse
  - S'assurer de respecter les priorités des autres usagers de la route
  - Planifier la manœuvre

LE MONITEUR DOIT S'ASSURER QUE L'APPRENTI CONDUCTEUR :

Observe

- Explore l'environnement
  - Vérifications par les rétroviseurs
  - Balayage visuel plus fréquent
    - Ne fixe pas
    - Garde les yeux en mouvement
    - Porte le regard loin
    - Élargit son champ de vision
    - Maintient une vision périphérique
  - Vérifications par-dessus l'épaule (angles morts)

Évalue

- Évalue l'espace et le temps nécessaires pour effectuer la manœuvre de dépassement en toute sécurité

Agit

- Communique ses intentions par l'utilisation des clignotants (de façon appropriée et au bon moment)
- S'assure d'être vu par les autres usagers
- Maintient des marges de sécurité tout autour du véhicule avant, pendant et après la manœuvre de dépassement
- Adopte un comportement sécuritaire, coopératif et responsable

Éducation routière
educationroutiere.saaq.gouv.qc.ca

Autoévaluation de la sortie sur la route

Sortie numéro : _____

1. Selon l'apprenti conducteur, quels sont les points forts et les points à améliorer à ce stade-ci de la formation pratique ?

Points forts

_____

_____

_____

_____

Points à améliorer

_____

_____

_____

_____

2. Selon le moniteur, quels sont les points forts et les points à améliorer à ce stade-ci de la formation pratique ?

Points forts

_____

_____

_____

_____

Points à améliorer

_____

_____

_____

_____

Nom de l'apprenti conducteur : _____

Nom du moniteur : _____

NOTES

NOTES

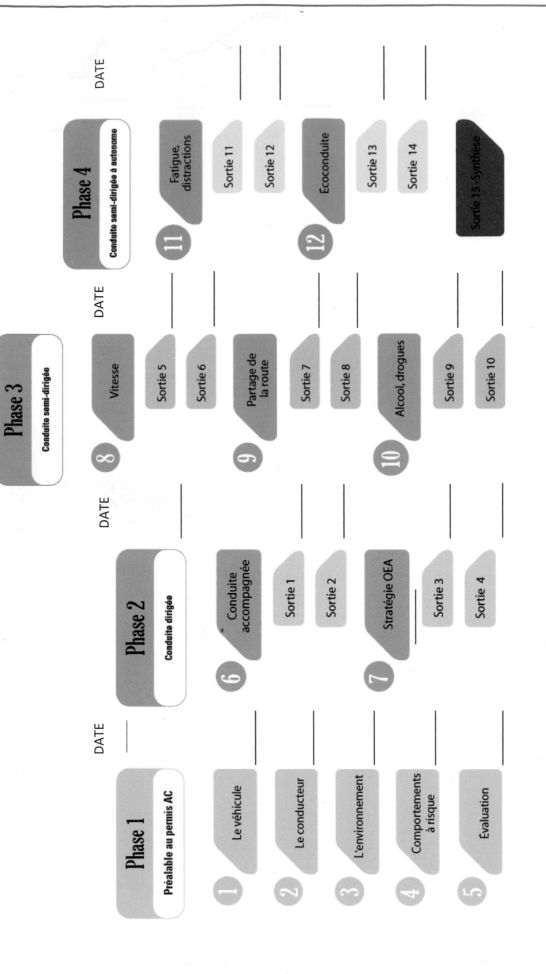

GRILLE HORAIRE